中华现代学术名著丛书

中国经济原论

王亚南 著

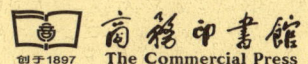

2014年·北京

图书在版编目(CIP)数据

中国经济原论 / 王亚南著. —北京：商务印书馆，2014
（中华现代学术名著丛书）
ISBN 978-7-100-09942-4

Ⅰ.①中… Ⅱ.①王… Ⅲ.①中国经济—研究—民国 Ⅳ.①F129.6

中国版本图书馆 CIP 数据核字（2013）第 091759 号

所有权利保留。
未经许可，不得以任何方式使用。

本书据生活书店 1948 年版排印

中华现代学术名著丛书
中国经济原论
王亚南 著

商 务 印 书 馆 出 版
（北京王府井大街36号 邮政编码 100710）
商 务 印 书 馆 发 行
北 京 冠 中 印 刷 厂 印 刷
ISBN 978-7-100-09942-4

2014年12月第1版　　开本 880×1240 1/32
2014年12月北京第1次印刷　印张 15¾ 插页 1
定价：50.00元

王 亚 南

(1901—1969)

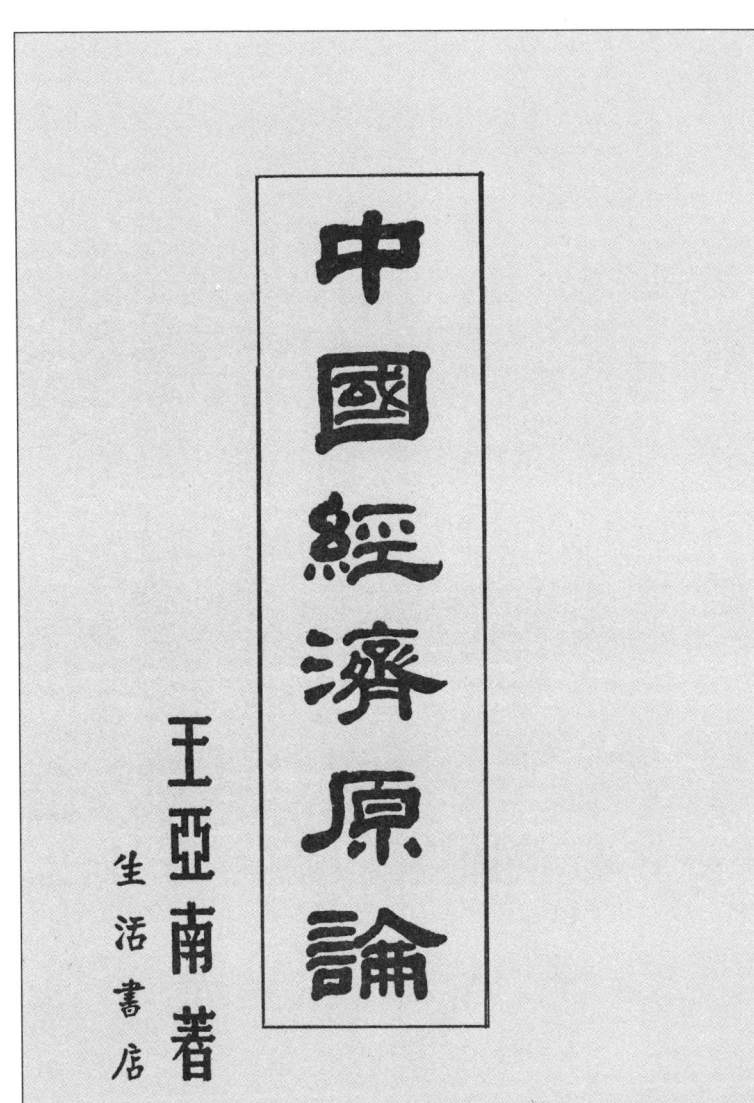

生活书店1948年版《中国经济原论》封面

出版说明

百年前,张之洞尝劝学曰:"世运之明晦,人才之盛衰,其表在政,其里在学。"是时,国势颓危,列强环伺,传统频遭质疑,西学新知亟亟而入。一时间,中西学并立,文史哲分家,经济、政治、社会等新学科勃兴,令国人乱花迷眼。然而,淆乱之中,自有元气淋漓之象。中华现代学术之转型正是完成于这一混沌时期,于切磋琢磨、交锋碰撞中不断前行,涌现了一大批学术名家与经典之作。而学术与思想之新变,亦带动了社会各领域的全面转型,为中华复兴奠定了坚实基础。

时至今日,中华现代学术已走过百余年,其间百家林立、论辩蜂起,沉浮消长瞬息万变,情势之复杂自不待言。温故而知新,述往事而思来者。"中华现代学术名著丛书"之编纂,其意正在于此,冀辨章学术,考镜源流,收纳各学科学派名家名作,以展现中华传统文化之新变,探求中华现代学术之根基。

"中华现代学术名著丛书"收录上自晚清下至20世纪80年代末中国大陆及港澳台地区、海外华人学者的原创学术名著(包括外文著作),以人文社会科学为主体兼及其他,涵盖文学、历史、哲学、政治、经济、法律和社会学等众多学科。

出版说明

出版"中华现代学术名著丛书",为本馆一大夙愿。自1897年始创起,本馆以"昌明教育,开启民智"为己任,有幸首刊了中华现代学术史上诸多开山之著、扛鼎之作;于中华现代学术之建立与变迁而言,既为参与者,也是见证者。作为对前人出版成绩与文化理念的承续,本馆倾力谋划,经学界通人擘画,并得国家出版基金支持,终以此丛书呈现于读者面前。唯望无论多少年,皆能傲立于书架,并希冀其能与"汉译世界学术名著丛书"共相辉映。如此宏愿,难免汲深绠短之忧,诚盼专家学者和广大读者共襄助之。

商务印书馆编辑部
2010年12月

凡　例

一、"中华现代学术名著丛书"收录晚清以迄20世纪80年代末,为中华学人所著,成就斐然、泽被学林之学术著作。入选著作以名著为主,酌量选录名篇合集。

二、入选著作内容、编次一仍其旧,唯各书卷首冠以作者照片、手迹等。卷末附作者学术年表和题解文章,诚邀专家学者撰写而成,意在介绍作者学术成就,著作成书背景、学术价值及版本流变等情况。

三、入选著作率以原刊或作者修订、校阅本为底本,参校他本,正其讹误。前人引书,时有省略更改,倘不失原意,则不以原书文字改动引文;如确需校改,则出脚注说明版本依据,以"编者注"或"校者注"形式说明。

四、作者自有其文字风格,各时代均有其语言习惯,故不按现行用法、写法及表现手法改动原文;原书专名(人名、地名、术语)及译名与今不统一者,亦不作改动。如确系作者笔误、排印舛误、数据计算与外文拼写错误等,则予径改。

五、原书为直(横)排繁体者,除个别特殊情况,均改作横排简体。其中原书无标点或仅有简单断句者,一律改为新式标点,专名号从略。

六、除特殊情况外,原书篇后注移作脚注,双行夹注改为单行夹注。文献著录则从其原貌,稍加统一。

七、原书因年代久远而字迹模糊或纸页残缺者,据所缺字数用"□"表示;字数难以确定者,则用"(下缺)"表示。

目　　录

序言 …………………………………………………………… 1
新版序言 ……………………………………………………… 7

第一篇　中国经济研究总论 …………………………… 13

第一章　中国经济研究的三个阶段 ………………………… 15
第二章　中国经济科学研究在理论与实践上的二重必要 …… 24
第三章　研究中国经济应依据的几种科学及其应采用的
　　　　几种方法 …………………………………………… 32
　　一　依据的几种科学 …………………………………… 32
　　二　采用的几种方法 …………………………………… 38

第二篇　中国商品与商品价值形态 …………………… 45

第一章　中国商品形态 ……………………………………… 47
　　一　商品是一个历史的经济形态 ……………………… 47
　　二　表识着中国社会的商品标本 ……………………… 48
　　三　中国商品的类型 …………………………………… 51
第二章　中国的商品价值形态 ……………………………… 60
　　一　商品・价值・价值法则 …………………………… 60
　　二　在价值律下显出的中国商品生产的不完备形态 …… 61

v

(1) 中国商品价值的增殖过程 ········· 62
　　　(2) 中国商品增殖价值的实现过程 ······· 64
　　　(3) 中国商品剩余价值的分割过程 ······· 67
　三　中国商品价值的一般特征 ············ 69

第三篇　中国货币形态 ················ 75

第一章　关于货币的基本认识 ············ 77
　一　货币与商品的历史发展关系 ·········· 78
　二　货币诸机能的演化过程 ············ 80
　三　不同社会的不同货币机能 ··········· 82

第二章　中国货币的特殊表象 ············ 83
　一　银本位制所表识的落后性 ··········· 83
　二　币制的不统一与不确定 ············ 85
　三　货币的种类数量及其演变消长关系 ······ 87

第三章　中国货币的诸机能 ············· 90
　一　当作价值尺度与价格标准来看的中国货币机能 · 90
　二　当作流通手段来看的中国货币机能 ······ 92
　三　当作贮藏手段来看的中国货币机能 ······ 94
　四　当作支付手段来看的中国货币机能 ······ 96
　五　当作"世界货币"来看的中国货币机能 ···· 99

第四章　货币改革与特殊的货币运动倾向 ······ 102

第四篇　中国资本形态 ················ 107

第一章　资本及有关资本发生发展的总概念 ····· 109
第二章　中国各种资本形态之质与量的考察 ···· 114

一　相存并在的各种资本形态 …………………………… 114

　　　二　由质到量的考察 ……………………………………… 124

　　　三　由量到质的再考察 …………………………………… 128

　第三章　中国资本累积、集中、分散的总运动 ………………… 129

　　　一　国际资本对中国资本运动的作用 …………………… 130

　　　二　中国资本的累积过程 ………………………………… 134

　　　三　中国资本的集中过程 ………………………………… 138

　　　四　中国资本的分散过程 ………………………………… 141

　　　五　在资本运动全过程中表现出来的总趋势 …………… 144

　第四章　战时及战后表现的资本运动规律 ……………………… 148

　　　一　由产业资本向着商业资本的转化 …………………… 148

　　　二　由国民资本向着官僚资本的转化 …………………… 150

　　　三　由民族资本向着国际资本的转化 …………………… 151

第五篇　中国利息形态与利润形态 ……………………………… 155

第一章　利息、利润及其相关联的诸法则 ……………………… 157

第二章　中国的利息形态 ………………………………………… 161

第三章　中国利息形态对于利润的规制作用 …………………… 169

第四章　中国商业利润形态对于产业利润的规制作用 ………… 177

第五章　中国利息、利润的综合观察及其在当前的新姿态 …… 184

第六篇　中国工资形态 …………………………………………… 191

第一章　劳动形态与工资形态 …………………………………… 193

第二章　中国传统的雇佣劳动关系 ……………………………… 196

第三章　由传统雇佣劳动到现代雇佣劳动的推移 ……………… 204

| 第四章 | 中国雇佣劳动的质与量 | 213 |
| 第五章 | 从工资形态上看出的各种榨取关系的现实基础 | 217 |

第七篇　中国地租形态 …… 227

第一章	由封建制地租向资本制地租转化的历程	229
第二章	中国地租的一般现象形态及其特质的把握	234
第三章	由商品货币关系发展限界上表现的绝对地租与差等地租的暗影	238
第四章	土地所有形态与土地经营形态范围着的现代性地租的发展	246
第五章	在农业资本构成与农业雇佣劳动上表现的地租特质	254
第六章	地租的累积与转化	262

第八篇　中国经济恐慌形态 …… 267

第一章	在两种典型的恐慌形态之间	269
第二章	中国传统的经济恐慌的特点	273
第三章	传统经济恐慌与经济现代化	278
第四章	市场关系的扩大与现代经济恐慌的诸表现	281
第五章	从全般经济法则联同作用下体现出的恐慌基因及其后果	288

附　论 …… 297

附论一　中国商业资本论 …… 299
　　一　全文的集注点 …… 299

目录

  二 商业资本在中国社会经济发展史上的兴衰
    继绝关键 ································· 301
  三 鸦片战役以后的商业资本 ··················· 306
  四 抗战发生以后的商业资本 ··················· 313
  五 当前商业资本所造出的危害及其所受到的限制 ··· 318
  六 商业资本活动的限界及其转向产业资本之
    可能途径 ································· 326

附论二 中国商业资本与工业资本间的流通问题 ············ 331
  一 问题的症结 ······························· 331
  二 有关资本流通问题的几个基本认识 ············ 332
  三 在古典形态下予以新装的中国商业资本 ········ 334
  四 战时商业资本的工业资本化与工业资本的
    商业资本化 ······························· 336
  五 解决工业资本问题的前提条件 ················ 339
  六 四个结论 ································· 341

附论三 中国公经济研究 ································· 344
  一 引言 ····································· 344
  二 现代公经济发展的历程 ····················· 346
  三 中国传统经济形态中之公经济的性质 ·········· 349
  四 在现代过程中的中国公经济活动的成果 ········ 352
  五 在战时公经济措施上显出的诸般特质 ·········· 355
  六 中国公经济的可能展望 ····················· 358

附论四 中国官僚资本之理论的分析 ······················ 362
  一 我们应当怎样理解官僚资本 ················· 362
  二 官僚资本的作用及其后果 ··················· 367

目录

附论五　中国官僚资本与国家资本 ………………… 376
  一　不同的解释 …………………………………… 376
  二　国家资本在不同社会的不同内容 …………… 377
  三　国家资本主义是什么？ ……………………… 381
  四　中国社会是否能允许国家资本存在？ ……… 383

附论六　政治经济学在中国 ………………………… 386
  一　当作舶来品输入的政治经济学 ……………… 386
    （一）中国没有产生政治经济学的环境 ……… 386
    （二）以德国作为比证 ………………………… 388
  二　我们是在怎样研究政治经济学？ …………… 392
    （一）形而下学的看法 ………………………… 392
    （二）形而上学的看法 ………………………… 394
  三　我们一向在研究怎样的政治经济学？ ……… 399
    （一）四分主义说的检讨 ……………………… 400
    （二）三位一体说 ……………………………… 404
  四　我们应以中国人的资格来研究政治经济学 … 410
    （一）三个前提认识 …………………………… 412
    （二）三大研究鹄的 …………………………… 414

附论七　中国经济学界的奥大利学派经济学 ……… 418
  一　题旨的说明 …………………………………… 418
  二　奥大利学派经济学的正体 …………………… 421
  三　奥大利学派经济学向世界各国的传播 ……… 429
  四　奥大利学派经济学传入中国的原委 ………… 433
  五　中国经济学界充满着奥大利学派经济思想的实话及
    经济实践上反映出的奥大利学派的经济意识 ……… 436

六　奥大利学派经济学对于民生主义经济由理论到
　　实践的背离 ·············· 439
七　经济学者的责任 ·············· 441

王亚南先生学术年表 ·············· 张兴祥　443
政治经济学中国化的成功典范 ·············· 胡培兆　466

序　言

现在拿来与读者见面的这部书——《中国经济原论》，就写作与出版的过程说，都算是相当难产。

民国二十九年我在国立中山大学担任高等经济学这门程课程；顾名思义，当然需要讲得高深一点。我于是选定里嘉图（David Ricardo）所著《经济学及赋税之原理》作为讲授的底本。但一半也许因为同学原来所学基础太差，一半也许因为我自己解说表达的能力不够，我发现同学对于这门课程感到十分兴趣的并不很多。就在同时，我还担任有中国经济史、经济思想史这两科。读中国经济史的是四年级的同学，读高等经济学的亦是四年级的同学。就我平日研究的心得讲，我相信我讲里嘉图的经济学说，还应比讲中国经济史有较大的把握，但同学对后者表示的兴奋，却远较前者为大。我当时就感到，这原因，不当完全求之于里嘉图那部大著的难读难讲，（以谦虚见称的里嘉图，当他把那部书拿去问世的时候，他竟表示：全英国是不是会有二十五个人懂得）而更应追问到：中国一般研究经济学的青年学子，在作为一个中国的经济学研究者的限内，他是否有理解这样抽象的理论之必要，或者至少，他们所研究的抽象理论，是否能拿来同现实，特别是中国经济现实发生认识上的关系。由于这一种感想，我对于中国大学讲坛上，关于经济学以及一切有关经济学课程所采取的教材与教法，就感到大有革正之必要。我当时所写的，而放在本书后面作为附论的《政治经济学在中国》一文，正是那种意念的具体表现。

在民国三十年，我还是担任高等经济学，还是把里嘉图的经济学作为底本，不过，每讲一章，比如讲价值论或地租论，我就把那一章研究的结论，拿来说明中国的商品价值，中国的地租，如何非里嘉图所研究的范畴，或者，里嘉图所研究的经济范畴，如何可以从反面来证示中国社会经济的非资本主义性。这个讲法，马上使一般同学发生兴趣了。研究经济学或者研究什么经济理论，本来是为了拿来作为理解或研究现实经济的手段，但一般却像行所无事的把这种意思弄错了。

在以后几年——三十一年、三十二年、三十三年——中，我不但在讲高等经济学的时候，丢开了里嘉图的那部大著，而直接由一般经济理论，尚论到中国经济，即分别由价值论展开中国商品价值的研究，由利润利息论展开中国利润利息形态的研究，并还把经济学一门功课也担任起来，编出一个站在中国人立场来研究经济学的政治经济学教程纲要，在讲完每一篇每一章的一般经济形态之后，紧接着就讲到中国有关经济形态的相同相异点，以及时下流行的国人有关那种经济形态的不正确认识，并分别予以评正。刻下，后一部讲稿，正由当时负记述责任的一位青年朋友在帮同整理中，而这几年高等经济学的讲义，则大体是本书的主要构成部分。

本来，在高等经济学讲述的过程中，为了这样的讲法，这样的研究法，是一种新的尝试，需要分别把它撰述出来，就正于海内的高明，所以，本书第二篇以下直至第八篇，曾分别发表于《中山文化季刊》、《广东省银行季刊》、《时代中国》等杂志。在民国三十三年初，承桂林文化供应社主持人万民一、万仲文昆季的友谊与盛意，使这先后依照一定计划写成，但却是分别发表的诸论文，得有集印的机会，于是我曾就中国现代经济的全般发展情形，及中外学者对于中国经济本身认识的演变情形，写了一篇长达三万余言的绪论，作为第一篇，而全书则题称为《中国经济原论》。但事不凑巧，《原论》的纸版刚好打成，桂林被日寇侵陷了。在这以后不久，我亦由国立中山大学的所在地广东坪石播迁到福建来。永安东南出版社计划印行《大学学术丛书》，希望我把原来交给文化供应社印行，但却未出版的这部书稿，拿来再印，我当时曾函文化供应社的负责人商谈，但因交通阻隔，一直没有回响。我当时设想，为了文化的意义，另行在东南印行，一定能邀得朋友的谅解。况该书的纸版是否抢出还有问题，于是我决计整理旧稿，交由东南出版社印行。但在整理的开始，就发现作为绪论的第一篇原稿遗失了；不久，东南出版社突如因为一阵政治风波，把负责人吹得散逸无踪了。我曾一度把整理的工作停止。直等到有志于中国经济之科学研究的朋友们，组织了经济科学出版社，并希望我首先把这部书稿提供出来，我这才重新鼓起勇气，另成第一篇，且在可能范围内，对其他各篇予以部分的增订。

后面增附的五篇，其中，《中国商业资本论》、《中国商业资本与工业资本间的流通问题》，因为可以帮助理解中国资本形态，所以从拙著《中国经济论丛》中移植过来；《政治经济学在中国》、《中国经济学界的奥大利学派经济学》，因为可以帮助我们理解一般人对中国经济认识的错误，所以也从拙著《经济科学论丛》中移植过来。至《原论》全书所论究的各种经济形态，大体是就私经济立论的，对于有关中国财政方面的情形,没有直接明显述及。这就《原论》所研究的范围来讲,虽不一定是什么缺陷,但探究中国经济运动的整体,显然是不能忽视这方面的直接间接作用的。我把最近为福建省研究院所编《研究汇报》写好的《中国公经济研究》一文附录在这里,也许多少能帮助我们看出那种作用的限度。

本书是尝试把中国经济全体,当作被若干基本经济法则所贯彻着的统一过程或统一运动。因而,各别经济形态相互间的内在因果关联,是我特别想努力分析的。本书的最后一篇或第八篇,虽是当作结论,当作一切基本法则作用最后必然归结到的后果,但由于资料的不充分和我个人研究能力的限制,我十分坦白的承认,这部书极其限,也许只能算是中国经济之科学的系统的研究之发端。不过,照一般流俗的见解,以为研究中国经济,没有把近十年来国内经济在战时的诸种变动指述出来,就失掉了现实性,但请这样设想的人们留意,那样的研究要求,是很容易由他们自己得到满足的。而我则是希望对中国经济何以会演成战时这种局面,有一个更基本的理解和说明。他们只能责难我的学力不够达成我的企图,而没有理由说我的研究忽视了现实。

我深知道:如其是在十年以前,像我这样一部不完备的东西,也许根本就无法产生出来;如其是在十年以后,它的内容和体制,也许会更完备一些。我这样说,显然不是就我个人的造诣立论,而是就我们所在社会的学术界对于中国社会经济形态研究的成果立论。这即是说,这部书稿用我的名义来问世,它实是近十数年来,大家分别由各种不同的视野,对中国社会性质予以比较深入研究的结果。没有大家已有的这种研究作为基础,我就不但无法采行这样的研究方式,且也不会引起这样来研究中国经济的动机。不过,我这里所谓"大家",实应包括有有关这方面研究的国外学者,特别是苏联学者和日本学者在内。他们直接间接关于中国现代社会或一般前资本社会或残留有浓厚封建因素的资本社会的研究成果,实给予了我莫大的激励与启示。

在研究过程中,不时给予我以鼓舞,并使我的研究不得不继续努力下去的,是国立中山大学经济学系乃至全校有志于中国社会经济之科学研究的同仁与同学。他们每有机会,就提出有关方面的问题来同我商讨,这样,我便经常像是处在被考试者的地位。中国商品与商品价值的研究,刚刚研讨出一个头绪,他们又要求我依此说明中国的货币资本……等等。不管我的考试是否及格,而我像经常被安置在被考试者地位却是一个事实。我在这当中,才比较理解到所谓"教育者在不断被教育"的意义,亦就因此之故,不管国人怎样理解中山大学,我总觉得那是一个有生气、有活力,特别富于时代感的学校,只要稍加绳墨,领导有方,那是格外容易显出学术研究的展望的。

就个别给予我的帮助的朋友讲,中山大学法学院现任院长胡体乾先生,应当最先被数到的。他是一个极渊博的社会学者,我们在几年同事中,几乎每天有一次聚谈的机会;当我们彼此把讲述的问题交换意见的时候,他总能从正面或反面给予一些补充或提示。而对于资料的提供方面,他的助力尤多,有关中国经济研究的一些重要杂志,他都全部保存着;如《读书杂志》、如《中国经济》、如《食货》、如《中国农村》等等,都是从他那辛苦积得而且在战时更辛苦

序　言

搬移的个人书库中取得的。

其次应当提及的是，现任国立暨南大学教授郭大力先生。我们在战争的过程中，虽只有一两次短期的共处，我们分别的研究，虽大体达到了共同的结论。但不仅他的《我们的农村生产》那部精辟论著，是在我研究《原论》过程中出版，给予了我不少的启示，并且我的全部研究，直接间接所负于他的地方是很多的。这部书在出版前未得到他的全面校正，应是一个大的缺陷。

再次，现任中山大学经济学系主任梅龚彬先生，曾对本论全稿作了一次详审的鉴定，并提出了一些补充的意见。值得在此表示谢忱。

至若在出版方面直接间接给予以莫大助力的，首先当感谢福建省研究院院长周昌芸先生。同院社会科学研究所代理所长章振乾先生，始终是我一切研究努力方面的助成者和鞭策者。而这部书得从速与读者见面，则多亏了余志宏、张来仪两位先生。他们不仅为我担负起了印刷上的校订责任，且是多方鼓励我把这部书从速问世的策动者。

把"始生之物，其形必丑"的格言，用来形容这部书，是再妥当不过的，我现在以十二分的诚意，静候我们学术界的善意的和建设性的评判。

王亚南
一九四六年元旦于长汀国立厦门大学内仓颉村野马轩

新版序言

这部书的问世,是在抗战结束后不久的去年一月。在交通文化两不发达的东南一隅地方,当时预约者人数,即已达到总印刷量(土纸本二千部、报纸本二百部)的一半。它直延到现刻,始在各方敦促与鞭策之下,进行再版。那种稽延,显然不是由于作者太过忽视一般读者的需要,倒反而是由于作者在慎重考虑,看如何才能更迅速更普遍的满足一般读者的需要。它之所以由设在福州的经济科学出版社,改到上海生活书店来印行,正是由于那种慎重考虑的结果。

我在初版序言中约略讲过,本书在内容上,在体裁上,在研究方法上,都近似一种大胆的"尝试"。一切尝试性的写作,显然更需要得到学术界的指教,到目前为止,国内论坛上直接评介到本书的文字,就我所见到的,已达十余篇。它们大体虽都侧重在介绍方面,并一致的给予我以过度的激励与赞扬,但我在感奋之余,却毋宁更注意它们仅像是附带表示的希望性的评正。其中比较需要在这里综合加以解答的,约有以次二点:

第一点,它们(特别如吴大琨先生在《东南日报》上指出的,杨村先生在《文汇报》上提到的)都认定当作中国的经济原论看的著作,没有把战时沦陷区解放区的特殊经济措施讲进去,是一个美中不足的地方。这一点我是意识到了的。但临到再版,亦尚不曾把这为大家所认定的"缺陷"补正过来,那主要并非是由于我在理论上的懒惰,而实是基于以次的理由:我在本书所要阐明的,是作为半封建的半殖民地的中国社会,该是由那些基本经济运动法则所体现着;那些法则的内部的相互关联如何;它们联同作用的后果如何。在这种意义上,作为我的研究的对象,就显然是限定在迄今还在作为中国经济主体的方面,至若战时在陕甘宁边区及若干沦陷区乃至目前在中共控制区施行的新经济,那到此刻为止,在我的研究上,还只能看为是对于我们社会一般经济主体的"反动",一般经济运动倾向中尚待成育的变革,我们诚然不能忽视它在各别实行地区的较大影响,但在另一方面,我们也不应过于夸大它在整个中国经济上发生的决定作用。因为如大家所知道的,所有那诸般变革,或者是进行在极偏僻地区,而在其他区域,又或者是进行在被封锁状态下,或者是进行在战争的动乱的带有暂时性的过程中。也许就因此故,许涤新先生在《中国经济的道路》一书中,第二章论中国经济的结构,仍是把一般的经济作为对象,而对于推行了上述变革的经济,只是在同书第三章《中国经济的道路》中用"新的经济嫩芽"这个小子目来表识它,并认为,这"嫩芽"还只有在虽同样被包围被封锁,但较之其他解放地区却有了更安定和平局面的陕甘宁边区,才比较采行了确定的存在形态,才较多一些建设性的成果。这是极有分寸的极其客观的说法。至于材料搜集的困难,特别是对于可能搜集到的断片材料之实际前因后果的说明的困难,自然更增加了我暂时仍只好把这一缺陷留到以后有机会再来弥补的信念。

第二点,它们(特别如前述杨村先生在《文汇报》,及陈守实先生在《昌言》杂志第六期中所指出的)都认定,我在本书中,似没有把中国经济演变或转化的前途,明确的正确的指示出来。这原是中国经济往何处去的问题。但如其说,中国未来经济发展的可能性,或者,未来新社会生产关系的物质条件,必得孕育在已有社会生产关系中,我在分析中国社会特质及其基本运动法则当中,至少,似当直接间接暗示或指证出那种转化的可能展望,能做到这一点,那或许会予本书以更大的积极的意义。但我坦白承认,我对这一点是做得不够的。其所以做得不够的原因,一部分是受了本书研究性质的限制,同时也受了中国社会性质的限制。一个由诸种特殊基本经济运动法则所确定了的半封建的半殖民地的社会,它要脱除这半死不活的苦痛过渡阶段,在消极方面,反封建,反帝国主义,已经成为它命定的前途,这并已经成为中外一般进步人士共同的认识。我的研究,在这一方面,除了对大家已经讲得烂熟的半封建半殖民地的社会经济形态,企图给予以科学的系统的说明,并对大家当作历史使命来履行的反帝反封建号召,企图给予以科学的明确的依据外,我还有一点傻想法,希望借此说服那些硬把中国经济混同或等同于一般资本主义商品经济的经济学者乃至自诩为革命家之流,使他们不要由认识上的错误,致妨碍上述那种历史使命的达成。至若我们社会脱离半封建状态和同时脱离国际资本统治,而在积极方面所当采行的经济体制,究是资本主义的,抑是社会主义的,抑是其他性质的,我确实不曾明白表示出来,因为我认为,中国未来经济的形态或体制的问题,在世界社会经济日在变革过程中,且日益增加其密切交往关系的情形下,单凭现成的公式化了的历史发展理论,或者,单从中国已有经济本身出发去考虑,是稍嫌不够的。那须得在"原论"允许的范围以外,作许多说明。因此,我早计划在本书出版以后再写一部《中国社会经济改造论纲》,

但书斋的生活,究不大适于这种写作的实现。而零碎的片断的提论,又容易引起误解。比如,在本书附论一,《中国商业资本论》中,我提到由商业资本向着工业资本的转化,一定要打破现存土地所有关系,至若如何打破那种关系,我在战时,表示采行任何改良的步骤都行,只须做到"使非生产者不得购买土地,生产者不得丧失土地的地步,"而前述陈守实先生,在一篇题称为《中国封建社会发展法则中之寄生层》一文中,一方面给予我以过分的推奖,认定我是第一个对中国封建社会发展法则作科学的系统的说明者,但讲到最后,却针对着我前述的那一点,说那是"改良主义的说教"。可是陈先生假如有耐心看到本书附论三《中国公经济研究》,发见我那篇研究结论的两点,(一)"中国的公经济,应从土地的公有作起";(二)"中国的公经济,只能在土地公有的基础上,才能有所成就"。不是要修正他的说法,而以"革命理论"目之么?然而,我并不以为这种误解,是由于陈先生没有通体看到我全书有关中国经济往何处去这方面的基本论点,而主要是由于我关于这一方面(如杨村先生所指出,并希望我在再版中明确表示的)始终就没有一个明确而统一的说明。我得坦白自承,直到此刻,我还不敢对今后中国经济改造的实行步骤,预先打出一个完整的图案,不过如我最近在一篇《我们需要怎样一种新的经济学说体系》中所指出的,今后中国经济不论采取如何的途径,它必得针对它当前表现的诸般恶劣倾向,遵循以次三个原则作去:第一,它是必须以生产为重心的;第二,它是必须采行民主的协作方式的;第三,它是必须进行在社会化的基础之上的。至若我们应把具有这三个原则的经济形态,定型化在怎样一种制度中,或者,大家应用什么样的名目或号召去实现,那不是我在这里所要论及的。

现在，我应把本书新版修正补充了的地方，分别指明出来。

首先，在基本理论上，特别在第二篇《中国商品与商品价值形态》中，有关价值法则的说明，又如在第七篇《中国地租形态》中，有关资本制地租本质的说明，承友人郭大力兄一再反复的检讨，发现了不少需要补充和改变表现方式的地方。我大体都照着他指出的增改了，虽然原有文字局格上的限制，或许还不曾完全达到他希望增改的限度。

其次，关于第三篇《中国货币形态》最后一章，第四篇《中国资本形态》最后一章，原来都是针对着抗战当时的货币资本问题，讲到了一些涉及政策方面的意见，为了系统上的完整，通通改写过了，并连带解说了抗战后期以至当前货币上资本上的诸种变态情形，都不外是中国特有货币运动与资本运动在那些特定场合的必然表现。除这两篇外，在其他各篇的末尾我都分别作了一个综括而比较明确的补充。

又其次，关于附论，原来共五篇，现在新增进去的两篇，一是《中国官僚资本之理论的分析》，（只选出其中最扼要的两节）一是《中国官僚资本与国家资本》，两者通是最近发表的。在官僚资本异常活动的今日，把这两节附加在里面，那不但可以增加本书的现实性，而当作中国经济的一个特别突出的事象，也是大家必须在原则上去加以理解的。

最后，在每篇的末尾，都分别附上了问题研究，这在使本书作为大学教本或大学参考上，或许会增加一些便利。

此外，根据读者的来信和当面告知我的，这部书读起来，很有些吃力。这不是一部大家惯常习见的经济原理的书。它在写作时的理论上的依据,如我在第一篇最后一章中所讲到的,消化了经济学,有关广义经济学的诸般基本论点,经济史学和中国经济史。因此,如其关于这些方面的知识,多少有一点基础,读起来一定不会怎样困难,我们如果不希望对于中国经济的认识,还停留在已往的半不自觉的状态中,即有一些困难,在作者,在读者,都是值得去克服的。虽然我对于自己未能在说明程序与表现方法上,采取更通俗得多,更容易理解得多的方式,抱着莫大的内疚。

本书以新版与读者见面,第一当感谢经济科学出版社的诸先生,他们站在学术第一的立场上,慨允把本书让给生活书店印行。生活书店的徐伯昕先生在印校上所给予的便利,是非常值得铭感的。孙越生君在溽暑中帮助我抄写增改的文稿,亦应在此附志谢意。

一九四七年七月十五日于厦门海畔野马轩

第一篇 中国经济研究总论

第一章　中国经济研究的三个阶段

正式把中国经济研究的问题提出来，正式以中国经济为研究对象，直到现在为止，还没有二十年的历史。我们今日来检讨这方面研究的成果，虽仍觉得很是有限，但如衡以这短促的时间，却就毋宁说是特别值得称许的。这方面研究工作的开展，从客观条件方面讲，大体可以说是得力于以次两点：即我们实践上的紧迫要求，和当代世界现实明确呈显了一部社会发展史的图样。而后一方面世界发展的总倾向，又显然是直接间接会在前一方面发生敦促作用的。

这里且就此种关键，来说明中国经济研究上的几个阶段。大体上，在"九一八"事变发生前后几年，是中国经济研究的第一个阶段；"七七"事变发生以前数年，是中国经济研究的第二个阶段；而由抗战至现在，则可算作是中国经济研究的第三个阶段，亦即在这里提称的中国经济研究的现阶段。

我现在来分别简述这各阶段研究的特征及其全般动态。

第一个阶段所说的"九一八"事变前后数年间，那大体是指着由民国十六七年到民国二十一年。这个期间何以特别会引起对于中国经济研究的要求呢？大家试回想到当时的社会政治上的变动情形，就很容易明了此点。

在民国十五年北伐以前，中国论坛上间或也有关于中国经济论述的文字，但无疑都是零碎片断的，而比较触到了中国经济之全般特质的作品，倒毋宁要数到《国民党第一次代表大会宣言》，而作为这次宣言之理论依据张本的民生主义，其重要点主要是放在积极的创建的方面，至关于非采行民生主义经济不可的现实经济基础的详细分析，则殊少说及。国民革命势力伸展到武汉、南京以后，由局势的大变，必然导来从理论上检讨实践归宿的要求，而在前此北伐过程中，在五四运动展开过程中，依学术思想解放所接触到的虽然是有限得很的新兴社会科学知识，却显然大有助于那种要求的实现，于是，中国社会性质的问题提出了，中国经济研究的问题提出了；集中在《新思潮》《读书杂志》等刊物上的许多有关中国经济的论文，如王学文先生的《中国资本主义在中国经济中的地位其发展及其将来》，潘东周先生的《中国经济的性质》，以及主要由批判王、潘而引出的严灵峰先生的《中国经济问题研究》，任曙先生的《中国经济研究绪论》，乃至主要由批判严、任而发表的刘梦云先生的《中国经济之性质问题的研究》，伯虎先生的《中国经济的性质》，刘镜园先生的《评两本中国经济的著作》和《中国经济的分析及其前途之预测》，……差不多都是民国十八九年到二十一年这几年中发刊的。它们的中心论点在探讨中国经济具有何种性质。王、潘两先生都主张"中国经济是帝国主义侵略下的半殖民地的封建经济"，认定"在中国经济中占优势的，占主要地位的，是半封建经济"，而"所谓中国资本主义，所谓中国民族工业，仍处在资本主义初期轻工业的阶段"。反之，恰好与他们站在相反立场的严、任两先生，又认定中国经济是资本主义的，作为其理论前提的论点，是把小商品生产与资本主义的商品生产一同看待，是把外人在华资本与中国民族资本一同看待；既然中国人的小企业，外国人的大企业，"仅仅存在数量的差别，而没有质量上的差别，两者都是代表资本主义的势力……"（严）；"既然在中国境内的华洋两种资本主义，是当作统一中国经济看待的，那么，帝国主义在华的银行、工厂、商店、矿山、轮船及铁道资本等，再加上土著资本主义的银行、工厂、商店、矿山、轮船、铁道等，就足以压倒封建经济，而支配全国生活"（任），所以，"中国已达到了革命前俄国的经济基础"。刘镜园先生尽管大体上站在严、任同一的立场，但却觉得把中国经济遽以资本主义经济目之，似乎过火了一点，于是打一折扣，提出"落后资本主义"的名目来。中国经济性质的论争，虽不曾到此终结，但显然在这里告了一段落，即结束了我之所谓第一个研究阶段。

在这一个阶段研究的最大收获，与其说是解决问题，毋宁说是提出问题，探究中国经济的性质，这已经可以说是科学研究的起点。我们今日把那时有关中国经济的论文翻读一遍，无疑会发现出许多幼稚而肤浅的议论：即使某一方面明白提出了迄今还视为相当健全的命题，比如所谓新思潮派（何干之先生在《中国社会性质问题论战》一书中称王学文先生等为新思潮派）提出的"中国经济是帝国主义侵略下的半殖民地的封建经济"云云，那同我们今日大家大体一致首肯的"半殖民地的半封建的经济"，只不过是文字表现上略有区别。可是，站在理论研究的立场上，我在此着意的，毋宁是他们研究出他们那种命题，或支持他们的论点，所采取的方法。不论是他们抑是他们的反对者，都似乎只在"资本主义"、"民族资本"、"半殖民地"及"封建经济"一类名词上反复作注脚式的说明，分别撷拾一些中国经济上的表象，拿来与名词相比合。结局，他们彼此虽在要求研究中国经济的本质，而从他们的种种论断中显出来的，却不过是那种本质的极暧昧，极闪烁不定的片断；并且，他们的考察，还大体是局限在都市产业方面，或从消极观点，断定其尚是封建经济占优势的资本主义初期阶段，或从积极观点，断定其已发展扩大到支配全经济生活的资本主义阶段，至若作为都市产业依存基础的广大农村经济，是不大为他们注意到的，因为他们用以诠释中国经济性质的方法，还不允许他们把研究拓展深入到这个视野。

第二个研究阶段是指着由民国二十二年到二十六年这个期间。

这个研究阶段紧接着前一阶段，把前一阶段提出的问题，或在前一阶段研究的基础上，作更进一步的探讨。如其说，前一阶段研究的视野，大体局限在都市经济方面，这一阶段研究的重点，就大体移到了农村经济方面；但还不止此，前一阶段的研究，所着意的，无非是中国经济上比较突出的一些表象，和为了说明那些表象所需提论到的社会科学上的一些术语；而这一阶段的研究，就比较更接近中国经济的本质，同时也更接近了中国经济本质研究的方法论。

为什么时间相隔不久，研究上就有这种进步呢？我们原不忽视"九一八"事变前后这些年间，正是新兴社会科学在中国学术界以快速步调传扬的时期，而苏联及日本社会科学者对于中国经济中国社会性质的研究，更益以中外学术研究机关，和社会事业机关，如中央研究院、北平社会调查所、金陵大学、华洋义赈会等所作的种种农村经济调查，显然皆有助于我们在研究上采行更深入的步骤。较早的广东省农业调查报告，至一九二九年才全部出版；马扎尔(L. Madjar)的《中国农村经济研究大纲》亦是同年草成,于一九三一年译成中文;中央研究院和北平社会调查所的调查工作,系开始于一九三〇年,而于此后数年中,连续发表其调查研究结果;布克(J. L. Buck)的《中国农家经济》亦系一九三〇年出版。所有这些调查研究,以及社会科学理论研究著作的翻译介绍,都只能说是我们这一研究阶段的主观条件方面的准备工作,我这里还需要进一步说明当时的客观情势。

一九二九年以后的战后世界大恐慌爆发以后,中国在事实上已变成了世界各资本主义国家采用倾销政策的理想园地,益以国内政治的动荡,战祸与天灾的频仍,致使前此在第一次大战过程中,因利乘便发展起来的一点民族工业,如纺织业、面粉业、火柴业等,相继陷于绝境;而当时由农村动乱,由金融集中到若干特殊大都市,所变态兴盛起来的银行资本,遂相率把它们的活动对象,由都市移到农村。"复兴农村"的口号是由此提出来的。由原始蓄积方法从农村注集到都市的资金,俨然要由农村贷款的方式,回流到农村去。此即所谓"资金下乡"。这种"下乡运动"是一九三三年即民国二十二年开始的。农村在实践上被人们特别垂顾的时候,它在理论上也是必然会成为人们考察的对象的。

在当时,对于农村经济的研究,主要是集中在两个定期刊物上,其一是由邓飞黄先生主编的《中国经济》,其一是中国农村经济研究会发行的《中国农村》。集中在前一刊物中讨论农村经济问题的是王宜昌、王疑今、王景波、张志澄诸先生,集中在后一刊物上讨论同一问题的是孙冶方、钱俊瑞、薛暮桥、陶直夫诸先生。而在农村经济研究上表现了优越见解的陈翰笙先生,以及后来参加论争的千家驹先生都可算在他们一起。我们这里没有充分篇幅指出他们各别的题目与论点，在大体上，他们这两个壁垒分别，与前一研究阶段上呈现的两个壁垒，保有相当渊源上的联系，前一个壁垒中的研究者，如王宜昌诸先生，与上述严、任诸先生是采取同一立场，即认定中国农村经济商品化的程度颇高，不但农产物，就连农村劳动力，也商品化得可观了，中国农村经济已大体是资本主义的了；后一个壁垒中的研究者如孙冶方诸先生，却又在相当修正的立场上，接受了王、潘诸先生强调中国尚是封建主义占着优势的说法。他们相互的辩驳，不仅把理论拓展到了研究的方法论上，拓展到了规定一个社会性质的生产力与生产关系的研究上，并且就小农、就商品、就雇佣劳动、就原始市场等特定经济范畴，予以深入的探究。

如把这一次论争的是非存而不论，论争的内容与方法，显然是进步多了。但美中不足的是，他们对于方法论的论难，仿佛是在所研究的对象的中国经济、中国农村经济以外来进行，而所论难的有关农业上的诸经济范畴，又仿佛各自孤立着，而没有全部系统的联贯起来。

我们对于中国经济的研究，需要再进一步，通过一种严密的方法论，把由都市到农村的全般经济事象，统合在一个体系之下，显示出其基本诸运动规律及发展倾向。

这是留待我们在中国经济研究第三个阶段应做的事。

第三个研究阶段，即由"七七"抗战起到现在这个阶段已经经历了七八年的岁月，与前两个阶段的时期比较起来，宁是相当的长了。到刻下为止，主观上客观上便利我们这种研究的条件，确不算少了。如在主观条件方面，前两个阶段的研究成果，都可供我们进一步研究的参证。在客观条件方面，战争愈向前发展，我们原有的一点新式产业基础,愈无法保持;同时,一向被我们沿海都市方面的作者专家视为已经资本主义化了的大后方,又无所掩遮的暴露出了它的实相。而万分苦恼着我们的落后诸经济活动,如商业资本、高利贷资本及土地资本的活动,更逼着我们不再能获有否认封建传统经济成分占着优势的口实。现实把认识变单纯了。我们在战时没有在中国经济研究的论坛上,发现前两研究阶段那样的论争。

但是,战时不利于中国经济研究的诸种因素,亦显然在极有力的作用着。

比如,战时的研究工作,因为受人力物力及其他种种限制的关系,一般是难得展开的。我们知道,战前许多关于中国经济研究有相当历史的刊物,如《中国农村》、《中国经济》、《食货》等等,都相继停刊了。然而,中国的事,毕竟有许多是不能一概而论的。一般有研究价值的刊物或出版物,尽管因了战时的限制,无法继续支持,但在另一方面,却又像有丝毫不受战时人力物力限制的出版情形存在着:战时有关经济研究的刊物,直如雨后春笋般丛生起来。每个有关经济的机关,如银行、财政、合作、税务、专卖、工矿、水利、农林、商业,殆莫不有它们的代表刊物,那些刊物除极少数外,其余包括较有权威性的《财政评论》、《经济汇报》、《金融知识》等在内,都有一个显而易见的共同特征,就是其中的有关中国财政经济的文字,不论是论述的,抑是提案的,一律在行所无事的把中国经济和现代其他先进国经济一视同仁的处理。有时,某个作者在某种场合,也强调着中国社会条件、技术条件太差太落后,但在其他场合,又满不在乎把它忘记了。他们这种研究作风,根本未触到中国经济的本质,可是,我们不应忽视一点,就是,他们虽不曾明白论及中国经济的性质问题,在无形中,在他们的潜在意识中,已经在把中国经济看作资本主义的商品经济。这种超现实的研究作风,并不是始于战时,不过在战时更活跃,正如中国商业资本的破坏作用,并不是始于战时,不过到战时更形猖獗罢了。探究他们这种作风形成的过程,不是这里所要作的,但亦不妨指出以次两个关键:其一是,他们所据以研究讨论中国经济的经济学,百分之九十是渊源于全无历史观念,对各种社会的经济形态都一律看待的奥大利学派的经济学(其详细分析,见附论五《中国经济学界的奥大利学派经济学》);又其一是,以前两个研究阶段对于中国经济性质论争的任何一方面,仿佛都不大注意到以中国经济学社为中心的那些英美派学者(挽近的奥大利学派经济学在英美的变种)的议论,这原因,一部分虽是由于那些学者除了谈谈货币金融一类问题而外,根本就不明白提到中国经济究有如何的性质(如马寅初先生题名为《中国经济改造》的那部大著,就是一个标本),另一部分则是由于那些谈论中国经济性质的人,又仿佛对于所谓英美派经济学者所据以立论的经济,多少有些隔膜,于是几次中国经济性质问题的论争,都没有关涉到他们。他们在今日经济论坛上,在今日经济实践上,其所以取得了指导的立案者的地位,那除了基本上要从现实政治中去求得理解外,至少在几次论争上,把他们那种研究作风,那种对于中国经济的表象论的认识,轻轻放过了,也是一个相当重要的原因。我们一方面在昌言把民生主义当作范围我们国民经济活动的南针与国策,同时却让这种没有历史性格,没有革命气习(其实,作为资本主义末期之代表意识的奥大利学派经济学,对于一切需要革新社会经济组织的国家,都只有反动作用)的经济意识形态,发生支配的领导的作用,"这已够令人稀罕,但最稀罕的,却是这种存在已久的事实,还不曾有人把它指明出来"。(前揭《中国经济学界的奥大利学派经济学》一文中,有一节专论奥大利学派经济学对于民生主义经济由理论到实践的背离,可以参照。)

由上面的说明,我们已经知道:在中国经济研究的现阶段,有以次两大任务须得完成:

在消极方面,需要对障碍着中国经济认识的诸般理论,特别是在目前同商业资本一样猖獗的那些商人意识,加以无情的批判。

在积极方面,需要依据正确的经济理论,就中国经济过渡的转形的性质,采用发展的,全面的及比较的方法,以发现出中国经济的若干基本运动的倾向与规则。

这两个任务显然不是很容易完成的。为了唤起大家共同向这方面努力的注意,我会提出"中国经济学"这个名词来。我无意像一般庸俗者一样,要建一个什么学派,而且学派也不是用名词建立起来的。不过说到这里,我倒想顺便提到以次有关的一件事体:

即我提出这个需要加一些限制才能成立的名词"中国经济学",其企望达成的内容,与目前有人所强调的"中国国家经济学"是大有出入的,站在科学的研究立场上,在"中国经济学"中插入"国家"两个字,其意义是极其含混的,也是不易明确把握"中国国家经济"这个研究对象的。如果,其目的不在讲"学",而在讲"术",讲"政策",讲"经济指导原理",那与我所提倡的中国经济本身的科学研究的起点与程序,是两样的。

第二章　中国经济科学研究在理论与实践上的二重必要

　　从上面的说明,我们很容易明了:中国经济的研究,愈来愈使我们对它有进一步的认识,但在研究的过程中,正面的认识,固然在逐渐明朗化,而反对方面的意见,亦相伴着实践上的诸般错综复杂关系,在有意无意的向着更深一层或更有烟幕性的境地拓展。这就是说,随着认识的增进,随着研究视野的开展,与研究水准的加高,我们对于中国经济研究的历史任务,也仿佛相应加大和加重起来。在这里,我想从理论与实践两方面,来说明我们对中国经济需要进一步作系统的科学研究的究竟。

　　首先从理论方面来讲罢。
　　从十九世纪末叶起,经济学的研究,已由狭义的,逐渐推移到广义的了,狭义的经济学是如上面所说,以现代资本主义社会的商品货币经济为研究对象,而所谓广义经济学,则是以包括资本制社会在内的一切社会的经济形态为研究对象。经过了半世纪以上的时间,虽然广义经济学已经有了不少的研究成果,但它全部的研究成果,还只能保证广义经济学这门新兴学问或新兴科学可能成立的根基,距离它的圆满完成,其间还有一个相当长、相当曲折的历程。这是为什么呢?说来是颇不简单的。

第二章　中国经济科学研究在理论与实践上的二重必要

人类社会有许多历史时期。每个历史时期都有它不同于其他历史时期的社会经济基础；或者换一个说法，不同的历史时期，是由它们各别不同的社会经济制度或经济结构来区别的。目前最为一般人所公然主张或默认的诸历史时期，不是旧历史家用古代的、中世的、近代的，那一类时间上的形容词来表现的区划，那太含糊、拢统，不合科学的绳墨了。原始社会时代、奴隶社会时代、封建社会时代、资本制社会时代、社会主义时代，这个分法，虽然还有少数的社会经济学者，对其最初那个原始时代，乃至奴隶制与表现封建实质的农奴制间的关联，还有不大释然的地方，或者还提出了异议；但其他已为一般所公认。好了，人类社会发展的诸历史时期，既然大体不出上述这五个阶段，那么，以一切历史时期之社会经济为研究对象的广义经济学，就显然是要研究这各别历史时期之社会经济变动的基本法则，现在，我在这里不是要指明那些法则是什么，而是要指明与我这里研究有关的一件基本事实，那就是：各相续历史时期发展的总动向。第一显著的，当然是我们可以诉之常识而判断的，由简单到复杂；但我们还需要从那种发展历程中，找出有助于科学说明的一个论据，即人类社会在愈早的历史时代，他们为维持生存，克服自然所表现的社会劳动生产力，愈益薄弱。这种论断如其不太远于事实，那么，说人类社会愈在早期的阶段，他们的社会活动，愈会受制于自然条件，他们的社会，那怕是处在同一历史阶段，愈会显示出各别的特殊性。反过来说，如其社会愈发达到现代这个历史阶段，它的社会劳动生产力，将愈来愈大，愈有力克服气候、地形、人种，以及其他种种自然因素的特殊性。根据这正反两面的推论，我们就似乎可以大胆作出这样的结论，说社会劳动生产力较大的甲国资本主义社会与乙国资本主义社会间所表现的差殊性，要比社会劳动生产力较小的甲国封建社会与乙国封建社会间所表现的差殊性为小，或者说，两资本主义社会的国家间所表现的一致性或一般性，要比两封建制国家间所表现的一致性或一般性为大。更具体的说，美国的资本主义与英国的资本主义，乃至与远东日本资本主义间的差殊性，是没有欧洲封建制与东方封建制间的差殊性那么大的。在另一方面，希腊、罗马社会的奴隶经济形态，依据我的推论，本质上，与东方奴隶经济形态的差殊性，是可能较之东西封建经济形态间的差殊性更大的。这就是说，进步的生产力，缩小了诸社会或诸国家间的距离。诸社会或诸国家间的相反影响，因生产力进步之故，已经无比的增大了。资本主义的进步的生产力，曾经使世界的一致性增大。大家看了这段话，也许有些觉得新奇，但这并不是我个人的发明，我不过将现代经济史学者们关于这方面分别表示的零碎见解，加以系统的说明罢了。（著者正在撰述中的《自然力与社会生产力》一书，将对此有详细的解释。）

然则，上面这个像是新的意见的提出，同我们这里研究的问题，究有什么关联呢？那首先叫我们明了：广义经济学，其所以不很容易完成，就因为它的研究，不仅以资本主义经济为研究对象，还以资本主义以前以后的诸种经济为研究对象。资本制以后的社会且不必说，资本制以前诸历史时代，既是愈向着过去，其各别民族国家，在同一社会史阶段所表现的差殊性愈大，则资本制以前诸社会阶段的经济事象，虽然愈来愈简单，但因为要就这些愈来愈会在各不同地理环境或自然条件下表现着极大差殊性的同一历史阶段的诸社会经济事象，研究出其一般的共同的法则，是不免愈来愈觉困难的。比方说，全世界的封建制的最包括最一般的若干基本命题、基本法则,虽然大体建立起来了;但单单那几个基本命题或法则,是还不够充实广义经济学有关这一历史时代之社会经济现实的说明的。中国的封建经济型,在世界一般的封建制中,显出了极大的特点,而况,这个型的封建经济,还在这样大的领土上,经历过这样长的悠久岁月。如把中国这种封建制的原型,及其在现代掺杂进的混合物,加以较详尽的研究,那对于广义经济学的贡献和充实,是有极大的意义的。"在落后的农业的半封建的中国,其客观条件是怎样呢?……封建制,一般都是以农业生活与自然经济为基础的。但中国农民之受封建榨取之源泉,却是一种复杂的形态"。(《伊里奇全集》卷二十,参见吕著《中国原始社会史》第八六页)对于这"复杂形态"的理解,我们可以从下面这一段话中,得到一些启示性的说明:

"由于历史条件不同,在商品经济不发达的国家中,发展的地方也颇不一致。这些未崩溃的封地,一旦与先进资本主义国家接触以后,立刻发生了市场的关系。于是以市场为目标的生产,就在力役劳动的复活中,在农奴制的再版中,生长起来。采用农奴制的封地,与早期资本主义关系相结合,并不是进步的表现。这种结合,只是证明了资本主义落后和农奴制再版的国家的经济生产的停滞性和落后性而已。(例如俄、德、波、罗)"这是苏联学者莱哈尔德在其所著《前资本主义社会史》中关于俄、德、波、罗诸国在十八、十九世纪开始接触资本主义以后所发生的复杂经济状态。但这种说明,虽可帮助我们理解中国经济的实质,却颇不够;虽可能大有助于所谓广义经济学的建立,但如其对中国经济作了系统的科学的研究,那就不但广义经济学,就是经济史学,亦将展开一个新的篇章。

本来，理论上每一度新的成果，都将大有造于整个世界经济的新的实践，但我们在这里却得鞭辟近里的看中国经济的科学研究，该是如何为我们经济改造实践上所期待。

大家试想：中国讲"维新"，讲"改革"，讲"建设"，是同西欧资本国家势力接触不久以后就正式开始的。曾国藩、李鸿章们，一把太平天国的乱事平定了，就于一八六二年仿照外国的方法，建立有关军需品的制造厂，中经张之洞一般人的提倡，到后来亦为一般所提倡。但经历世纪四分之三的长期岁月，我们社会在外形上像是有些改变了，并且那些改变，似与"维新"、"改革"的要求无大关联，甚且是反乎那种要求的，结局，我们的社会在骨子里，还顽固的保持几千年的传统。这原因，将如何去分释呢？外力的束缚当然是大家可以不假思索而举出的答案。但我们稍读一点近代史，便知道除英、法这两个国家外，一切较后发达的近代国家，如像德、美、日、俄等等，它们向着现代的路上走，都曾受到外力的压制，所以，把这种维新无效、改革无成的责任，完全诿诸外力，似乎不尽切合事实。本来，叫压迫束缚我们的外力，多担当一点责任，并也不是一件怎样说不过去的事，但最可虑的是，这样一种想法或认识，会妨碍我们去反省去探究那种阻碍现代化进行的其他较基本的或与外力同样重要的原因。旁的我们暂且不说，从将近一个世纪以来的我们革新实践上，已不难想到我们国人无论在朝在野、在政论上、在学术论坛上，对于我们国家需要变革的途径，似乎都没有明确的把握着。自然，在这当中，我们应特别提出孙中山先生的民生主义的经济改造原理，确实很正确的把那种途径指明了，并且那种原理及其政策的提出，已很明显的证示过去的维新，过去的变革，如以开设工厂、修造铁路、建造轮船为内容的维新和变革，根本就未触到我们社会需要维新变革的痛处。然则孙中山先生的主张,已经提出了相当长久,为什么还不曾脱却那种主张的阐扬的阶段呢？其中原因当然很多,但我这里却只须指明与我们所研究的问题有关的一点,那就是在民生主义提出以前障碍着李鸿章、张之洞一流人物之革新意识的中国社会经济形态,恐怕在某种程度,也在民生主义提出以后,还障碍着我们的政论家与经济建设论者们。换句话说,就是由于中国过去封建经济,对其他国家表现了极大的特殊,即其他国家的封建基础,是建立在领主经济之上,土地不得自由买卖,与土地相联系的劳力,不得自由移动;中国的封建基础,是建立在地主经济之上,土地大体得自由买卖,劳力大体亦得自由移转,土地与劳力或劳动力的自由变卖移转,是资本制的商品经济所要求的基本前提。因为在资本制的社会,一切人的因素,物的因素,是都要被要求着商品化的,假使其中任何一种因素,不论是物的,抑是人的,其买进卖出受着制度的限制,不能自由移转,那就不但从事任何产业经营,无法积累到大量的资金或大量的劳力,那种经营的产品,也就无法计算出价值,也因此故,无法计算出真正的利润,对于地租、工资等等,都无法成就现代的形态。这一来,并不是说,难得建立起资本制经济的诸基本法则,事实上,根本就无从建立起资本制经济本身。惟其如此,每个现代国家在开始现代化的当时,殆莫不经历一种从封建解放土地,解放劳力的土地改革,并且,还依照它们各别改革土地的彻底程度,决定它们后来资本制发展的进步程度。在各国如此,其在中国,就有点使人想不通的蹊跷地方了。如前面所说,中国的土地与努力,在中国的特殊封建制度下,既然一向是自由移转的,于是在理论逻辑上,中国要走上资本主义之路,就似乎无须乎经过他国所曾分别经过的土地改革。

莫说中国人不懂得科学,不懂得理论逻辑,他们,李鸿章、张之洞以及其他后来大大小小的李鸿章、张之洞之流,就像很敏感的,依据这种想法,企图让中国旧社会制度原封不动,而在它的上面,建立起他们所期待的现代经济秩序来。尽管他们中间有些人昌言民生主义的正确性,等到考虑实践问题,却似乎在根据不动弹原有的社会经济,亦可从事现代建设的那一套"轻便而低廉"的理论,把民生主义放在脑后了。如其我们据此说他们对民生主义信念不够真实,也许他们是不大首肯的,其原因究竟安在呢?我不知道大家是怎样思考法:就我想,或许可以归咎于中国过去封建制的烟幕性太大,明明是封建的,却从土地及劳力的自由移转的外观上显出现代资本制的姿态来,如其说客观存在的事实,不能为我们分担那种信念与实践相背离的责任,归根结底又要由我们对民生主义的阐扬,不够深入,不够详尽,不够科学,或者说,由我们对民生主义所据以产生的中国经济本身的认识,还有些矇糊。真正科学的研究,是不能凭外观的现象来下判断的。

中国封建制上的那种土地劳力自由,是中国封建制较特殊的地方,也是它比之其他各国的封建制,较为进步的地方。可是,它从这里所表现出的自由,不仅对资本制所要求的自由,有极大的距离,在本质上,甚且可以说不是资本制所要求的那种自由,就因此故,它的进步性,至多,也只是就封建制来说的,而绝不是就资本制来说的。惟其它虽较为进步,在本质上仍是封建的,它就在那种自由的外观下,隐蔽着许多妨阻资本制发生发展的实质。那些实质究何所指,我在这里暂不作详细说明,我所要指明给大家的一点,就是我们以往在实践上作出了的许多徒劳的努力,其关键在于大家只感知到或直观到中国经济的外观,而不曾科学的去分析它的实质。即是说,对于中国经济本身太隔膜了。这种积习太深了。为了矫正由认识矇糊引起实践上的凌乱步骤,加强中国经济之科学的研究,是更有其必要的。

第三章　研究中国经济应依据的几种科学及其应采用的几种方法

一　依据的几种科学

我在前面的说明,似乎已经暗示出对于中国经济的研究,所应依据的那些科学了。本来,无论从事那一方面的科学研究,都不免要直接间接涉及许许多多的科学知识的领域,可是我提出这个问题来研讨的意旨,如其仅只如此,那又变成了不十分必要的冗谈。

中国经济研究到了现阶段,按照挽近新兴科学给予我们的宝贵启示,按照我们社会实践上的紧迫要求,它是可能应该有较大的成就的。对于以往一切阻碍我们对于中国经济性质明确认识的诸般观念上的尘雾的清除,亦应该是有较大效果的。而现在我们的研究,其所以还在许多方面,许多场合,落在进步的实践之后,那在肯定物质利害关系作祟之外,还得归因于一般人看轻了中国经济研究的准备工作。我现在且不忙解说研究中国经济,应有如何的准备,并如何去准备,姑先就我个人认为研究中国经济,至少应相当透彻了解的以次三种科学,分别来述说其究竟。

（1）经济学　我们研究中国经济,应依据经济学,依据一般经济原则及其诸般研究结论,那差不多是不言而喻的事。在实际上,研究经济学,也就是通过经济学,来间接求得经济学上所体现着经济事象的理解。比如,我们研究亚丹·斯密(Adam Smith)或里嘉图(D. Ricardo)的经济理论,同时正好是在研究他们那些理论所依以展开英国十八九世纪之交的经济现实。不过,经济理论毕竟是由诸般具体经济事象抽象了的一般的概括,它尽管在如何贴切的反映着经济现实,我们主要还是拿它的研究结论或基本概念,去认识,或者去辨识有关的经济事象。

但这里会发生一个问题,即英国资本主义的法则或经济学,拿它去解说或证验一般资本主义经济。它是有它的妥当性的。如像中国这样尚未完全资本主义化,或者尚保存着浓厚的前资本主义因素的过渡经济形态,如其依上述资本主义的经济法则来说明,那不是凿枘不入么?是的,假如用资本主义经济学或经济法则来研究中国经济,即使不能全部适用,至少总有一部分或者资本主义化了的那一部分适用;即使不能完全从正面来确证其是些什么,至少总可从反面来说明其不是些什么。这即是说,资本主义经济学,至少总在某种限度,有助于我们对于中国经济的理解。

然而问题是不能这样机械的来求解决的。

资本主义的经济学,亦并不是同一的内容。所谓至少一部分有助于中国经济理解的经济学,只能限于前期的资本意识形态。那时资本阶级还是站在生产者的立场,还是站在对传统封建求解放求自由的革新者的立场的;照应着这种事实,当时的经济理论,可能充分反映着资本主义的基本动态,并且也可能部分的用以说明我们中国这种处在资本发生期中的经济实质。然而过此以往的所谓流俗的资本主义经济学,它就不但不能拿来证验或解析我们这种社会的复杂的经济形态,甚且不能成为它所因以产生的社会的经济事象的反映,而反为其实质,其基本动态横被掩罩的烟幕。

因为把资本社会的根本危机如实暴露出来,那不是现阶段的资本家所期待于他们经济学家的。

流俗经济学的集大成,是所谓奥大利学派的经济理论;而在挽近盛极一时的,在世界经济愈陷于困厄,陷于衰落,反而愈显得活跃而繁昌的,也是这奥大利学派的经济岁论。资本家世界,在本国需要利用这所谓有闲的消费的金利生活者的经济学,以掩饰其现实,在其所寄生托命的落后地带,尤需要利用这种经济学,一方面不让落后地带拆穿了它的西洋景,同时更不让落后地带看出自己困厄的症结。如其说,启蒙的古典的社会经济意识的输出,是先进资本社会在商品输出时代的"天真",则反动的极端保守的社会的经济的意识的输出,就是它在资本输出时代的"矫饰"。而在另一方面,我们"买办的"经济学,也愈来愈失去了前几十年的图变法图富强的"火气",而像炉火纯青似的安于现状,不时仅嚷出一些不着边际的建设语辞以敷衍场面了。这说明我们已深深的中了这所谓消费经济理论的毒,它在我们对于自己的经济认识上,仍在施放着浓密的烟雾。

但尽管如此,如前面所说,我们社会或经济界的另一视野,却又在不绝扫除那种烟雾,而增加对于中国经济的认识。这原因,单就经济学方面讲,就是我们研究中国经济,已经逐渐知道需要把带有进步性的批判性的经济学,去代替那种保守的缺乏历史性格的有闲阶级经济学了。

然则前面这种批判性的经济学,为什么特别有助于中国经济的研究呢?那有以次几种原由:第一,我们知道,批判经济学本身,就在某种限度,继承有古典经济理论的传统,古典经济理论不但包含有资本主义的基本经济法则,可以帮助我们理解资本主义经济本身，并还因其是建立在资本主义前期，又可以帮助我们理解资本主义所由成长的历程及其遭遇；第二，批判经济学是把资本主义全历史及其反映的经济学说，作为研究批判对象；资本主义临到转形期必然加强帝国主义政策，且必然以落后地带人民为牺牲的诸般经济定律，是批判经济学最生动最富有警惕性的内容，应用它来究明我们中国经济的实质，那是决不会陷在文化侵略意识所设的迷阵中的；最后第三，批判经济学彻头彻尾贯透着新诠理学的神髓，新诠理学对于社会事象的发展演变，特别强调质变，强调否定的契机。即是说，有了这种哲学精神的批判经济学，它随时会指点我们：一个社会的旧的基本生产诸关系未经过质变，未被否定，任何革新的或者有进步意义的经济技术条件的"输入"，都不易生起根来。

不过，批判经济学对于中国经济的研究，虽有上述这种种启迪作用，并不是如一般人所想象的，我们知道了若干批判经济学的概括公式或术语就行的。机械的公式主义者对于中国经济认识的隔膜，并不比流俗经济学者有很大的距离。所以，后者尚是行所无事的把中国经济当作资本主义商品经济来处理，前者却引经据典的来说明我们已经是资本的商品经济社会。

批判经济学是比之资本家经济学更高一级的东西，对于它的理解，特别是对于它在实际上的应用，是非经过更洗炼的消化不行的。

（2）经济史学　现代经济史学是在经济学成立之后许久才逐渐形成的，严格的讲，是由批判经济学所引出或导来的。经济学研究对象的资本主义经济，是比较发达的经济形态，我们是在这种经济方面研究出了许多法则，才探知以前社会的经济形态，亦有其法则;并还探知由前一社会经济形态过渡到其次一社会经济形态,亦有其法则。现在许多人尚不曾意识到,或者至少是尚不曾解说到,经济史学与广义经济学的区别,假使我不妨在这里顺便作一解释,则广义经济学所着重的是原理,是各别历史社会的经济法则,而经济史学所着重的则宁是史实及各别历史社会相续转变的经济法则,但在经济史学甫经成立,而广义经济学更还在研究的初期阶段的当中,我们只认定两者有密切的关系,而在这里,只认定它们都有助于落后社会的经济形态之研究就行了,至于单提经济史学,乃是因为它是已经成功为一种较完整科学的缘故。

本来,批判经济学就是根据经济的历史观来暴露资本主义经济的运动法则的。其着重点在说明资本主义往何处去,而并不在究明其从何处来;我们对于过渡期的中国经济的研究,却又似乎特别要注意后者,并要注意其前一社会即封建社会的往何处去。在这种要求下,我们的研究一开始,似不能不借鉴或借助于经济史学:第一,经济史学由其历史必然发展阶段的提示,使我们得认知中国经济是处在何种历史发展过程中,它必然具有那些根性;第二,它由其所论证了的一般历史法则,使我们得认知,处在我们这种发展状态或过程中的经济,该会受那些法则所支配,即它该会向着怎样的必然途径开展;第三,它并还为我们说明:历史法则是如何没有历史现实表现得错杂而丰富,它向我们提供出了在同一经济基础上,在同一社会发达阶段上呈现着无限参差不同的经验事象的确证,它指点我们:任何一个社会经历由封建推移到资本的过渡阶段,都可因其当前所遭值的不同的社会条件,而不必有划一的按图索骥的方式,但它对于我们主观努力的最大"善意",也只表示经历历史必然发展阶段的时期和苦痛可以缩减,却不允许超越,不承认旧社会未经否定或扬弃，就可以轻易的让新社会实现出来。

这诸种提示，显然是研究中国经济的人，最先就得从一般经济史学中体验出来的；而他至少也必须先有了这诸般的体验，才不致把中国经济看成完全可以由自己的意向去矫造，去化装的东西。

（3）中国经济史　中国经济史无疑是由现代新兴经济史学所引出或导来的。它的研究历史还在幼稚期，但即使如此，近一二十年来国内外学者努力的结果，却已使我们对中国经济的认识，得到了不知多少便利。本来，我们挽近对于中国社会经济史的研究，最初很可以说是为了满足确定现代中国社会性质的要求，我已在前面讲过，中国社会性质问题的论争，曾导来了中国社会史性质的论争。而在中国社会史性质论争的过程中，就借着一般经济史学之助，逐渐萌芽发育起来了中国经济史。

由中国社会经济史实与史的发展法则的研究，我们以前对于中国经济上许多想不到或者想不透的事象，现在都可以说明了。比如，有了资本社会外观的地主经济形态、雇佣劳动形态、商业资本形态，有了统制经济外观的各种国家事业、官僚事业。公经济形态，那对于中国经济的认识，曾引起了不少的误解和障碍，自经我们在中国经济史研究过程中，依据一般经济史学所提示的诸种基本法则与概念，而确定那些在本质上都是中国封建经济的特殊性格的具体表现，或在现代资本主义经济影响或作用下的加强表现之后，以往中国经济本身所显示的一些叫人不易捉摸把握的幻象，都逐渐呈现出了本来面目。亦就因此之故，我们研究中国经济，决不能忽视这尚在萌芽成长过程中的中国经济史，所可能给予我们的直接间接的帮助。

二 采用的几种方法

说中国经济研究所应依据的几种科学,事实上,已暗示了,或者已限定了我们从事那种研究所应采用的几种方法。但为了表现的明确具体起见,且就以次三种方法来简括予以说明。

(1) 比较的研究法　这是普通一般在任何场合研究所采用的方法,但这里在运用上,却赋予有比普通一般更深的意义。

对于中国经济的研究,或者,对于包含在中国经济中的各别形态的研究,我们为什么不直截了当的径行对它加以鉴定,加以说明,而必须绕一些圈子,先提出它的对极或反面或较进步的经济形态,释明之后,再论到它本身呢?对于这个问题简单的答复,当然说是为了说明的便利,但仔细考察起来,却又可以说是为了我们尚没有直截了当的来说明的便利。

为什么呢?

我们知道:研究现实经济一般是要利用已有的经济原理或基本观念的,如其我们对于某种经济现实,尚没有确立起基本法则,或没有大家共认的基本原则可资依据,那只好自行另起炉灶,用借喻或比照的方法,来确立其本身的法则。从那些与它同时并存着或先行存在着的其他已有共认法则可循的经济形态讲起。把那看作是统计上资以比较的基期。比如说,苏联的经济形态,是一种反乎资本主义性质的东西。我们如拿资本主义经济学上的任一基本概念或法则,如像货币、工资……的概念或其法则,去说明或范围苏联经济中的,使用同一名词所代表的具体形态,那是极其谬误的，但虽如此，我们要说明或确立苏联经济形态的基本概念或法则，却又必须，或者至少是最便于拿资本主义经济的类似概念或法则来比较其差异，也许就因此故，挽近关于苏联的货币、信用、工资等等方面的研究，殆莫不是采用这种比较的方法。

如其说苏联经济是因为走在资本主义经济前面了，不能拿资本主义经济的原理法则说明它，中国经济倒是落在资本主义经济后面了，亦同样不能拿资本主义的原理法则说明它。苏联经济因为自身的原理法则，尚在发现与阐明过程中，需要借助于资本主义经济原理法则来作比较的考察，中国经济亦因为广义经济学、经济史学尚未达到成熟境地，其可资证验的原理法则，尚须自行摸索，亦同样需要就资本主义的原理法则来作比较的观察。不但如此，苏联经济中的资本主义因素，在逐渐被否定被扬弃，而且尚未完全清除；中国经济中的资本主义因素，在逐渐扩大其作用和影响，但同时却又在不绝变质，把这两方面的情形加入考虑，似乎把资本主义经济当作照观的比较的考察对象，又同样有其必要了。

（2）全面的研究法　全面的研究法，也如同上面述及的比较的研究法一样，它的运用，并不是停止在普通一般所直观理解那样，从全面来考察所研究的对象，即单纯打破孤立的看法。果其意义如此，那是用不着多所说明的。在整个世界经济中来考察中国经济，并在整个中国经济中来分析各部门或各种形态的经济，仿佛我们经济论坛上的许多学者专家，也优为之，并且他们在讨论中国经济问题时，确也在如此去做，但其研究讨论的结果，为什么总像是隔靴搔痒，摸不着中国经济的本质呢？比较主要的原因，也许就在他们只知道需要从全面的表象去理解局部的表象，而不知道表象后面的实质，还得同时采用上面所述的比较研究法，及后面待述及的发展研究法,去加以比证说明的。

中国经济是随时在受着整个世界经济动态,特别是资本主义世界的经济动态的影响,这一表现的命题,谁都无法反对,就是反过来说,世界经济同时也在直接间接受着中国经济变动的影响,那同样也无法反对,但要使这种表现方式,免除拢统、含糊和不着边际的毛病,或能切近的体现着实际的经济交互关系,那么,全面的研究方法,就不是叫我们去平面的考察事物,而是要我们深入那整个交互关系里面,去发现其各别发生差别影响的具体事象来。比如,就影响着中国经济的世界资本主义经济这一方面来说罢,我们把它当作整个来看,一定要对它的周期恐慌律,不平衡发展律,自由到独占的必然趋势,商品输出到资本输出的转化历程,开发殖民政策到封锁殖民政策的演变关节,有了明确的认识,才能理解其如何对我们的整个国民经济发生作用;同时,就我们遭受其影响或作用的中国经济本身来说,当作一个整体,它所由构成的各个部门或各种经济领域,会依其对国际资本的依赖程度不同,依其转入国际资本商品金融市场的范围不同,或者从另一个视野来看,依其所具传统社会基本组织的强固程度不同,它们资本化现代化的范围和程度,就颇不一样。显言之,同是在国际资本影响之下,流通部门所受的改变影响,就比生产部门来得厉害,而生产部门中工业领域所受的改变影响,就比农业领域来得厉害,而农业领域中的农业市场农业金融诸方面所受的改变影响,又比同一领域的土地所有使用诸方面来得厉害。

全面研究法不能把这些关键指明出来,则所讨论的"整个"世界经济,"整个"中国经济,它们之间的"整个"交互关系云云,就不过是一些朦糊空洞的概念而已。

(3) 发展的研究法　发展的研究法的采用,特别是依据上述诸种科学来研究中国经济的必然要求。我们在前面批判经济学,在经济史学,在中国经济史项下所讲明的一切,似乎都可用作我们采用这种研究法的说明,不过我在这里还得加述两点:

第一,研究现代中国经济,在科学系统的说明上,往往要求涉及过去传统封建经济因素,自难免有人会觉得那是超出了研究的范围,或者觉得那是研究中国经济史。不错,我们一再讲过,过去传统的经济因素,如其像欧洲的封建经济一样,已经明白的得到一个大家公认的结论,我们在论究最近阶段的经济情形时,就无需在这些方面多费唇舌了;又,如其在我们的现代经济形态中,传统的封建成分,已只占有一个不重要的残余的地位,那么,就是我们对于传统经济过于没有理解,亦不会怎样妨碍我们的研究。然而在事实上,我们传统经济不但在我们所研究的对象中,占着一个非常重要的地位,而且它本身的历史特质,还在大家断断争辩中。这在转形期的中国讲,正是中国社会性质论争,其所以不得不转化为中国社会史论争的关键,而就另一转形期的世界讲,也就是一般经济学其所以必然要与经济史学结合起来研究的症结。

第二,科学要求研究对象的单纯,是一个事实。而我们现在中国经济这个研究对象,无法过于单纯,也是一个事实。所谓单纯,是从同一性质社会基础,或同一社会生产关系出发的。一个社会的诸般经济事象,如其一元化到了最高程度,即如就资本制性质的社会基础或社会生产关系来说,如其过去封建的乃至更古旧的经济因素,都逐渐归于消灭,而未来社会主义的经济因素,尚不曾脱却胚胎的阶段,则它这个社会普遍存在着的经济事象,那怕发展得最充分,它们相互间的联系,那怕表现得最复杂,但作为科学研究对象来看，却是单纯的，单一的，因为它们通是属于资本制的范畴。反之，如其一个社会，像中国在现代的这个社会一样，还是处在过渡时代，尽管它全社会的经济事象，比起上面所讲的那个一元化了的社会来，真不知要简单多少，但它那种经济事象里面，就不仅包括有以前各社会史时期，特别是封建社会时期的各种不同社会性质的因素，并且这诸种因素，还一直各别的，相互的，在作着排斥、抗拒乃至苟合的活动。显言之，就是旧来的传统的经济成分，在逐渐的为资本制的经济成分所侵蚀，同时，它们对资本制经济成分，又一直在行着种种的限制、抗拒或适应。我们必须在它们这种相互制约相互适应的过程中，去看出它的特质和动态。因此我们在必要的场合，溯源的探究到封建体制的特质，并且不仅是作为更明确理解中国现代经济的一个准备性的研究步骤。实因它本身，就是我们所研究对象的一个重要构成分，我们是要在这包含有浓厚封建成分，以致无法成就资本主义发展的现代中国经济的演变过程中，在其新旧倾轧与交互消长的当中，去发现其究竟表现了那一些法则，那一些显明的倾向。自鸦片战后以来，中国经济现代化的历程，是充满了坎坷、曲折与波动的，但虽如此，从全演变历程上去看，仍不能发现它其所以形成今日这般景象，与最近将来会往何处去的诸基本历史动向。

如其需要把上面抽象述及的论点，以一个较具体的例证，联贯综合解说出来，抗战过程中，最惹人注意的商业资本，是可供参证的。商业资本自我扩大的倾向，似在以万钧之力，压缩了社会各方面对它所加的责难与限制，并反过来以"触手成金"的魔术，使一切接近它的其他社会经济活动，都部分的或全体的转变为它的活动。生产事业商业化了，银行事业商业化了，合作救济事业商业化了，一切官业,许多官厅,都在直接间接当作商业自我扩大倾向或定律的体现物;四面八方呼出的制裁打击商业,甚至激烈喊叫诛戮非法商人的号召,都变成了带有讥嘲性的绝望无力的尾声。学者专家们同一般无经济知识的常人一样,对于中国商业的这种魔力,表示毫无理解;他们与那般无经济知识的常人唯一不同的地方,也许就在装着像是知道罢了。要研究他们对这种经济现实无理解的第一个原因,或许就在他们把中国当前商业,与它存在的社会基础,与它以往的历史传统关联,割裂开来研究,而不知道我们这种不受生产过程羁勒约束,不服务于生产商业形态,在战前,就已经用"搜集国内土产,统办全球制品"的买办性能,在社会各方面发生阻止现代化,阻止工业化的影响。而它对于官厅,对于公私信用机构,对于土地等等政治、经济诸方面发生的"同化"或腐蚀作用,正是其过去传统精神的扩大和延续。因此,单就当前商业现象本身作格物致知工夫,是愈格愈不能通的。亦就因此之故,把中国在封建体制下的特殊商业形态弄个明白,再看其带上买办标记以后的变化程度,它当前所以能显出如此大的魔力的真相,就不难理解了。由此我们知道,要彻底明确理解中国商业资本的性质及其作用,不但需要把它同资本社会的商业比照来看,还需要从它对全社会经济的关系,对以往历史传统的联系来看,这就是说,上述的三种研究方法,是需要联合采用的,研究商业资本如此,研究全中国经济,尤其是如此的。

本篇问题研究

一、中国社会性质问题,因何被提出来讨论?

二、第一阶段的研究与第二阶段的研究，有何本质的不同？前一阶段上的对立意见，与后一阶段上的对立意见，有何关联？

三、由中国社会性质问题论争，何以会引出中国社会史性质的论争？

四、广义经济学尚不易建立起来的原因安在？

五、人类社会发展史上，有一个基本法则贯彻着，即是较进步的生产力，会相应缩小或减弱诸民族间诸社会间的自然特殊性，我们可应用这法则，说明那些问题？

六、有关中国经济原理原则的研究，何以对于经济史学或广义经济学有极大的益助？

七、今日朝野上下昌言工业建设，与李鸿章、张之洞等之提倡工业，像是后先辉映，我们要怎样才不致蹈李、张等的覆辙？

八、研究中国经济，依据流俗经济学原理及其方法，是否可行？

九、这里提出的几种研究方法，与一般研究法有何不同？

第二篇 中国商品与商品价值形态

第一章 中国商品形态

一 商品是一个历史的经济形态

商品是由生产物发展过来的。不论怎样一件简单的生产物，如一探究它发展成为商品的全过程，或者，如从一个简单的商品交换现象中，去探究隐藏在它背后的本质，就知道商品是把一定的社会关系，作为它形成的现实基础。它体现着现实的社会关系；同时，还可由它形成的过程，测定一个社会的生产力的发达水平。

商品，由它最初的萌芽，由单纯的交换起，到它最高的形态止，曾经历许许多多的阶段。在每个阶段，它都具有不同的特质，体现着不同的社会生产关系。

在同一社会中，可以同时并存着经济发展各阶段的各种不同形态的商品，一个社会，如果在它的历史发展过程中，已经很显明的与其他历史阶段的社会相区别，即是说，如其它已经大体完成了它某一历史阶段的发展程序，叫人毫无疑义，也毫无争论的判定它是一个由什么生产方法所支配的社会，比如，在今日，说英国社会是资本主义社会，那么，它这一社会的商品生产或商品就用不着考究，而知道它是采取那种形态，或以某种形态，为其支配的形态。

但英国在十六七世纪的时候，即当它正由封建社会，向着资本主义社会过渡的时候，它的商品生产形态，就不但比现在复杂，且在杂然并存着的各种商品标本中，还不易使我们辨认何者具有压倒的优势，即何者取得了支配形态的地位。

多年以来，中国社会也正经验着同一事态。中国社会性质问题的论争，迄今还不曾完全宣告结束，由是，我们对于摆在目前的各种形态的商品中，究应把那种性质的商品，或在那种条件下生产的商品，作为中国社会的商品的标本的问题，也自然是断断未决定的。也许说，中国社会性质论争问题，其所以还不曾全无异议的正式宣告终结，却正因为在这种问题上，具有根本的决定的作用的商品形态问题，以前不大有人触到，后来触到了，又不见有何深入的讨论。

二　表识着中国社会的商品标本

一个社会的生产物，它被生产出来，不是为了供生产者自己消费，而是为了把它拿去贩卖；他贩卖的目的，可以是为了换回他所需要的别人的生产物，也可以是为了取得较大于他生产所费的货币额，无论其目的何在，他的生产物转了一个手，被投到流通界去，即使其物理的性质依旧，其社会的性质却改变了，它已不是当作生产物看，而是当作商品看了。女子拜见了公婆，取得了少妇的资格，便不再是少女了。

当生产物转化成了商品，贴上了商品的签标，它就与生产物是处于对立的地位。在自然经济状况下的社会，或者说，在极不发达的分工基础上，生产者只能而且必须生产他所需用的生产物。生产物差不多都是由生产者自己生产,自己使用的。往后,生产物渐渐变成了商品,那个社会,也就相应的,以同一程度,失去其自然经济的性质。但这个历程,是非常长久的,即如在资本主义经济已经成就了高度发达的社会,仍不免多少留下自然经济成分的残滓。而在中国这种社会,在广大农村中,特别在比较偏僻的落后地域中,我们虽然没有可资利用的统计,来确定中国自然经济成分和商品经济成分,各别占着如何的百分比;单从量上说,也许前者还要占着较大的比例吧。显然的,我们即使有精确的统计,来确定中国社会的生产物,只以较小的比例变为商品,其余都是自然经济成分,我们也不能据此断定中国还是自然经济社会,因为这中间不仅是"量"的问题,还有"质"的问题,还有何者能在全社会发生支配作用的问题。

事实上,关于今日中国社会的经济性质问题,已早不是商品化成分,对自然经济成分,是否占有优势的问题,而是一般占优势的商品本身,是采取前资本主义的小商品生产形态,抑是采取资本主义商品生产形态的问题。

同是被投在流通界的生产物,同是商品,可因它被投到流通界去的目的或动机不同,在其生产过程中,具有不同的条件,采取了不同的姿态,被附有不同的社会性质。如其它生产出来有一大部分或全部,是单在分工的利益和必要上,为了换得那些由他人生产出来,而为自己所需要的生产物,那就是所谓"为买而卖的"。"为买而卖的"这种交换方式,正是适应着独立生产者,主要以自己的工具,自己的劳力,去从事生产的那种生产方式的。独立生产者即手工业者小农家的商品生产,因为受了他们那种生产关系的限制,受了他们那种简陋工具,零碎操作及低级科学技术所构成的生产力的限制,只能在狭隘的范围内,小规模的进行。所以,这种商品生产,称为简单的商品生产或小商品生产;又因为它是出现在资本主义社会以前,所以又称之为前资本主义社会的商品生产。

而与此种商品生产相对称的,就是资本主义的商品生产。资本主义的商品生产,尽管是在小商品生产的基础上成长出来的,但却有了根本不同的特质。构成这种商品生产的主要条件之一,就是它所用以生产的各种要素,不管是属于物质的,(如生产手段等)抑是属于人类生理的,(如劳动力)都要当作商品而买进;它所生产出来的物品,不管是当作生产手段,抑是当作生活资料,都要当作商品而卖出,它买进商品,是为了卖出商品。这是"为卖而买"了。这种"为卖而买"的交换方式,所适应的是这样一种生产关系,在那里,直接生产者由生产手段分离了,他无权过问他的生产物。而他自己,则是以被雇的形式,隶属于生产手段及生产物的所有者。

不过,这种商品生产,在本质上,虽与上述小商品生产有如此的差异,但它们之间,仍有一个极其基本的相同之点,就是彼此都是以生产手段的私有,作为其存在的前提。生产手段的所有者,同时就是生产物的所有者。正惟其它们有这样的共同点,尤其因为在过渡的社会中,这两种商品生产形态在错杂的并存着,不但在同一产业方面,甚至在同一企业,同一生产单位中并存着,于是许多人把它们混同起来,换言之,就是把小商品生产,看作资本主义的商品生产了。这种误解引用在中国社会性质的问题上,就引起了许多不必要的争论来。

小商品生产显然是有二重性的。在私有的形式上,它是资本主义的萌芽;在以自己的工具和自己的劳力来从事生产的形式上,它又具有反资本主义的性质。小商品生产如在前一意义上,被视为资本主义的商品生产,则中国现代经济(至少就晚近数十年说)中的资本主义成分,就确能占一个大的比重,但无奈小商品生产在后一意义上,一直都与封建的地方的自给的成分结托着;又加成就资本主义发展的许多历史条件(如资本蓄积、统一市场等等)的缺如,即使小商品生产不绝的破坏,却又不绝的变形的再生,至少是不曾因此就更能造出资本主义的经济成分来。

在这里,且不忙对此加以更深入的说明,先来具体分析一下中国商品的特征吧。

三 中国商品的类型

普通为了被买被卖,以商品资格出现在市场或流通界的,最主要的,最基本的,当然是工业品与农产品。此外,就是特殊的商品,即带有自然性质的土地和属于人类的劳动力。我们这里论及的中国商品的类型,当然主要是就前两者而言,但为了说明的便利,我们把后两者也加入讨论中,这正是我在本文,要把中国商品与商品价值分开来说明的理由之一。

从社会性质的意义上讲,当作商品的土地与劳动力,对基本的工农业品,颇有一些内在关联。大约,土地买卖得频繁,就有促成劳动力买卖频繁的作用,而劳动力很普遍的被买被卖,就可以多少确定其农工业生产物的商品性质。不过,这种推论,还要看土地及劳动力被买被卖的条件如何,还要看劳动力转化为商品的一定社会条件如何,这所谓一定的社会条件没有形成,无论是土地商品化,抑是劳动力商品化,都将相反的引起农工业产品不具有资本主义性质的结果。中国社会的商品性质问题,就充分地说明了这一点。

先从工业品方面说起。

一般的说来,资本主义的生产方法,首先是推行于工业生产领域,而渐次及于农业生产领域的。中国工业领域的出品,大约有四个产源,(暂且把它们内在的联系抛开不说)即独立手工业的、家内工业的、制造业的、工厂工业的。我们且不忙在这里分析大工业或工厂工业出品之不纯的不完全的资本主义商品性,即不忙分析它的"质",先假定它是标准资本主义商品,而考究它的"量"。谁都知道,中国现代性工业最发达的部门,是纺织业;在一九二七年,全国棉织消费总额中,百分之六五—七五,还是手工业制品,在手工业中,当作农村副业的家内工业,和散布在都市及各地市集的独立手工业,诚然有一部分,特别是存在或邻近于大都市的一部分手工业,已或多或少的改变了它们原初的传统的形态,甚至有的已被附上了新的性质,"已经变作工厂,制造厂或货栈的厂外部分了"。我们如把手工业对制造业的关联,或许多家内工业是为制造业所再组织,并构成制造业支体的关系,加以考察,制造业的产品,确实要在全工业品中,占一个相当大的比例。举凡草帽、席扇、刺绣、各种编物、木器、瓷器、玩具、火柴、香烟的一部分镶嵌工作,乃至丝棉的缫纺,差不多大部分是在制造业指挥下的家内工业进行。惟其制造业有如此的重要性,我们须得对它本身有一明确认识,始能明了其制品的性质。

制造业"在量上,是手工业的扩大",因为它的规模,虽较独立手工业为大，但却是"在旧的生产方法上，占有直接生产者的剩余劳动"。因此，它的性质，就是"小商品生产与大工业的连环"，而成为过渡社会之一典型的工业生产形态。在中国，这种协业形态，虽是古已有之，但至现代，特别是到了挽近，却格外显得发达。其所以发达的主要原因，只要把中国经济的落后性和其对外的依存性加以考虑，就可得到理解。比如第一，制造业所需要的资本，是小量的资本；其所使用的工具，是简单的工具，这在缺乏资本蓄积和缺乏生产手段生产的中国，是再好不过的一种工业生产形态，而且，由外货造出的大量剩余劳动力，对于在旧生产方法上使用较多劳动力的制造业，又是一个配合；第二，制造业这种协业的集中的形态，比较起旧式的独立手工业乃至家内工业，是更便于接受买办商业资本供给原料搜集制品的支配；第三，对于一个关税权、交通权、工业权都不完全，从而，其国内市场随时在受到国际资本的侵略的国家，固定资本支出较少的制造业，可以随时适应国际市场的变动，而不绝的分解与结合。因为这种理由，同时也因为其他两大理由，有些学者遂认为制造业为最适于殖民地的工业形态。

这种工业形态所生产的产品，一方面因为它是用一个资本，结合多数劳动者在一个场所，从事工业劳动的结果，所以它具有非常浓厚的资本主义的性质；同时，又因为它依然是在旧的生产方法上，榨取直接生产者的剩余劳动的结果，即使我们在这里不忙分析其生产过程的雇佣劳动条件，也不难确断其具有非常浓厚的前资本主义的性质。自然，在大工业已经占着支配地位的社会，制造业是可能更有资本主义性质的；但在经济落后，大工业不发达的社会，制造业却是更可能具有非资本主义性质的。

我们从这里已可理解中国一般工业品中，小商品生产的前资本主义的成分,该占有如何大的比重。

次就农业品方面来说吧。

在现代中国经济中,农业显然还对工业占着压倒的优势。在我们尚论农产品性质的限内,诚然不能单从量的方面考察,但如其在相对的意义上,说工业品有较大的商品性质,则农产品的商品化,就似乎更能给予我们以资本主义的外观。据一般统计的综合,中国农民的产品,仅有百分之五十以下留供自用,其余都须售出。甚至有些地区(特别在接近大城市地区)的农民,其所需食粮,有一部分是由市场购入,同时,其所生产的食粮,却又有一部分向市场投出。这原因,除了售出较优良较昂贵者,以便买入较劣较廉者外,就是迫于一些伴随商业高利贷活动,以及促成此等活动的经济外强制榨取而形成的急迫需要,致使贫农们不得不于收获将了,就将其应当留以自给的粮食,投入流通界中,往后再零碎的加倍破费的由流通界去取得供给。也许说,这种农产物商品化情形,是不够普遍的;一般生活将就过得来的农民,决不会采行这种太不合算的办法。但这里还有另一种加深农产物商品化的事实,即伴随着商业资本活动范围的扩大,农产物市场的推广,农业上已经在演着专门化的场面。在许多农业部门,特别是为供应国外市场之工业原料品需要之农业部门,就有大批的农民,在生产对于他们自己完全没有使用价值的东西。他们生产的一切,全都要投到市场去,他们需要的一切,也全都要由市场得到满足。也许说,他们投到市场上去的"卖出",正是为了由市场得到满足的"买进",从这一点来考察,就是商品化到了这种程度的农产品,似仍不易在它上面发现出资本主义的商品生产的迹象。

但最后一种像是最有根据的理由被提出了:一般投在市场上

的农产品,特别是那些为专门化了的农业部门所产生的农产品,不有许多是用资本主义的生产条件生产出来的么?比如,在那些应用着新式技术来从事较大规模生产的农业部门不必说,就是一些仍然应用着旧的工具,旧的技术的小农经营上,也都在各种方式上,雇用着劳动力。如其说,资本主义性质的商品生产的判定,不在它使用何种工具,而在看谁在使用生产工具;是直接生产者自己使用,还是直接生产者为他人使用,那我们似可振振有词的说:中国农村雇佣劳动存在的事实,就是中国农村资本主义商品生产存在的事实;而雇佣劳动存在的规模和数量,正可反映出中国农村资本主义商品生产的规模与数量了。这种逻辑应用的结果,无疑会把中国农村社会向着资本主义"高扬"起来。但其间有一个美中不足之点,即表识一个社会性质的生产,并不仅要问谁生产出来,还要问谁在什么条件下生产出来,谁用什么东西生产出来。旧式的雇佣条件,旧式的生产工具,理应只是前资本主义生产方法所据以存在的根基,而由那种生产方法所产出的农产物,就似很难得有附上资本主义笺标的可能。而且,雇佣劳动虽是到了资本主义社会才当作一个重要社会经济形态而出现,却并不是到了资本主义社会才发生的。在没有资本家这个名色的古代社会封建社会,雇佣劳动也局部的零碎的存在着。自然,中国在挽近十数年乃至二十余年来,应用新式机械和技术的农业,已在关外,在江浙等地,逐渐有一些增加。它们雇佣劳动的统计数字,即使不完全而且相对的太少了一点,总该可以显示出中国农村之资本主义生产的萌芽,但以次的事实,却连这一点萌芽,也需要审慎的予以斟酌;即,新式农具的使用,有许多(特别在江浙一带)竟是由租借得来。在这种场合,雇佣劳动者,并不一定是生产工具的所有者;当然,租有与自有的区别,并不会阻止他们凭借生产工具,去从事榨取,从而,不曾因此改变资本主义的本质。但这种额外的剥削关系的存在,如其要由商业垄断,商人统制农业生产的事实来说明,那就完全两样了。

论到这里,我们对于中国农产品的商品性质,似应已有一个轮廓的理解。而下面关于劳动力与土地的买卖意义的说明,还会大有助于这种理解的。

最后,就劳动力和土地这两种特殊商品来说吧。

劳动力作为商品来买卖,首先,须得劳动力的所有者即劳动者自身,已经取得了自由处分其劳动力的权利。这就是说,劳动力是属于他自己的了。在古代社会,奴隶是属于奴隶所有者的,他的劳动力,就不但不能由他自己买卖,也不能由他的主人即奴隶所有者买卖;因为当时的奴隶本身,奴隶的整个人格,变成了商业活动的对象,变成了商品,作为他全人格之一部分的劳动力,就无从转化为被买被卖的对象了。当社会直接生产者脱却了奴隶的枷锁,而开始捺上农奴的印记的时候,情形有了改变了,他对封建贵族领主的关系,在具有不同的自然条件及历史条件的各别国度或民族间,虽各有不同之处,但大体上是半隶属的,也勉强可以说是半自由的。在封建规制许可的一定时限内,他可能做自己要做的事。也像是说,他很可能对自己的劳动力,作自由的处理。可是,在实际上,只要封建制度还相当的能保持住它的传统与权势,他就不但不易实现购买他的劳动力的市场,且也无法取得那种便利,即拿他的劳动力去接近市场的便利。土地是他对领主维持半隶属关系的机键。只要他还需要把土地作为其生存的根据,同时,只要领主还可能把土地作为尊荣与幸福所寄托的根据,他就有方法利用那些专为他们便于统治榨取而设定的种种规制,把前者死死的束缚起来。这表明,劳动力活动的自由,是以劳动者由土地解放出来了这件事作为前提;也就是说,劳动力的自由买卖,是以封建义务的打破为前提,而在封建义务与土地关联的限内,又可说是以土地的自由买卖这件事作为前提。土地的商品化,一般是先于劳动力的商品化的。劳动者要自由得一无所有了,要对一切传统因袭的物质基础毫无牵挂了,他才会发现他的劳动力,可能作为他的生存的新根据。但舍弃旧的生存根据(土地),而诉之于新的生存根据(资本),那不是出于他自己的选择,至少也是客观社会条件这样准备好了,他不能不去作这种选择的。直到封建临近崩溃解体过程中,土地自由买卖的条件,始被产生出来,同时劳动力自由买卖的条件,也才相应的被产生出来了。

这是各国经济史发展的一般通路。

但在中国社会,土地自由买卖的事实,似乎就在统制土地分配最称严格的均田制度时代,亦并不曾绝迹。比如在历代均田制中,对于宽狭乡土地的调剂,就设定了可以买卖的变例。甚至在推行均田制度最严格的唐代,亦允许永业田乃至口分田的变卖。均田制崩溃以后,一般的庄园固不必说,就是当作封建王侯贵族僧道们直接榨取基础的皇庄、寺观庄院、官田、军功田等等,其最初的取得虽或由于赠赐或强夺,其消失或解体,却有许多是由于拍卖。至若以种种形式存在于民间各地的所谓祭祀田或公产,原本经由一族或一姓誓约不许变卖的,后来代远年湮,终究由种种原因予以变卖处分了。这一切,表明土地当作商品来买卖,即使是通过许多限制来进行的,终归是由来已久,不自今始了。我们前面曾说,土地的自由买卖,是劳动力自由买卖的前提条件,那么,说中国历代有了相当程度的土地买卖自由,是否就可据此断定中国早已有了同一程度的劳动力买卖的自由呢？

事实是反对我们这种推论的。土地自由买卖,虽是劳动力自由买卖的前提条件,但不是唯一的条件。中国旧来最普遍的家内的手工业的工业形态,根本就不允许工资劳动者有何等活动范围。点缀于农村的"外出工资作业"——即指着各种技匠们,捐担着简单劳动工具,挨户寻找工作,借以获取相当工作报酬的作业；与此相对称的"自宅工资作业",即盛行于欧洲封建社会的工业形态,那是技匠们,依着自己的设备经营,对顾客送来的原料,加工制作,而取得其工作报酬——正好说明当时的社会状况,还不曾造出足以容纳工资劳动者的任何机会。其在农业方面,由生产手段分离出来的农民(事实上,乃是由工农合体的经济单位分离出来的农民),只有一个可能的生路,就是所谓"依托强豪,以为私属,贷其种食,赁其田庐",即转化为更有隶属性的农奴了。

要之,在中国社会史演变过程上,土地当作商品买卖的历史,是比劳动力当作商品买卖的历史,要古旧得多的。鸦片战役以后,土地自由买卖的传统拘束和法定规制,已更大大减轻作用了；同时,劳动力以商品姿态出现的事实,亦从脱去封建的行业束缚的消极方面和开拓有效市场的积极方面,得到了支持。舶来商品、大炮及各种现代意识,在从物质精神两方面促成中国旧社会的分解。于是在工业上,在农业上,就广泛的存在着雇佣劳动。土地自由买卖以外的社会条件被产生出来,劳动力就以商品的姿态而出现了。

工业农业生产物商品化了,土地早就商品化了,劳动力亦取得商品化的外观；这一切,自然可以保证中国社会之商品经济的性质,但却还不够保证中国社会之资本主义的商品生产的性质。因为,商品要成为资本主义的商品,并不是以它的如何频繁,如何大规模的出现于市场来决定,而是以它在如何条件下出现在市场来决定;换言之,资本主义的商品,是在资本关系下生产出来的商品。所谓资本关系,即生产手段所有者为一阶级,使用生产手段者为另一阶级的关系。

所以,我们接着要来考察中国的商品价值。

第二章 中国的商品价值形态

一 商品·价值·价值法则

在前面,我们已经说明了,商品是一个历史的经济形态。生产物是到了历史发展的一定阶段,始转化为商品。当生产物转化为商品的时候,为生产它而支出了的劳动,始表现为该物的价值。

商品与价值的这种内在的不可分的密切关联,一直在保持着。商品的单纯价值形态,同时即是劳动生产物之单纯的商品形态,商品形态的发展,与价值形态的发展,是一致的。

现代资本主义的商品生产,是商品形态发展到最高阶段的表现,亦就因此之故,价值法则或价值律,乃是价值到了资本主义社会才达成的最高的发展形态——即价值法则是为社会发展中之一定阶段或商品生产阶段所特有。①

---

① 价值法则一辞,这里系就其较广义方面立论,较狭义的价值法则概念,与生产价格法则有别,卡尔曾明确指出(见中译本《资本论》第三卷第一二五页):"商品是依照价值交换,或是近于依照价值交换,是代表更低得多的阶段。商品依照生产价格的交换,却必须在资本主义已经发展到一定高度以后,才能够发生。"但紧接着,他又这样表示:"无论各种商品的价格,最初是依何种方法来互相确定,互相规束,价值法则总会支配着它的变更。"我这里述及的价值法则或价值律,显然是指着最后支配着商品价格变动的价值法则而言,在这种意义上,生产价格法则,是当作它贯彻作用之一特殊的表现。

一个社会的生产物,是否能转化为资本主义的商品,就要看它通过生产过程,通过交换过程,是否都是依照价值法则,而这所谓价值法则的特征,大约可从商品生产的以次三特点上表现出来:

第一,是如前面已经讲过的,它生产出来的东西,须当作商品,当作价值而卖出,它用以生产的东西,须当作商品,当作价值而买进。其买进正是为了卖出。

第二,它当作商品卖出时所获得价值,一定要,至少在当事者主观拟想上要比它当作买进时所获的价值大,这个价值差额,即利润的源泉,亦即所谓剩余价值。而这剩余价值的获得者,即是生产手段的所有者。

第三,它用以生产的诸商品,如劳动工具,劳动对象,特别是作为剩余价值之源泉的劳动力,都能依照竞争作用下展开的价值律而买进,它所生产出来的产品(工农业品),始能依照竞争作用下展开的价值律而卖出。

二 在价值律下显出的中国商品生产的不完备形态

"商品生产"这个语词,在当作一个社会形态的表识的限内,即作为资本主义生产来理解的限内,所谓"中国的商品生产"云云,主要是把"为买而卖"的小商品生产以外的,即具有资本主义生产之外观的那一部分的商品生产,作为考察的对象。这种商品生产是否纯粹,是否完备,是否够得上资本主义的条件,就看它对于价值律的运用,更确切的说,就看它体现上述价值法则到如何的程度。现在,我们可以从以次这三个方面,来测验中国商品生产的性质,那三个方面就是:(1)看中国商品的价值是怎样增殖的;(2)看中国商品增殖的价值是怎样实现的;(3)看中国商品所实现的增殖价值是怎样分割的。兹分别探究如次。

(1) 中国商品价值的增殖过程

商品生产的要件,是劳动工具,劳动对象和劳动力。对前两者所支出的货币额,称为不变资本,或不会增殖其原有价值的资本;对后者所支出的货币额,称为可变资本或可能增殖其原有价值的资本。商品生产的资本主义性,就是系于这在生产上,由雇佣劳动者所生产的剩余价值。即是说,雇佣劳动的条件,可以大体决定着剩余价值产生的全过程。

中国在工业方面,即使是在新式大工业集中的地区,亦尚不会形成一种允许劳动力,或要求劳动力自由竞争的市场。在最有现代经营精神的大工业工厂中,一些落后的劳动制度还被采行着:如领工回家装作的血汗制,如由工头招工进行生产的包工制,如把农村逃落至都市,一时找不到工作的男女,包养到他们获得职业,再在一定期间内,完全占有或分有其报酬的养成工制,以及到农村招雇失业男女工人,以极低代价勒令其终身劳作的包身工制等等,已算给人一幅非现代性雇佣劳动形态的图画了,但在事实上,特别是那些由外国人经营的大工业中,经济外的榨取、勒索、敲诈,真是无微不至。至于在我们前面已经解述过的制造业方面,其全面的劳动形态,差不多都是由亲属的、行帮的、学徒的、副业性的落后关系支配着。那里更不易找到自由竞争作用下的劳动力的公开市场。而且,就是在这样落后的雇佣劳动条件下活动的产业劳动者,依据最高的估计,亦还不到四百万人。一般手工业上存在的雇佣劳动者人数,自然比这个数字大得多,但其不够现代雇佣条件的程度,也自然更大得多。①

那么,我们把考察对象移到农业方面去吧。仍是依据最高的估计,农业上的雇佣劳动者,将近有三千万人。这三千万人赖以活动的劳动条件,当然比工业上还要落后得多。仆隶式的,亲属式的,临时季节性的,佃农义务劳动性的,乃至交换劳动式的(包括以劳动交换人力,交换畜力,及换得其他劳动工具等等样式)各种劳动形态,千奇百态的杂陈着。但把它们综括起来,大体可以显示出两个特征:其一是,所有的农业劳动者的雇佣劳动,除了极少的场合外,差不多都不是依托于农业资本,或投用在土地上的资本,而是依托于土地本身。在佃农是如此,在被雇于富农乃至被雇于半自耕农及佃农的劳动者,亦是如此。富农、自耕农是把他自己的土地,作为榨取雇用劳动者的工具;而佃农则是利用他租得的土地,作为榨取劳动者的工具。其次是,农业上雇用劳动者,不是因为农业进步,不是因为农业上采用新式农具技术,反而是因为农业不进步,农业愈不进步,愈不改良农具、采行科学方法,就愈需要雇用更多劳动者了。

总之,无论从工业方面讲,抑从农业方面讲,中国社会雇佣的劳动条件,还不曾脱却传统的封建惯例,还不曾把它的现代性,从公开劳动市场的自由竞争作用中表现出来。就令在某些场合,已经局部的或多或少的存在着这种事实,但因为大的环境还没有本

---

① 在后面论及中国工资形态时将进一步予以分析。

质的改变,产业发达的条件,还没有具备,以致在某些方面可能现代化的雇佣关系,亦不会明朗化了。

不过,雇佣劳动条件的不曾现代化,或者,劳动力价格关系的不确定,并不妨碍剩余价值的形成,反之,这也许正是造出更多量剩余价值或超额利润的有利条件。雇佣劳动者利用劳动力价格关系的不确定,任意使工资低落在必要工资限度以下。但他们这样把工资压低在必要工资限度以下所造出的更多量剩余价值,除了把少数的场合,除了外人经办产业的场合,能实现为其超额利润外,其余几乎都不会实现出来,这是需要进一步去说明的。

(2) 中国商品增殖价值的实现过程

商品在生产过程所增殖的价值,是要它被投到流通过程或交换过程才能实现的。在交换方式一直是与生产方式相照应着的限内,中国的商品市场,就必然要存在着一些妨碍剩余价值依照现代市场活动程序来实现的事实。

在交换过程上,大体是由两种经济运动形态支配着:一是商品运动,一是货币运动。商品运动的担当者是商品经营者即商人,而货币运动的担当者则是货币经营者即金钱业者。这两种人,在现代以前的社会中,其业务并未分得十分明显。现代分工发达,金融业者遂从商业分离出来,而担当其特殊任务了。在一个由资本主义生产方法行使支配的社会中,商人照例是为商品生产者或产业资本家,分担流通的任务,在社会分工的意义上,他对产业资本家是独立的;但他的资本即商业资本的活动,却随在受着产业资本的制约。在这种关系上,商业资本被认为是由产业资本所支配。同时,产业资本也要对商业资本立在主导的地位,商业资本始不致演着破坏生产的作用,现代资本主义的生产关系始得建立起来。

事实告诉我们:在中国社会交换过程中,有以次两个隶属关系的系列在作用着。

外商洋行——买办商业——国粹商业资本——生产事业

外商银行——新式银行业——钱业——高利贷业

关于这两个隶属系列,各别单位依存的隶属的关系,以及这两个系列相互间的关系,每个有中国社会常识的人,差不多都是能够体验出来的。除了若干地区的若干大新式企业而外,一切工业品乃至农业品之投到市场,都或多或少的是采取不正规的方式。大部分制造业的产品,似都带有"预定生产"的特质。企业者强半是应允把产品,按照预定条件让给商人的情形下,由商人那里取得他们所需要的原料和用以更新劳动工具,购买劳动力的资金。农业上的产品,特别是那些专门化了的农业部门的产品,大抵都通过了高利贷,而在产品未成熟以前,就已经依"预卖""预买"的诸般方式,被处理了。此外,当然还有一部分未经上述方式被处理的产品,但因一般产品都是小规模经营的产物,又因农产品搬运上的困难,及不规则的捐税的妨阻,都不得不在未脱原始性的附近定期市集中将其脱售。这种原始市场之不利于生产者,和有利于一般搜购者囤积者的实况,是非常明白的。

至若各种落后特权在流通界造成的阻滞作用,以及凭恃特权在商品运动货币运动上引起的障碍,随在都可找到例证。而商人高利贷业者照例在原生产物及半制品收获期完成期压低价格,而在这以后乃高提价格的欺骗行为,则毋宁是司空见惯,且视为合理的事了。

此外，在对外贸易关系上，由不完全的关税权、工业权及交通权，所给予产业上的困厄，当亦在交换过程上很明显的表现出来。

实例是不胜枚举的。但我们在这里只能原则的提到，且将中国商品流通的一般特征，综括为以次三点：

第一特征是：商业使生产物成为商品，而不是商品运动形成商业。这就是说："广搜各地物产，统办环球制品"的买办性商业，发挥了极大的贩运业的机能：它强制的逼着旧式的农工合体经济组织解体，促使工农业分工化，专业化，结局，一切产业上的分工和交换关系的促进，就像是在执行商业资本（国际的和国粹的）的命令和强求。这事实，不但说明生产不能把流通吸收进来，作为它的一个因素，且反而像是流通在御用生产，并且把生产制约在便于它行使支配的限度了。

第二特征是：全商品流通过程，在为不等价的交换关系所支配着。而这种不等价交换，可以从对内对外两方面来简括说明，就对外不等价关系讲，一个落后国家的劳动生产物，很显然的，要比一个先进国家的同一劳动生产物，包含着更多的劳动，即是说，具有更大的交换价值。但由于种种不平等条约的束缚，在结局上，我们所消费的外国制品，要支出更多劳动或更大价值的产物。我们向外购买，我们向外贩卖，都受了种种条约规定的限制，表面上虽然像是通过自由竞争的市场，其实是在诸种不平等条约下面，行着不等价的交换。至于在国内的市场上，工农业品间之不等价交换，亦是非常显然的。本来在许多现代国家中，农业上的资本有机构成，一般都较工业为低位，以工业品与农产品交换，也往往能换取较大量的劳动或较多的价值。但在中国，情形却较为特殊。中国工业在舶来制品压迫下，很需要把工业生产物中占有最重要成分的原料的价格,特别压低,借资补偿。而在工农业均受商业操纵的情形下,与商业有较密切联系的工业,(就令把一切其他社会条件,即与农业相对待而言,有较多便利的社会条件抛开不讲)是不难多方牺牲农业的。

第三特征是:超额的较多量的剩余价值之实现,不是在价值法则下进行,而是在非价值法则下进行;不是由于各依生产价格来行使交换的自由竞争,而是由于贱买贵卖的欺骗,由于不合理不合法的强制,更本质的,是由于各种封建的劳动形态之保留。

(3) 中国商品剩余价值的分割过程

在资本主义的商品生产下,因为购买生产手段的价格是大体确定的,购买劳动力的价格亦是大体确定的;至少,作为商品的生产手段与运动力的购入,和作为商品的它们的生产物的卖出,都有公开市场的竞争在作用着,可以由此测知商品的成本及其平均利润的限度。中国上述的生产方式及交换方式,因为掺杂着落后的,特权的,次殖民地的干涉作用,根本就不易确定生产价格,从而,就使其生产物的剩余价值,具有极大的任意的伸缩性。

不但此也;在商品生产下的商品,其剩余价值,一定要通过交换过程才能实现;剩余价值的获得者,亦是要在这个过程完结以后,才能确实得到其所应得的分额。但在中国不同,中国商品的剩余价值,不但在量上可以随时任意伸缩,并且,那种可以任意伸缩的剩余价值的占有或分割,不仅会在交换过程中进行,甚且会在生产过程中进行。

在商业资本(国际的及国粹的)作为生产者间或生产者与消费

者间之总枢纽而作用着的情形下，商品的剩余价值的产出及其实现，都不允许产业资本或生产者资本发生领导的作用，从而，产业（这里单就工业立论）资本利润如其存在着的话（事实上，许多生产事业，根本就没有利润，生产事业经营者，以利润名义获得的那一分报酬，实不过工资转化之结果罢了），那倒反而是由商业资本利润残留下来的。商业利润不是由产业利润分出，产业利润却竟是由商业利润分出，这种剩余价值分割方式，已经是够落后了，够特殊了，但如把考察移向农业领域，我们将发现更不现代化的事实。

资本主义的农业生产，因为农业资本有机构成对工业资本有机构成为落后，为低位的缘故，一般原是有平均利润以上的超额利润存在着的。但依照我们前面的分析，中国农村的土地，对于资本是处在绝对优越的地位，农业家对于他的经营，能否得到利润不是取决于他的资本条件，而是取决于他的劳动条件，尤其是取决于他取得土地的条件。地租仍大体是剩余价值形态一般，利润不过是由地租那里分割出来的一个可怜的分额。要不然，就是从他的雇佣劳动者的极低工资中抽取出来的工资部分的变名而已。

因为投资在工业特别是制造业上，或者投资在农业生产上，都不易获得确定的可靠的利润，社会上的资金，就不容易诱致于生产事业方面，且反而会被吸收到不生产的事业方面，这是商业高利贷特别跳梁活跃的原因，同时也是土地被看作商业扩大活动之对象的原因。工农生产事业因为不易张罗到生产资金，就不得不忍受商业高利贷的剥削，不得不忍受高率地租的剥削，反过来，正惟其它们遭受了多方的剥削，这才又造出了进一步被剥削的前提条件。在这里，我们已不难发现它们在从事商品生产时所造出的剩余价值，该是如何被分割着，并该是如何会在交换过程中，甚至在生产过程中,就被分割去了的症结所在了。

最后,我们还得指出:一切经济外的榨取,无论是在对外关系上,由不平等条约所引起的;抑是在对内关系上,由种种封建的或不合理的规制所引起的,均在直接间接参加剩余价值的分割。

事实上,所有上面指出的这许多分割剩余价值的因素,并还不止分割到商品所增殖的价值部分,甚且往往侵蚀到了它原来垫支出的资本价值部分了。然而,我们在这里所要注意的,与其说是商品价值(包括垫支价值及增殖价值)在如何的程度被分割,却毋宁在注意其增殖的价值部分,在如何的被分割,并由谁所分割。

三 中国商品价值的一般特征

由上面的说明,我们已大体明了中国社会的商品及其价值之特质了。

中国社会的各种生产组织,以生产使用价值为主要目标的部分,虽大体解体变形了,且还正在不绝解体中,但直至今日为止,确仍有一大部分生产物,特别是农业上的原生产物,还是当作使用价值而生产出来。即生产者对于它们的生产,不是为了拿去交换,而是为了供自己使用;不是为了交换价值,而是为了使用价值。在这里,我们用不着比较:当作交换价值而生产出来的部分,是大于或小于当作使用价值而生产出来的部分。但我们可以在发展的观点上,这样断言:当作交换价值而生产出来的这一部分,愈到挽近,是愈形增加了;即使它在数量上,还不一定能对那一部分,即当作使用价值而生产的部分,持有绝对优势,但在其他一切方面占着优势的,已经是商品经济成分;现代国际资本早把我们转入了世界商品货币关系中,无论我们愿意不愿意,我们要生产,就不能不注意被生产出来的东西,具有如何的交换价值。

不过,中国社会的这种商品价值关系的促成,即使生产物,由使用价值生产,移向交换价值生产的这种转化关系的促成,主要是由于商业资本(国际的,买办的,国粹的)的作用,主要是由商人居间活动的结果,所以,在国内外市场上,使生产物之成本价格和市场价格相比较的事,并不是由生产者自己来做,而是由商人来做,这一来,商品价值的大小,就俨然不是以商品生产时所费的劳动量为依据,而是以商人的意兴或慷慨为依据了;对于生产者或产业经营者,商品的价值,自然是看他们能从商人那里换得多少货币,自然是有极浓厚的偶然的性质。而且这种事实,更由种种障碍商品流通的社会的政治的因素加强了。

在商业上,原是以"贱买贵卖"为支配法则。商人只懂得一种哲学,即欺骗哲学。在商业受着产业的制约的限内,即在流通过程被当作生产的一个因素的限内,那种法则的运用,那种哲学的发挥,是受到了限制的。但在相反的情形下,商业上并没有何等等价的关系存在,没有明确的价值法则存在。那里所有的价值概念,仅是由于被买被卖的诸商品都是价值,都是社会劳动的体现。

不错,许多现代国家的商品生产,都曾经过商业资本行使支配的这个阶段,即是说,在它开始商品生产的初期,它的商品,也只是在被买被卖时看作价值,才表现出价值的概念。但等到它把商业资本依以活动的旧的生产关系逐渐突破了,产业资本代替商业资本立在主导地位了,商品的价值关系,就相应失去其偶然性,而在自由竞争的作用上表示出了运动的法则。

然而,中国依据种种社会的政治的理由,在将近一百年的现代化的过程中,始终不曾让产业资本对商业资本抬起头来:就我们这里所论及的问题说,即始终不曾让商品的生产,商品的运动,以价值法则为根据。

不但此也,由产业不发达所导来的价值形态,必然会因其内在的本质的关系,使它要把较大量的劳动,表现在较小量的同种商品中;把较大的交换价值,表现在较小的使用价值中。因为生产这种商品形态的社会,由产业不发达所引起的过剩劳动,所引起的廉价的过剩劳动,一定会阻碍着机械的使用,而使它的生产物,浪费去较大量的劳动,包含着较大量的价值。

在资本主义社会中,由营利动机所支配的生产活动,使它不绝应用新机械,不绝改良技术,以图对同业竞争者,获得较为丰厚的利润;而在我们的社会中,由同样营利动机所支配的生产活动,却使它选择相反的途径,就是它与其在不易获取资金和不易获取机械的限制下,采用机械,就宁不如采用随在可以找到,又可任意榨取的活的生产工具即劳动力。这一来,在他国的机械驱逐劳动力的倾向在我们却变成了劳动力驱逐机械的倾向。这倾向,当然会使劳动生产力减低,使劳动者须以较大部分的时间,再生产维持他自己的生活资料或生活资料的价值。也就是说,只能以较小时间来生产剩余价值。结局,要维持同量的剩余价值,就须使用较多数的劳动者,或使他们过着更困难的生活;或者,以更少的生活资料的价值,更不照交换价值法则的工资,来维持其困难的生存。

要之,商品价值的关系,是一种社会的关系。特定的社会形态,当然有适应着它,配合着它的特定商品形态和价值形态。中国的商品运动,既然无法突破封建传统的及国际资本统治的诸种障碍,则在它的运动过程中,就不能不使它的价值关系显出极不明确,极不完备的姿态来。如我在前面所说,中国的商品,大体上,不是当作商品生产出来,不是当作交换价值生产出来,而主要是由于从属于国际资本的我们的商业,以及与商业连同作用的高利贷业,多方促使我们那些原本是当作使用价值生产出来的土产物变为商品,所以,它们之被投到市场上来,就大抵不是由于生产者,不是由于产业资本家,为了追求成本价格以上的平均利润使然,倒反而是由于各种各色的商人(买办式的,兼为高利贷者的,兼为官的),利用一般独立手工业者农民乃至制造业者的不利地位,以便勒索高额利得使然。在这种情形下,中国社会的商品价值关系,尽管在长期的现代化历程中有了不少的改变,但在本质上,仍不免是前资本的小生产的,前资本的,小生产的商品运动,就显然不是依着正常价值法则作用的结果。生产一般的不是由产业资本家所主动,剩余价值根本不能转化为统一的利润形态,商业利润,利息,乃至其他所得形态,更自无从由总产业利润分派出来;在一般的生产经营者兼为劳动者的场合,固不必说,就是在劳资显然起了分化的较大的企业经营上,一般领受工资的劳动者,尽管其工资所得,不够维持最低生活水准,而他们的企业主,却并不因此就能获有合理的利润,我们社会工资,劳动者的最低工资,和企业主的合理利润,或者是劳动者兼企业主的起码利得,都为控制或操纵生产的商业资本,高利贷资本以及其他的原始收夺方式所侵蚀了。而在这里还得特别指出的,就是照应着我们这种落后的商品价值关系,在国际资本作用下,一定会依着通常殖民地对宗主国的经济交往或商品劳动移转过程,而使我们上述的商业,高利贷业落后地权以及其他经济外榨取所得,都直接的,迂回的通过不平等的对外贸易,对外债务,对外存款等等方式,变成了国外资本的特殊利益。在这种意义上,中国社会的剩余生产物或剩余价值的最大的或最后的收夺者,就宁是国际资本家,而我们的各种各色的商业者(官,地主,高利贷业者,在某种意义上,都是商业者的化身)倒反而是按照其对于国际资本的服务程度,而分取那种剩余价值的余额。如其说,商品价值的发展的程度及其表现的形态,可以决定一个社会的本质及其全般经济的特定范畴,那我们上面有关中国社会商品价值的阐述就应当被视为理解中国全般经济中其他一切形态——如货币形态,资本形态,工资形态,利润形态等等——的锁钥。

本篇问题研究

一、商品何以是一个历史的经济形态。商品是怎样形成?它将如何归于消灭?

二、由为买而卖的交换方式,变到为卖而买的交换方式,何以需要社会生产条件与分配关系都有本质的变革?

三、制造业在大工业占着支配地位的社会,为什么更具有非资本主义的性质?试就中国社会的制造业性质予以说明。

四、土地的商品化,为什么一般是先于劳动力的商品化?而中国社会的土地自由买卖为什么不能招致劳动力的真正的自由买卖?

五、中国的商品,在价值增殖过程上,在增殖价值实现过程上,为什么都显不出一般商品价值法则的作用?

六、不等价交换应如何去理解?

七、强使生产物变为商品的商业,和商品运动成形的商业,在本质上有什么不同?

八、中国社会生产的剩余劳动生产物或剩余价值,由谁掠夺去了?

第三篇　中国货币形态

第一章　关于货币的基本认识

要对中国货币形态加以科学的论究,先得以历史的观点,来说明科学的货币理论依据。因为我们这里当作对象来研究的中国货币形态,主要是限定在此次抗战以前和鸦片战役以后,虽然有时为了说明的便利和必要,难免要涉论到这个时限以外;特别是在本文的最后,我还想就当前的货币问题,有所论列。

由鸦片战役到此次抗战,其间将近有一百年,这一百年间的中国货币形态,当然变动很多,若从一个固定的观点去论述,一定不能把握其全般演变的动态;而且,中国在这个期间的货币形态就凭常识与经验事实去判断,亦不能理解它对典型的过去货币形态和现代货币形态,所具有的特点和距离。因之,要理解中国货币,若不明了货币本身的发展历程和转化趋势,也就无法进行讨论。

惟有发展的观察方法,始能研究发展的事实。

货币在它的发生发展过程上,经历过了三重的演化,它是由商品发展过来的;它的各种机能是相次的逐渐发生的结果;它的每一机能,皆在随着社会的改变而异其实质。现在且依照这个顺序,分作以次三点来说。

一 货币与商品的历史发展关系

商品是由生产物发展来的,生产物变为商品,即生产物被生产出来,不是为供生产者自己消费,而是为供别人消费,那要通过一定的社会关系,要具备一定的社会条件。货币的出现,是生产物变为商品的结果,反过来又成为促成生产物变为商品的原因。

货币在它本身,又不但是一种生产物,且是由生产物转化成为商品,再转化成为货币的。在生产物需要货币来作为它的媒介,始变为商品的限内,生产物变为商品的时候,也就是商品变为货币的时候。

不过,在一切的条件下,一切生产物都可变为商品;在任何情形下,一切商品不能都变为货币。

在社会经济史发展的过程上,确有某一些财物,如谷物、家畜、皮、贝、干丁鱼等等,曾分别当作社会的偶然的窄狭范围内的交换等价物,而尽着货币的职能,但愈到后来,这一切的财货,都因着社会经济发展上的不可抗拒的理由,相率被淘汰去,而让货币独占着一般等价物的地位了。货币之取得这种地位,乃是因为我们今日一般所理解的货币即贵金属本身,具有特别宜于用作交换媒介物的诸种特殊功能,如它有不易磨损的硬度,有易于熔解的属性,有获得的困难,因而在小量中包含着较大价值的特质等等。① 它这种

---

① 对于这大体为亚丹·斯密所指出的,且大体为属于自然的诸种特质,卡尔更独特的从社会的见地,予以补充。他说:"在直接的生产过程中,金属的一(接下页注)

种特殊性能,都是在交换发展过程中,依客观需要而逐渐表现出来,或被逐渐发现出来的。

货币在诸种生产物中,在诸种商品中,既凭着上述诸特殊性能,取得了一般等价物的地位以后,它当作一般商品看的性质,就被隐蔽起来,它当作货币看的性质,就被发展起来。它愈是货币,就愈不是商品。货币与商品是在对立的情形下,发生关系。也许就因此之故,一般人,甚至一般经济学者,就把货币看得与商品没有何等本质的联系,以为货币是可以离开它的现实的商品的基础,而观念的存在的。所谓"货币国定说"的根据就在此。纸币更给予这种学说以有力的支援了。

其实,当作货币看的贵金属,在货币形态上,已经取得了社会一般等价物的地位以后,虽然像是把它原来的属性排除了,而与一般的商品处在对立的地位,但它之所以取得一般等价物的地位,却正好因为它原来就是商品,原来就具有内在价值,原来就是特定社会的劳动体现物,而纸币,它不过是商品经济发展到一定阶段,为了代表金属货币而产生出来的。它是贵金属的记号。它与商品价值的关系,实际可以说是间接的;商品的价值,观念地由金量银量表现,而此金量或银量,则象征地由纸币表现。不过,关于这点,以后还有谈到的机会,这里只须明了货币对商品保有极密切的关联。商品关系愈向前发展,货币也以同一程度发展。商品的发展史,从

(接上页注)般的重大意义,是与其作为生产用具之机能有关的。金与银除掉其稀有性而外,比较起铁与铜,它们的大的柔软性,使它们不能适用为生产用具。……在直接生产过程中金银既没有用处,其作为生活手段、作为消费对物,也显得并无必要。所以金银的每种任意的分量,能走进流通过程中,而于直接的生产过程与流通过程,毫无影响……"(见郭译《政治经济学批判》第一八〇页)

另一角度去看，也就是货币的发展史。

二　货币诸机能的演化过程

商品关系的发展，无疑受了货币的促进，但货币在当作货币看而表现的诸种机能，却显然是在商品发展过程上，逐渐被表现出来的。比如，今日一言及货币，就是把它以次的五种机能，作为其观念构成的内容：即价值尺度及其相联属的价格标准机能，流通手段机能，贮藏手段机能，支付手段机能，最后，当作世界货币的机能，这五者，自然不是一有货币，就一齐随着发生的，它们是依客观的要求而逐渐发生的。

诸商品相互比较，相互体现其劳动价值，把货币来作为媒介，作为一般的等价物，这说明货币首先就得具有价值尺度的机能。但在它充作价值尺度时，是把许多商品的价值转化为价格，转化为想象的金量或银量，如说某物值若干镑，其他某物各值若干镑等等。但这若干镑究包含多少金或银呢？例如，包含有多少盎司或两呢？这时，就要求货币有一种价格标准的机能。货币当作价格标准，是以一种金量或银量，计量或测定种种金量或银量。如中国过去以七钱二分为单位来测定银元之类。价值尺度与价格标准，显然是两种不同的机能，但它们密切关联着，颇容易引起混乱。

当货币当作价值尺度与价格标准而作用着的时候，它必然同时要发生流通手段的机能。因为把一定量的金或银作为商品相互交换的等价，那些商品就已经要借货币把它转换一个所有者，即须由货币的媒介，而实行让渡于人；在这场合，货币便是当作购买手段或流通手段而作用着,它这种机能,必然是由前一机能所导出,而且是对于前一机能的完成。

货币既当作购买手段,既能由它取得一切其他商品,乃至取得商品以外的任何为人所欲得的东西,在它本身,就像从外面附加上了一种被爱护,被保存的特质了,这就是它的贮藏机能。

至于货币当作支付手段的机能,虽不一定完全是由它当作贮藏手段的机能而导出,但后一机能的发挥,却显然与前一机能有密切的关系。在流通界,因为买卖往往发生脱节现象:商品被投到市场,一时或不易找到买主;有了买主,也许一时不一定能全部付现,为了较迅速的促成商品流通,货币当作支付手段的机能就被发现了。商品就可以先行让渡,货价则是分期支付,或是贮存到一定的额数,再行支付。迨商品生产发展到相当的程度和相当的范围以后,它这种当作支付手段的机能,就扩延到商品流通领域以外,而在普通契约上,在地租上,工资上,赋税上,表现出这种机能了。

上述这诸种机能,是货币使用在国内流通领域显示出来的。一旦离开了国境,它就会解除价格标准、铸币及价值记号的地方特征,而再还原为贵金属原来的条块形态。在这场合,金与银的本体,便和金与银的加工结果的铸币,立于对立的地位;后者是特殊国度内的流通手段,支付手段,而前者则成为世界的一般的流通手段,支付手段,和财富一般之绝对的社会的体化物。这种世界货币的机能,在诸民族诸国家并存着,凡有经济交往的一切时代,都曾表现过来,但它的发展,却显然是现代的事。

三　不同社会的不同货币机能

在前面,我们说明了货币诸机能发生演化的次第,但我们在这里所当注意的,却是货币在不同社会之同一名称下的不同性质的机能。因为货币虽如我们前面所说,是一种社会关系的表现;不同社会的货币,并不是在冶铸样式、花纹或它所含的成色或重量表示出来;过去许多国家的铸币,也许比它们现代的铸币,还要精致,还要考究。但在这些方面,实在体现不出何等本质的差别。不同社会之货币的真正的差别,却毋宁在其具有不同性质的机能。即是说,同是流通手段的机能,同是贮藏手段的机能,在各别历史时代,是具有不同性质的。

我们知道,以商品流通为其存在前提的货币诸机能,商品连同交换诸方式本身,都是受决定于当时的生产状况。不同社会的不同生产状况和生产关系,只能需要或允许货币对它表现出相适应的货币机能,由是构成不同的货币形态。

我们要把握住了这种机键,然后始能展开中国货币形态的探讨。

第二章 中国货币的特殊表象

在论究中国货币机能以前,势不能不将中国货币的一般现象,或其对任何其他国家,其他历史时代之货币形态,所表现的不同特征,加以简括的解述。

一 银本位制所表识的落后性

在民国二十四年的货币改革以前,中国一直是采行银本位制。即在这次改革以后,虽然我们在形式上,对外采行了汇兑管理制,或准虚金本位制,但在国内,还是把银元作为一般流通与支付的价值尺度和价格单位。银本位币制的采行,为什么就在它本身,显示出了货币,乃至货币因以推行的商品经济的落后性呢?这不能单由中国货币的形态孤立的看出,而须从世界各国的币制发展演进史上去得到理解。

在十九世纪中叶以前,世界各国差不多都是施行银本位制,而在同世纪末叶及在这个时期以后,各国却因以次的诸理由,都先后改用了金本位制:

第一、白银产量激增,其本身价值极不固定,由是相应减少了它作为价值尺度的功用。

第二、黄金采掘逐渐增多，已够应付国际间贸易债务结算之用。——这一点，似与前一理由相抵触，因为白银因产量激增而否定了它自己作为本位币的资格，黄金逐渐增多，不也会引起同一结果么？金量相对的少，用金作为本位币，还不致供过于求，当然算是一个解释。但最关重要的还是：

第三、黄金有比较大的价值，不仅较能适应日渐增大起来的商品流通规模，且大可减省结算找现的运费和保存的费用。①

惟其如此，各国遂因应其国内经济的发达，和对外的经济交往关系，相率放弃银本位制，其顺序如下：

英　　国——十八世纪末

美　　国——一八七三年

德　　国——

罗马尼亚——一八九〇年

奥匈帝国——一八九二年

保加利亚——一八九三年

俄　　国——一八九七年

日　　本——一八九八年

法、意、瑞、比诸国，虽曾组织拉丁货币同盟，施行复本位制，然终归失败，在前次大战中，各国虽相继停止金本位制，但战争甫一

---

① "……在流通着的商品价值总额增加时，各个民族总觉得，以铜计算不若以银计算便利；以银计算不若金计算便利。民族愈当厚，便愈把价值较低的金属转化为辅助铸币，把价值较高的金属作为货币"。（见郭译《政治经济学批判》一九一页）

结束,又先后予以恢复,(如英美为金块本位制,奥、匈、意、捷为金本位制,而德、瑞、比、智利等国,则实行虚金本位制。)至一九二七年,连印度亦行金块本位制,在一九三〇年,全世界只有三个用银国家,即墨西哥、西班牙、中国。

综观上述各国货币本位制变革的一般趋向,就知道它们脱离银本位制,大体与它们的商品经济的发展状况,保持了相当密切的关联。在主要诸资本主义国家中,英国最为先进,它采行金本位制也最早;俄、日等国较为落后,它们实行金本位制也较迟,今日中国还采行银本位制,这就是表示中国的商品货币经济,还是留在不十分发达的阶段。

二 币制的不统一与不确定

与落后的银本位制相关联的,就是货币种类的凌杂,和各种货币单位的参差和不确定。经济落后才采行银本位制;也因为落后经济不能不转入国际商品经济漩涡,不能不引起新经济关系的冲突,致不克形成一个有系统的银本位制,而从以次几个方面显出混杂与矛盾。

(1)现代性货币与封建性货币的对立——这种对立,曾经明显的表现在银元与银两上。直至一九三一年(民国二十年)废两改元止,银两还被一般有封建性的旧式金融业上,赋税上,乃至一般较大规模的传统性的交易上,作为核算标准。随着交换关系的发展,那种核算的不便,渐使新式银行方面发行的,以银元为单位的银行券,日益得到社会的支持。不过,在银元本身,已经杂有成色不同的各种洋钱在行使着。特别是通行于沿海各地的毫洋,它又对大洋异其成色,至于当作辅币用的铜币,全国各地几乎都有它们各别的类型。这种辅币的普遍存在,一方面当然是因为它适合于都市的,特别是在农村的劳苦大众的低微购买力,同时也因为各地方的封建势力者,特别愿意把这种轻易铸造的辅币,作为最有利可图的榨取工具。

(2)政府货币与私人货币的对立——这种对立,原可并合在前一项下说明,因为私人而有货币权,当然是属于封建性的东西。但这里主要是就纸币立论。本来现代性的纸币的发生,是由于商品经济发展到了一定阶段,为了流通上的便利,才以贵金属为基础而发行的,即是,纸币只是在一定的商品流通关系下才能作为代替金属的职能而产生。但"在信贷制度完全不发达的国家,如在中国,虚价纸币在很早以前就已经出现了。国家可以任意浪费,不加计较,因为他除了皮币和纸币以外,并不要花费,也不铸造什么其他的货币,……这些货币它要通行于全国,通行于各省,他不制造金币,也不制造银币,正如孟德维尔所推想的那样,他因此可以漫无限制的任意挥霍"。这表示,中国之有纸币,由来已久。那不是由于商品流通便利上的要求,而是由于国君或皇帝有了任意发行纸币的权力。但当国君或皇帝行使这种权力的时候,他的臣下,小诸侯们,乃至夤缘贵介的地方势力者,都仿样滥用起这种权力来。降及现代,甚至到了挽近,国家不但没有完整的造币权,且也没有统一的发券权,在政府方面,各省市,都有库券或官票之类的纸币通行。就是挽近颇通行的银行券,一九二四年币制统一之前,一切较大的新式银行,都取得有发券权。下焉者,甚至私人商号,三家村镇的小铺店,亦可漫无限制的发行铜元券。

（3）本国货币与外国货币的对立——照一般经济常识说来，代表金属的纸币，固不必说，就是铸币本身，一离本国，就只能当作金块银块行使。然而外国的货币，无论是铸币抑是纸币，都在中国有效的推行。如墨西哥洋，老早就在中国，同其他充当本位币的所谓银洋，同样流通着。而外国的纸币，较之本国较有信用的银行券还更为一般人所乐于接受。至于国内各别壤接各帝国主义国家的省份，如过去东三省、山东乃至福建诸省之于日本纸币，广东、广西之于香港及大英帝国纸币，云南、广西之于法国纸币，新疆之于俄国纸币，反比对于本国较有信誉的银行券，乃至银元银宝，还有更大的信用，这种种外国纸币，不但行使于中国流通界，甚且被国人当作绝对财富本身，而予以贮藏。

三　货币的种类数量及其演变消长关系

如上所述，中国的货币种类，可以说是至为繁多。但货币种类的多，并不能表示流通货币数量之多。恰恰相反，惟其种类多，惟其相互对立的限制和抵消，其总的额数，是无法增多的。而且，每种货币，既都有其地域的、封建的乃至帝国主义的背景，其通行的范围，自不得不受其背景的限制。所以，偌大的中国，直至一九三二年底，所有外商银行在中国发行的钞票，约折合国币五亿六千余万元；而中国主要新式银行至一九三四年，其纸币发行总额，尚只五亿八千三百余万元，再加全国省市银行纸币发行，约计一亿至一亿五千万元。此外，如商号小铺店之私票，因大体为铜元券，其总值额当不甚巨，恐怕最多也不会超过数千万元之数。当然，在这总和十数亿的纸币而外,还有大量的银币、铜币在流通着,但在劣币驱逐良币,或硬币在紊乱情形下,必会散藏在民间和集注到银行库存中的场合,出现流通界的铜币和银币的总额,就似乎不会很多。

把现实的商品经济发展的限度,或其对货币要求的限度抛开不讲,货币种类繁多,既然不免限制同种类货币发行的数量,反过来,货币种类的减少,就似乎大可引起同种类货币发行数量的扩增,近一二十年,中国货币已渐走上了单纯化的路。在第一次世界大战的过程中,中国国民经济已有了相当程度的发展;与这种情势适应着,中国的新式金融业务,不但对于国内封建的地方的货币,取得了优越地位,即对帝国主义的货币,亦渐有予以驱逐的趋势。比如,以全国货币金融集中的上海一地而言,清末外国银行纸币流通额,计达国币一亿数千万元,至一九三四年,仅及三百万元。又在民国初年的上海纸币流通额中,百分之七十为外国纸币,至一九三四年,则在全流通额三亿二千三百万元中,中国银行券竟达百分之九十九,外国银行纸币仅达百分之一,此种消长关系,盖由于以次诸原因:

第一、一向仰外人鼻息的中国银行业,在第一次大战过程中,由于国民经济稍形发达,相应着,由于战后收回国权运动的昂扬,致使一般金融业者乃至企业者,都觉得非自主独立起来,不足以摆脱外人的控制,这种自觉要求,对于银行业的促进,有了莫大的效果。

第二、前次世界大战发生,许多外商银行倒闭,自是一向崇拜外人的有钱人,开始对它们的银行或纸币的信誉,发生了疑虑。

第三、国内银行渐趋稳固,信用日渐扩展。而一般旧式钱业,对较集中的,经营技术较新式的,资金较丰厚的金融业的竞争失败,也大可增加中国银行界对外斗争的声势。然而：

  第四、在另一方面,到了帝国主义重又为经济大恐慌所苦恼的战后一九三〇年前后,帝国主义者为了控制中国市场,并稳定其商品的经常出路,已感到非安定中国货币不可,已感到非改革危害商品流通的中国杂多货币现象,使其逐渐单纯化不可。"废两改元"的成功,新货币体制的实现,都可由此得到一部分或大部分的说明。

第三章　中国货币的诸机能

我们已经确定的表述过：一种社会的货币形态，对他种社会的货币形态的区别，不在货币本身具有如何不同的样式，如何不同的内容，而在其具有如何不同的机能。所以，我们要透过上述诸表象，来考察中国货币的本质；最好是把中国货币的诸机能，分别加以分析，看它与资本主义国家的货币机能，具有怎样不同的性质，或者，看它们是否能成就资本主义的货币的任务。

一　当作价值尺度与价格标准来看的中国货币机能

在商品生产社会，是把生产价格的腾落，当作生产者测知什么对社会需要，需要若干或不需要的唯一可能的测度规准。而要使此种规准发生效用，首先必须当作价值尺度与价格标准的货币，在它本身，有一个确定的，能成为一般社会都能据以交易，据以支付的准则。而上述的中国货币诸表象，显然不易或不曾成就此种机能。

中国的货币是多种多样的，而且它们各别的价格标准，又至不划一。不统一不确定的货币，首先就会给予商品生产者以成本计算上的妨阻。他要从较大市场的极其掺杂的货币关系中，去测知其需要的限度，也极其困难。而且，特殊地方或特殊势力的货币权的控制者，很可能按照他们自己的有利打算，随时把货币的价格标准予以变更；事实上，他们确也常在变更。甚至有意的或有计划的把他们的货币，贬价到一文不值的地步。

自然，当作中国本位币的银元与银两，曾在较大的市场，较大的范围、较大的交易规模上，尽着价值尺度或价格标准的功用，但近五十年以来，世界银价的变动，是异常之大的。而特别在不产银而用银的中国，随时都在遭受世界银价变动的影响。不错，银价的涨落，对于以一定银量作为价格标准的这件事，应无大碍，换言之，就是那仅有碍于价值尺度机能的完成。但我们已经知道，中国一般零售的乡村的市场，都无异于把辅币作为本位币在使用，银价一变，银币对铜币的比价，即所谓洋价（即以银币购买铜币的市价），就要发生搅扰的影响，使它不易有效执行价格标准和价值尺度的机能。

而且，世界银价的变动，并不尽由于银矿开采的难易，影响供需状态，同时还更掺杂着各帝国主义国家间之货币斗争的内情。把这种事实和它们各别对中国施行的货币政策（局部的操纵与全面的把持）权度起来，就知道中国即使采行所谓汇兑管理制，在它对外不曾取得经济的独立自主权的限内，它的货币的对内对外价值，是一直在波动着，一直难得成就需要有统一性与相当确定的价值尺度的任务的。

然而，像中国货币所表现的价值尺度与价格标准的这种机能，在一方面，尽管如前面所说，太不够配合资本主义的商品经济的要求，但在另一方面，却又正好是对于小商品生产的落后经济和对外依存性经济的配合。因为价值尺度与价格标准的不确定，不正好是各种特权借以施行经济及经济以外榨取的有效手段么？

二 当作流通手段来看的中国货币机能

"推动一国商业所必需的货币，有一定的限度和比例。""多于此或少于此，都会阻碍商业，阻碍流通。"从这种事实当中得出了一个法则，即"流通手段的量，定于流通商品的价格总额，与同名称货币流通速度之比"。不过，这个法则的应用，有一个前提，就是当作流通手段的货币本身，要能有效的执行其当作价值尺度与价格标准的任务；否则这个法则在应用上，就需要修正。也就是说，这时货币当作流通手段的机能，就难免受到其当作价值尺度与价格标准的不健全条件的影响，更根本的说，即难免受其不完备的商品生产形态的影响，而现出极大的特殊性来。

中国的经济，因为愈来愈益转入世界商品经济的关系中，即使大体还停留在单纯商品经济阶段，但除了自给的成分以外，其余流通起来，都是需要货币的。而中国货币的当作流通手段的机能，自然要从这种流通关系上表现出来。

中国商品经济成分，无疑在日益发展，其所需流通的货币额亦在以相当的比例增加。但如我们在前节所指明了的，直至一九三二年前后，中国流通界的全部货币额，除了十数亿纸币而外，就是估计与此纸币额相差甚多的铸币，两者加计起来，不过二十余亿而已。以如此少量的货币（与任何一个现代国家所发行的货币数量比较起来），周转中国偌大市场的商品流通，似乎要给人以纳罕的印象，但把中国社会的自然经济仍占着极大比例的情形一加考察，又毋宁觉得是当然的了。

我们知道,商品经济发展的主要原因之一,就是由于货币的促进。而中国货币的上述诸表象形态,如币制的不统一不确定,却又从多方面来阻止商品的货币化和货币的商品化。结局,原本可能而且需要加入流通过程的生产物,和原本可能而且实行加入流通界的货币,当被货币本身条件的不健全所阻滞。以致助成整个农村的金融枯竭情形,以致助成正常交易歪曲化如像"预买""预卖"的交换方式,如像以物还物的贷借方式,一方面正苦于货币的供给不够,同时又排斥货币,或大大减少买卖转手所需的货币额,这一来,原来可以促成生产物商品化,或商品加速周转的货币,却反过来,使许多商品化成分,逆转为自然经济成分。

自然,对于流通关系的促进,币制本身的健全,只是一个因素,要这种因素发生积极的作用,需要一个统一政权,在治安、交通、度量衡及国内自由市场诸方面的相应设施,为其前提的相辅而行的条件。而这些条件,直到此次抗战发生时止,虽然已经相当进步了,但一般说来,这些方面对资本主义商品生产与商品流通所要求的限度,还有颇大的距离。因此,需要以这些方面的成就,为其流通活动前提条件或辅助条件的货币,就只能在它们的成就所允许的范围内,发挥其流通手段的机能了。也就是说,中国货币在作为流通手段而作用着的时候,它是不能不以中国社会的商品生产形态和流通形态的发展程度为其限界的。

三 当作贮藏手段来看的中国货币机能

货币从它当作流通手段而发生作用以来,就相应发生了贮藏机能。这种机能,又是与它作为流通手段,乃至作为价值尺度的机能相适应的。

在商品流通极幼稚的阶段,仅有使用价值之剩余化为货币;在货币或金银已经成为富之社会表现的限内,那种剩余之卖者,就是货币贮藏者,这算是最素朴的货币贮藏形态。往后,商品流通推广,货币当作一般等价物的社会的权力增大,贪得货币的欲望也随着增加了,由是,以前把价值与价值形态看为没有区别,以为金银贮藏的增加,即是价值的增加的想法,到这时,已经感到可以投出货币,通过流通,换回更多货币的重要了。接着,就认定:要向流通过程取出更多的货币,就非在生产过程生产出更多的商品不可。到了这一阶段,原来的货币贮藏机能,就为货币的不断投出所掩蔽;而更机心更狡黠的贮蓄货币的贪欲,就为"为社会服务"的大量投资所掩蔽,以致在这一阶段的货币贮藏,仅在要求积得一定生产规模所要求的额数,仅在要求积得一定期内,为了某种支付而需求的额数,在第一阶段,是前资本主义社会的货币贮藏机能;第二阶段,是现代初期的货币贮藏机能;第三阶段,是现代初期以后的货币贮藏机能。

把以上这几种货币贮藏形态辨别清楚了,始可进而观察中国货币所表现的贮藏机能。

当作贮藏手段的机能来看,中国货币会给人以极不明确的观念。首先，在传统自给的生产方法，还占着支配地位的落后地方，一般人的固定的有限的欲望，使他们把使用价值之剩余换得的货币（银元、元宝或铜币），从事素朴的贮藏。这趋势，由无信用的各种纸币的泛滥，益使人民相对的把硬币看得贵重。窖藏习惯，就这样直到最近还被保存下来。

在流通比较发达的地方，也就是到挽近来，银行券比较能通用的地方，留着硬币窖藏起来的习惯，是比较冲淡了。一般市民已渐知道把货币死藏，不如把货币活用，可以变成更多货币。但要活用货币，最好的办法，应当是把它变成生产资本，其次，就是变成商业资本。如前一种变法，感到麻烦，且由经验证示不一定有利可图，而同时，对于后一种变法，又认为不大适合个人的兴趣和社会地位，在这场合，旧式钱庄和新式银行，便用较高的利率，为他们解决活用资金的困难了。结局，钱庄及银行，特别是近十数年来的银行，便成了都市居民贮蓄起货币的大蓄水池。而这也正是挽近银行业颇为发达的主要原因之一。

至于一般特殊有钱的人，无论他们的钱，是用地租，用赋税，乃至用任何原始蓄积方式得来，他们除了也用钱庄银行，作为其一定期内贮蓄的场所外，那种贮积，虽然也在发挥货币的生息机能，但其最后目的，却反而是在为蓄积起一定的大额数，俾能达到外国银行存款要求的最低限额（如汇丰银行的汉口分行，有一个时期，便以十万元为最低标准）；最奇怪的是，外国银行的存款，有时不但没有利息，反而要缴纳一定的保险费。在这场合，货币就不仅表现出了最素朴的贮藏机能，且变态的表现出反贮藏的机能。即是说，这种形态的贮藏，不是为了累积更多的货币，而增加其总价值，却是为了保存总价值，致不惜牺牲其中一部分的价值。（事实上，许多军阀政客们的外国银行存款,往往被借口全部没收去了。)与这种贮藏方式相关联的,就是国人在外国银行保险箱中所积存的大量外币。这种贮藏,更显然是要纳保险费的。

此外,还有一种被视为素朴贮藏之变种的货币贮藏法,那就是以种种色色的金银装饰品来保存货币的素朴。这种贮藏,在一切落后的民族间,实行得非常普遍。他们有时竟是采取这种贮藏方式,来对抗币制上的金银国有的措施,在一九三五年新币制实施以后,国内这种贮藏方式,是随时可以见到的。

自然,在商品货币经济已经有了相当发展,商工业特别是商业已有了相当基础的情形下,货币至少有一部分是为了积得一定事业规模所要求的额数,而被贮藏的。但即使把这种事实的重要性强调起来,在大体上,亦只能证示中国货币的贮藏机能,还逗留在上述第一阶段和第二阶段,至第三阶段的货币贮藏机能,不过略具一些萌芽而已。

四 当作支付手段来看的中国货币机能

货币当作支付手段而作用着,那不是始于现代,但到了现代,它这种机能,始特别发达起来。

在古代及中世,货币的支付机能,主要是表现于借贷关系中。虽然在某些场合,那种借贷关系,还是由商品流通关系或买卖关系所引起,但当时的商品经济发展程度,还不够使货币扩大它这种机能,即在流通界本身,亦不允许它具有发展它这种机能的机会和条件。所以,古代及中世的货币支付机能,主要是从当时表演得最激烈的债权者与债务者之间的斗争中,而得到理解;到了近代初期,商业活动推广了,一切支持商业的诸般条件(如治安、交通及货币本身)都渐渐改善,货币用作支付手段的机能,遂逐渐把重心,由借贷关系移向流通关系中了。降及商品生产发达的现代社会,一切生产出来的,都须卖出,一切用以生产的,都须买进。一方的买进,即他方的卖出。如卖出发生问题,买进亦生问题。而一般商品因为生产经历的时间有长短,生产依赖的季节各不相同,生产出来投出的市场有远近,于是就需要在卖出之前,能够买进,在购买之后,再行支付了。这样,货币的支付机能,乃随商品生产与流通的发展而益扩大;反过来,得到了货币这种机能促进的商品生产,可为流通领域以外的雇佣劳动关系及租税关系等等,造出货币化的前提来。至是,换物性乃至义务性的劳动、实物地租等等,始都可能转化为货币支付了。

中国的货币的支付机能,首先,从货币本身的不确定性上,就受到了妨阻。货币在作为价值尺度及价格标准的作用上,没有准确性,对于充当流通手段或购买手段,已感不便,而对于充当支付手段,就更加困难了。比如,以百元价格脱售的物品,假令在约定付款的三月后,银价跌落,卖主固应按照跌落的程度蒙受损失,若每元所含的银量,或银的成色又减少了,那个损失就更可观,仅就这一点说,赊物到了一定期间后取偿货币,就不若取偿物品,对于出卖者有利。设我们把银价在近数十年来,一直在下跌;和那些货币操纵者,一直是以减轻本位币或辅币所含银量铜量为有利的事实,加入考虑,则信用出卖者排斥货币支付机能的可能性就愈大了。

然而,货币关系的发展程度,是与整个商品生产的发展相照应的。在商品生产的初期阶段,商人资本,即在中国的买办商业金融资本,还在演着支配的角色。商人为了便于垄断,在流通过程中,把高利贷业与商业结合起来,使买与卖的关系,颠倒的表现为债权者与债务者的关系。在这里,货币所表现的支付机能,不是在商品让渡后支付,而是在商品让渡前支付,购买者不是债务者,反而是债权者了。在生产受到这种约束的情形,即商人以"前定"或"预买"等方式控制着生产者的情形下,在流通界本身固不易发挥货币的支付机能,而在限制范围以外,在工资形态上,在地租形态上,甚至在本格的借贷形态上,亦都不免遭受限制。

我们知道,货币在工资上表现的支付机能,必须依雇佣劳动关系的发展情形而相应增大。而雇佣劳动的发展,又显然是以商品生产发达程度为转移的。中国的商品生产,显仍被滞阻在落后状态中。雇佣劳动在数量上固不易扩增,而在本质上亦非常变态。家属的,隶属性的固不必说,以物支付的,以劳动偿付的,以劳动换畜力的,以赊卖方式事先支偿的,种种色色的工资支付方式,都在排斥货币在工资支付上发挥其支付机能。

在工资上的这种情形,在地租上也是会碰到的。在中国这样一个佃农制发达的国家,如其地租用货币支付,自然会大大扩展货币的支付用途,但这是不可能的。"只有在生产基础上,更严格的说,只有在资本主义生产基础上,地租始能发展为货币地租。"——中国的资本主义生产,在工业上,特别在农业上,是还不曾脱出极幼稚的阶段的。

不错,我们的赋税的贡纳,早就采取了货币支付形态,这对于货币支付的用途,不啻开辟了另一个通路。事实上,中国的商品经济的形成,也许为缴纳赋税(正规的乃至额外的),而不能不把原生产物投入流通界,是一大促进因素。在这种限度内,加重加繁赋税,似可相应的促进商品经济的发展。但在另一方面,通过赋税,通过其他相类似的经济外榨取在生产上造成的破局,却又不能不使中国的商品经济,从而,中国的货币支付机能限定在极狭的范围内了。

五 当作"世界货币"来看的中国货币机能

中国是用银国。当作本位币的银元(以前是银两),一离开了本国,就要失去它的价格标准的机能。多少纯银构成一元,在世界商品市场上,没有计量的必要。对于世界市场上的任何商品,它是以原来的条块形态,原来具有的内在价值,来与它们对立。如银多少盎司,值一件大衣,值几磅铁之类。即使在实际的对外经济交往上,先要通过外汇市场,用多少元,换多少镑或多少马克,再拿去购买英国的大衣,德国的铁,则在这场合,元对镑或马克的比价,是就元中所含的银量,来与镑或马克中所含的金量来测定的,即是由银对金之相对价值的比例来决定的。在这里,银元是当作对外的价值尺度,而同时,在其对极的镑或马克,在其用以购换银元的限内,同样是当作对外的价值尺度。

中国货币在这里与外国货币没有什么不同,不过,其相同点,却以此为限了。

在一九三三年,美国开始提高银价以前,银对金的比价,差不多几十年中,一直在跌落。银价跌落,意在说明中国对外购买力的减退,可以在相应限度内,阻止输入,并增进输出,从而,可以在相应限度内,促进国内的生产。但在事实上,中国对外贸易上的入超,却并不曾因此减少,且续有增加;同时产业方面的情形,亦不曾因此好转。自美国于一九三三年提高银价以后,用银国的购买力提高了,国人从乐观方面立论者,又以为如此将能廉价购买机器,得以较少银量,偿付对外赔款、债务及入超额,而大有助于经济的复兴。

其实,一国产业的发展,货币对外价值上的变动,仅占其中诸般促进的因素之一。而且,货币对外价值变动,是否有助于一国经济的繁荣,要看那种变动,是出之于主动或被动。如能把货币作为对外斗争武器,货币权操之在我,则其对外价值之涨或跌,均可于自己有利,否则在被动状态下,听人捉弄摆布,其涨固不利,跌亦不利。

在现代对外的经济斗争上,关税权是第一个武器,货币权是第二个武器;在关税权没有保障的情形下,货币权的运用,已大受限制,而中国货币制本身的缺陷,特别是整个中国经济对外的依存关系,货币就不但不能进攻,且不够用以防卫,甚且还太阿倒持的被外人利用为破坏本国经济的手段了。

一个经济发达,对外有了信用的国家,货币对外并不是充作购买手段,而宁是充作支付手段,而其支付,又主要是为了应付贸易的差额,中国货币的对外支付,除了经常的大量入超外,还更重要的是为了政治性的赔款和债务。外人在中国的经营所得,服务所得,当然在对外支付上,是一个重压。至国人在外国银行的大量存款,表面上像是可藉以抵消对外的债务,但如我们前面所说,那大量资金的流出,却并不是为了对外从事长短期的放款,却是为了用作赔款保险费的贮藏,为了狂乱消费,为了供外人以在中国商品市场汇兑市场,扩大投机榨取的资金。

照理,以一个经常入超,又有偌大债务关系及其他对外输贡关系的国家,每年是应有大量白银流出,以资弥缝的,但自一九一八年以来,中国的白银,常为入超,至一九二八年以后,入超额虽续有减少,降及一九三二年,甚且还有数千万元的出超。然以此比较上述诸般对外支付,却宁会给人奇异的感觉。事实是这样的:我们经常在借债还债,我们有大量的华侨汇款,此外,外人在中国由一切经济的非经济的榨取关系的所得,都按照他们把资金投用在最有利地方的原则,继续投用在中国了。在他们操纵中国金融,操纵中国外汇市场的情形下,中国货币对内对外的运用,都受到了歪曲和阻扰,我们在对外关系上,不但不能执行有利于本国经济发展的货币政策,反而要执行一些对于本国经济发展不利的货币政策了。

第四章　货币改革与特殊的货币运动倾向

　　上面表述的中国货币诸机能，显然是通过中国社会关系，通过中国社会的生产条件与交换条件而发生的。在商品经济的总的表象中，一方面是商品运动，另一方面就是货币运动。货币诸机能的发挥及其体现，并不是也不可能由商品生产及交换关系的外部投入或发生，而是从商品经济活动的内部表达出来的。因此，我们在某种限度内，尽管可以认定货币本身的不健全，成了商品经济发展的一个障碍，但却不应过分强调的说，我们商品经济关系的不发展，主要是由于我们的货币在促成商品流通，促成资本周转的圆滑进行上，没有尽着现代的机能。我们这样设想，很容易发生这样的错觉，以为货币本身一有改革，一切原有的货币机能，会从根改变，整个商品经济会跟着发展起来。这错觉一直支配着我们的经济学界，到现在，大家还有意无意的把社会经济上的变革，缩约在货币的"变革"的努力上。其实十余年来的现实经验，早把这种错觉，证示得明明白白了。现在且来考察一下货币改革以后，我们在十余年来的货币运动上，发现了怎样特异的倾向。

　　一九三五年所成立的新币制，在中国货币史上，总算开了一个新纪元。新币制的最大特点，无疑是把白银在国有方式下集中到政府手中,政府主要的用贮积的白银作为准备,发行流通券来流通。这种措施,把原来银本位的许多缺点,部分的改正过来了。以前杂多的货币,阻碍流通,阻碍发行,现在货币统一划一,流通的范围逐渐扩展。在全国较大都市及较便于交通的区域,固不必说,就是许多落后地带,一切封建性的地方性的,乃至私人性的铸币及纸币,都逐渐被中央的银行券及辅币所代替了,纸币发行权,铸币铸造权,已大体被统一于中央政府,于是我们的货币,至少已取得了现代型的外观。

我们是无须在这里详细分析这次货币变革其所以成功的国内国外的原因的,但沿着我们前面的论述程序,我得指出,货币如此的改革,在当时经济极度恐慌,和商工业异常不况的情形下,与其说是由于适应商品生产交换关系发展的要求,毋宁说是想借此改进财政金融乃至国内外商业的不况景象。这只要我们回忆一下当时白银大量输出,入超逐渐增加,和为经济恐慌长期困恼,希望借着稳定中国币制,以增进对中国输出的国外资本的如意打算,就可见一斑了。

惟其如此,不管大家怎样强调着,说币制改革后的长期抗战乃至抗战结束后的全面动乱如何把新币制促进生产发展的作用减少了,但这是一件不能证明的事。而事实为我们确定的证明了的,却是这种只在形式上取得了现代外观的货币,在十余年来的战乱过程中,似乎只发挥出了与它的外观颇不相称的本质。

它的第一个本质的表现,就是与中国历代传统政治有关的财政的性格。财政发生困难用货币来弥补,由于发行货币比较其他任何征敛方式容易,又进而不惜任意膨大财政的支出,这样,使货币的财政性格,愈来愈明显了。在长期战乱的当中,大家很有理由感谢货币改革，说货币改革的结果，使我们借此渡过了种种财政的危局，但迄乎今日，我们又似乎已经深陷在这通货膨胀的泥淖中，而更有理由说，如其不是由于货币改革增大了通货任意发行的可能，当前的经济危机，也许不会演变到如此深刻而沉重的程度。尚不止此。

它的第二个本质的表现，就是与中国现代经济特质有关的商业的性格。我们已讲过，货币运动与商品运动原是互为表里。货币与商业的依存关系，是非常明白的。但现代货币对商品对商业周转的最后任务，乃在加速资本的周转，成就生产的功能。由货币资本转化为生产资本，再转化为商品资本，最后复转化为较大货币资本。在这种周转行程上，货币是作为引出生产扩大生产的环节。但在生产的其他社会前提条件不曾具备的情形下，货币实质上，仿佛只是为了对商业服务。而因了财政要求，不绝大量发行，且依发行增大比例而不绝相对减低其价值的货币，一直都挤塞在流通界，加强商业资本的活动，结局，就更加强化了那种趋势。

货币服务财政，服务商业的上述特质，严格讲来，正好是一个现代商品生产不发达，仅在外表上改变了货币形式的必然结果。然而，由于货币的统一发行，货币流通范围的推广，却更明显的给我们认识到它的以次诸特殊运动倾向：

第一、货币的发行，愈是财政的，它照着其内部发展的趋势，便必然愈是商业的。一国的财政支出，主要依靠通货的发行来弥补，一方面，已说明它的一般国民经济的落后，生产的不发达，税源的缺乏，另一方面，又说明它的支出，是不生产的，是任意的，是毫无节制的浪费的，是在受着发行便利的鼓励。在生产不发达的基础上扩大消费，无论那些消费是采行观兵用武的方式，抑是大兴土木讲究排场，讲究享乐的方式，都必然是增大武器与奢侈品的输入，又必然是以种种原始方式去勒索强购原料品半制品以资弥缝，因之，这样疯狂的膨大发行的货币，就仿佛只是用来分散舶来品和多方征购原产物，换言之，只是作着单纯流通上的契机，只是单纯服务于商业。

第二、货币愈是依上述的定律，挤塞在流通界，它原有的一切落后机能，便愈加会曝露出来，对于它形式上的统一，形式上的现代化，表现出尖锐的矛盾。照一般货币运动的法则来说，非流通界所需的货币或法币，会不停留的在流通界奔走，在继续贬价中的法币，是很少有用它来贮存的，而同时在支付上，亦必逐渐造出否定货币的事态。试想，我们的地租，即或原来有若干成分货币化了的，已早回头来实物化了，此外，如工资，如债务，如薪金，各地已在不同程度上采行实物支付的形态。在城市，外币黄金在或明或暗的代行着法币的职务，而在离城市不远的乡村，几乎通例是用旧来银元作为经济交往的价值尺度和价格标准。照现状发展下去，法币就连它单纯对商业服务的功能，也不易保持了。

第三、货币愈在流通过程中作着加强商业资本的不正常活动，社会一般商品（不管是舶来的抑是土产的）的流通买卖，就愈加不是由生产者依成本来作着价值价格的评定，而愈加是由商人依他囤积居奇的本领和贪欲来任意升降，结局，生产者被商人，从而被高利贷者收夺的倾向，便愈加明显，生产者要图自救，就只有自己整个的或部分的商人化，而社会资本的运动倾向，就大体由这种货币运动中，决定其命运了。这是我要在下一篇交代清楚的。

本篇问题研究

一、试分别说明商品与货币的历史发展关系。

二、价值尺度与价格标准,怎样去区别?货币的支付手段机能与贮藏手段机能,对资本主义的商品生产,有何功用?

三、中国在货币改革前采行银本位制的理由安在?

四、是不发达的货币关系,限制着商品生产,抑是不发达的商品生产关系,限制着货币的诸落后机能?

五、中国货币改革,对于产业的益助大,还是对于商业的益助大?

六、货币更带有财政的性质,为什么相应更带有商业的性质?

第四篇 中国资本形态

第一章　资本及有关资本发生发展的总概念

论及中国资本，正如同我们论及中国其他经济形态一样，首先须得对资本一般，对资本本身，及它的形成和发展，有一个清晰的概念。尽管我们所要说明的，是中国资本的特殊性，是它对一般先进国家的资本形态，有如何不同的特征，但正因为如此，我们就必须在"同中求异"，就必须避免孤立考察法。癫子的变态，是在正常人的生理心理状态下显示出来的。

关于"资本"这个名词，几乎每一个经济学者都有它的解释。看以次几位权威经济学者的说明罢：

亚丹·斯密（Adam Smith）——把一般资财中，用以获取利得的那一部分，定义为资本。

罗贝尔图（Roebertus）——"资本（原料与工具）就是帮助再生产的生产品"。

庞巴卫克（Böhm-Bawerk）——"资本是各种以生利为目的的财货"。

他们的说明，大体会使我们得到这样的印象，好像他们关于资本的认识，并没有他们的立场，他们的学说整体，那样歧异。他们甚且是一致的不够充分，不够明确。

我们知道：资本可以在货币形态上存在，可以在生产手段、消费手段的形态上存在，也可以在完成了的商品形态上存在。但货币也好，生产手段消费手段也好，乃至生产出来，准备拿去出卖的商品也好，不但不能孤立的成为资本，且都可以不是资本。因此，资本之较深一层的理解，竟可以说："不是物件，而是以物为媒介的人与人的关系。"这样说，在一般非专精经济学的人看来，也许太抽象了，但在实际上，货币是要在贷者与借者间，结成了借贷关系，使贷者有权向借者索取利息，始成为资本；又如生产手段，要在它把资本家与劳动者结成了雇佣关系，使雇主有权向被雇者索取利润，始成为资本。因此，我们不妨这样定义："资本是在一定社会关系之下，使其价值增殖的物质手段。"

资本尽管如前所说，可以在货币形态上存在，亦可以在货币以外的其他当作商品，当作生产手段的物质形态上存在，但在货币作为一般等价物的限内，资本的具体表现，即其价值的增殖，却始终是把货币作为其全运动过程的经纬。资本关系是离不开货币关系的，正因此故，资本并不是可以突然在任何社会都可发生的。如其说，资本必须透过货币而显现其作用，我们就不妨由货币关系来追溯它的起源。经济史学家告诉我们："在资本、银行、雇佣劳动等等存在之前，货币能够存在，而且史实上是存在着。"这原因，就是由于货币是简单商品流通的必然结果，而它在当作简单商品流通之必然结果产生以后许久，还一般是当作货币，而不曾取得资本的形态。货币发展成为资本，一定要货币本身，已渐具备了货币的条件，已渐从一般商品分离开，而具有它作为一般等价物的机能，也就是说，一定要商品流通，从而，商品生产，已达到了相当水准。

当作货币的货币,与当作资本的货币,是以商品流通形态来区别的。

为买而卖,即生产者把自己的生产物拿来出卖,再把出卖所得的货币用以购买自己所需的他人的生产物,在这场合,货币是当作货币用的,货币仅尽着媒介的机能。与这种为买而卖的流通形态相对立的,还有一种为卖而买的流通形态,那是货币所有者,用他的货币购买某种货品,但他购买商品,不是用以供他自己直接消费,而是为了转卖给他人,在这场合,他的货币,就不是当作货币使用,而是当作增殖价值的手段使用,即当作资本使用。

在社会经济发展的过程上,商品流通愈由"为买而卖"的形态,发展转化为"为卖而买"的形态,货币就相应着愈加有不是当作货币使用的可能,即愈加可能当作资本使用,愈加会资本化。

不过,所谓资本,大体可以说是具有三个形态,一是生息资本形态,一是商业资本形态,一是产业资本形态。前两种资本形态,是所谓"洪水期前的"资本形态,单有了商品流通关系即可存在,所以,高利贷业及商业,曾在有了简单商品流通以后的各历史时代存在着。它们可以不通过生产领域,而在生产领域以外活动,从外部来加生产以压力或推动力。但所谓基本的资本形态(即产业资本),则与它们不同,它的每一个关节,都同生产关联着。生产的诸要素的形成与发展,就是它成立的前提和发展的界限。

自然,产业资本的全运动过程也同商业资本或高利贷资本一样,是把货币作为它的起点,但货币所有者,要使他的货币,不当作商业资本或高利贷资本使用,而当作产业资本使用,只有了简单的乃至相当发展程度的一般商品的流通关系还不够,一定要在市场上,发现有以出卖自己的唯一商品即劳动力的自由劳动者。所以,自由劳动者的出现,是货币可能由商业用途,生息用途,移转向产业用途的最先决条件。所以,一个人即使有了"货币,生活资料及机具,如其缺乏劳动者,他就不成其为资本家了"。在现代产业革命的初期,特别是在开始资本主义化的殖民地,如美洲及澳洲,这个经验的事实,是普遍存在着的。而且,在事实上,就个别方面来看,一个人有了货币,有了生产手段生活资料,有时因为找不着劳动者,而不能变为资本家;但就社会全体来看,找不着劳动者,也就等于说,社会的生产手段及生活资料,还保留在一般劳动者手中,还不曾发展转化为资本。因为生产手段生活资料,在它为直接生产者所有的限内,不是资本,在它成为榨取劳动者的限内,才成为资本。劳动者由他自己的生产手段生活资料分离开,而去依赖他人的生产手段生活资料,这事实,不是他自己愿意做的,也不是旁人可以任意命令他做的,其中包含了一个社会关系变革的问题。即由封建制的社会关系变革到资本制社会关系的问题。

在一个已经完成了这种社会变革的社会,前面所述的"洪水期前的"即前资本主义的两个资本形态,都将改变它们的本质,改变它们的形态:商业资本将不复是在生产领域以外独立活动,它会成为总生产过程中,帮助产业资本周转运动的一个重要因素或关节,由产业资本活动形成的流通,便被吸收到总生产过程中,而由产业资本的规模和运动规律着制驭着;而在商业资本完成这种转变的过程中,生息资本同时亦逐渐扬弃了它的高利贷形态,而变质为银行资本形态,它由生产迫害者,一变而为生产的助成者了。它们在这种转变下所成就的,对于产业资本的关系,如其说前者即商业资本是为产业经营商品流通的业务;后者即生息资本,就是为产业经营货币流通的业务了。

这种历史的转变,在任何社会,都不是一蹴可成的,但因为每个社会所特具的自然条件历史条件不同,它们就不但大体完成这种转变的时间有快有慢,其转变所取的方式,亦是极不一致的。关于这点,我们虽不能在本文许可范围内展开说明,但如其说,各别国家的前资本主义的资本形态,足为它们整个社会经济组织的表象,或者,从那种表象,不难窥知它们社会经济的全景;同时,又如其说,它们的前资本主义的资本形态,足以影响它们向着资本主义方面的发展,足以限制着它们转变的姿态和动态,则我们就有理由相信:一个社会不能爽快顺利的成就其历史的转变,它的前资本主义的资本形态,即它的高利贷资本和独立的商业资本的性质本身,实发生了很有决定性的作用;并且,一个社会,如其不能让产业资本取得支配的地位,它的各种落后资本形态,就仍然要占着优势,产业资本不能革生息资本和商业资本的命,生息资本就无法脱去高利贷的实质,商业资本也无法脱去其独立化的野性,而反过来要革产业资本的命了。

　　一部世界的资本发展史,在这样昭示我们。

第二章　中国各种资本形态之质与量的考察

一　相存并在的各种资本形态

非现代的和现代的各种资本形态在中国社会杂然并存着。

自然,任何一个高度发达的资本主义国家,它的经济发展,并不是平衡的,它无论如何,还不免残留下一些相对落后的部门或领域,让前期的非现代性的资本形态,仍有寄生的可能。但它的活动范围,是在不绝随着资本主义生产方法的扩大而缩小的。它不但失去了决定的作用,并早改变了原初的姿态。

若在中国则不同,我们已有了现代型的产业资本和银行资本,但我们的前资本主义的诸资本形态,不仅继续发挥决定作用,且还在阻挠产业资本,歪曲银行资本。这是毫不足怪的。前面已经讲过,资本是以商品货币经济的发展为前提,我们的商品,还未脱却小商品生产的阶段,而我们的货币,不但品类繁杂,其机能亦满具有落后的特质,单就这方面讲,中国资本的多样性,已经是有它的存在依据的。

不过,在分别中国各种资本形态的特质以前,有两点须得指明:第一,在中国资本的概称中,原包含有外人资本成分,但本节为了说明的便利,暂把外资舍象去了;其次,这里论及的各种资本,是就抗战以前说的,现阶段的资本问题,将在本文最后予以说明。

现在且来考察现存的各种资本形态的特质。

最先把惹人注意的商业资本加以分析罢。谁都不能否认中国的商业资本,在现代化过程中,附有新的特质。但要检点其新特质,首先不能不对它原有特质有一个概念。中国传统的商业资本,就与西欧各国的商业资本,具有不同的社会经济基础,后者,大体是把领主经济的封建制作为存在前提,而前者则大体是把地主经济的封建制作为存在前提。在领主经济下,土地是不能自由买卖,商业资本不能向土地转化,商人阶级就与领主,从而,商业就与地权,是采取对立的姿态。若在地主经济下土地大抵可以自由移转,商人有了钱,就容易变成土地所有者,商人既容易变为土地所有者,土地所有者也就不妨或不难转变为商人了,商人同地主就变成了"通家",虽然不一定就能消除商业资本与地权的根本对立,(如历代在某种场合曾采行重农抑商政策)但那种对立,不仅由此缓和,却还由此引起了商业资本对于其他方面的不同关系。对于高利贷业,它一般是利用来作为其兼并土地的帮手。国外贸易原是商业活动的范围,但一方面因为商人可能取得地权,把他们向外冒险活动的要求冲淡了。同时在同一地主经济基础上建立起来的专制王朝,又可能利用商人阶层因分散在地权上所造成的弱势,而对国外贸易给予了过于严格的限制。商人不易向海外活动,工业对于他,就不是有怎样直接联系的业作了,而况制造形态的企业由官府统制,一般当作农村副业的手工业,更与农业结成自给体,根本妨阻商业的侵入。商人对于生产,似乎只应配合其集中在土地和土地生产物上的兴趣,而注意到土地改良、农业改良的。但在土地容易购得,土地愈多,愈足以表现其社会权势的情形下,他与其用钱去改良土地,就毋宁用钱去购置更多的土地了。

然而在中国现代化过程中,商业资本对于上述各方面的关系,从而,对于它的本质,起了一大变化,土地生产物,已经不是商业活动的唯一对象,地权已经不是很好的社会地位权势的表现,不是接近官场变为官吏的很好把柄了,不仅此也,在社会治安有问题时的情形下,那反而要变成一种危险的累赘。近几十年来,土地集中趋势,并不像过去(在历代王朝衰落期)那样严重,豪商巨贾念不在此,当然是一个有力的说明,特商业资本对地权的这个关系的改变,是把它对外贸易关系的改变,作为前景。买办性的商业,是中国商业资本新附有的最明朗的性格,商业就不但有对生产事业保持较密切联系的要求,而由对外贸易逐渐分解的农工业结合体,亦增大了商人居间活动的可能,在这一转变中,商业资本对高利贷业的关系也有变动了;它以前需要运用高利贷资本作为其兼并土地的手段,而此后则需要运用高利贷资本作为控制生产事业的手段。不但如此,以前对内贸易的规模小,范围狭,所需资金少,旧有高利贷业即可予以调剂,此后商业活动对象加多,范围加广,规模加大,所需资金数量,已非高利贷业所能供应了。这即是说,商业资本又在推动生息资本的变化了。

不过中国在现代化开始以后附加有买办性的商业,毕竟先天的限定了它的变质的限度,它对外做着附庸做着外国产业资本全运动过程中的一个环节,而在其完成买办商业任务的过程中,却不能对国内生产事业立在控制的地位。本来,商业资本愈向农村进出,愈使农业商业化,使农工业分离,由此分解开的自然经济诸因素,便依不可抗拒的理由,得在其他社会条件准备好了的场合,成为产业资本之人的与物的方面之原始蓄积。商业资本是在这种过渡中,逐渐扬弃它自己的独立的性格,逐渐让产业资本革它的命。但中国商业资本在为外国资本服务这件事本身,就在妨阻中国产业的成长,根本就谈不到为本国产业资本服务了。因此,它虽然在近数十年来改变了中国传统的古典的姿态,仍不能不保留下它前期的特质。而且,这种特质,一找到了机会,或者,一失去了外在的支援,就很容易故态复萌,把它对地权的关系,重又联系起来。

我们讲过,生息资本有两个类型,一是非现代的高利贷资本,一是现代的银行资本。在一个产业革命难产的过渡的社会,高利贷资本和银行资本是并存着的,并且,彼此还会掺杂有对方的性格。高利贷资本在适应新环境的场合,不能不求所以现代化,而银行资本在适应旧环境的场合,又不能不同时具备有与其本质相反的性能。中国的生息资本,也许是最能证验我们这种认识的。不过在述及中国生息资本的特质以前,先须了解高利贷资本与银行资本的不同作用和基础。

一般的说来,在生产领域内,高利贷是以小生产者或农家与独立手工业者为活动对手,对银行资本则主要是以大生产者或产业家为活动对手。作为高利贷资本的货币财产,是由高利贷业者个人自己蓄积得来,而银行资本则是利用社会的蓄积。高利贷活动,一般是在资金不充裕的落后社会,乘借款者的困厄而进行,故利息率高;反之,银行资本活动,则是在资金比较充裕的发达的社会,想借借款者的活力经验与才具而展开,故利息率低。唯其如此,与其说高利贷资本一般会与商业发生较密切的联系,银行资本就必然会与产业资本发生联系。总之,高利贷资本与银行资本,大体是处在对立的地位,而它们的对立,且还是以不同性质的社会经济(封建制的与资本制的)作为基础。一个社会的经济制度,如其已由资本制取得了支配地位,高利贷资本将相应的失去其存在的可能,反过来,一个社会的经济制度,如其还是由封建制占着优势,或者不允许资本制对封建制根本的发生代替的机能,那至少,就不但能使此两种生息资本形态相并的存在,且还可能使它们各别作二重的存在。

事实上,我们在中国银行资本与高利贷资本的对立过程中,已经发现了几个特征:第一,它们的对立,不是分野式的,而是密集式的。照我们上面的说明,只有高利贷资本,才在生产领域以内,以小生产者、独立的手工业者和小农家为活动对手,但在产业不发达的中国,大工业是极其有限的,就因此故,银行活动的对象,由都市到农村,都不得不以小生产者为它们的主顾了。第二,它们的对立,并不是壁垒分明的,而是相互交错,相互包容的,这主要是由于它们的活动对象既有些相同,它们之间的竞争,在某些场合就不能不表现为同行同业间的竞争,表现为高利贷金融机关或银行业同帮间的竞争,一方面排斥,一方面利用。此种不明朗化的事态,由国际资本的从中操纵而益形显著。国际资本在对中国银行业的对立关系上,需要利用旧式金融业即钱业;但在感到旧式金融业不够完成其商业金融任务时,又采行排斥钱庄的立场,因此中国新旧金融业,在各别应付国际资本的压迫下,竟又造出一种协调的可能了。第三,它们的对立,不是全面的,而是局部的。本来全国银行业务的发展,是有待于全国产业的发展的。中国产业既不能顺利得到发展,高利贷资本就只有在它们不能应付的大场面下,在都市方面,受到排斥,其他广大的农村,甚至都市的落后部分,以及较落后地带的都市,在银行资本"到农村去"的口号未曾实现以前,都还是高利贷业活动的大地盘。

但这毕竟是问题全面中的一个侧面。高利贷资本尽管还保留着广大的活动地盘,在大都市,在商品货币经济较发达的地带,旧式金融的支配地位,已逐渐为银行资本所代替了。从高利贷资本方面说,它之所以失去其原来的支配地位,与其说是由于它不能适应产业发展的要求,毋宁是由于它的分散、零碎和极其浓厚的地方性,使它不够资格成就国际资本在中国行使控制的使命;其次,与其说,它的失势,是由于不能融合国民经济的改造过程,倒毋宁说是由于它的存在形态,不够满足国家在财政金融上的需要。比如,旧式金融业,在不统一的货币上,在银元银两的兑换上,可以大牟其利,但国家为了财政金融的理由,需要废两改元,需要实行货币改革,这一来,旧式金融业的存在依据,就不免有些动摇了;此外,还须特别指明一点,就是,高利贷之所以失去其优势,与其说是由于它的社会基础的丧失,毋宁说是由于它自身在经营技术、组织及资本上,均不足以应付日益扩大、日益动荡的经济场面。

由上面的说明,可知高利贷资本在中国逐渐失去其传统优势地位的理由,就一般说来,就一般生息资本演变的社会历程说来,是很不正常的。从反面来看,银行资本在商品货币发达地区之取得支配地位,亦是很不正常的,这事实,根本显出了中国银行资本的几种特质。首先,中国银行资本在本质上,就很不易克服它所包容的高利贷性,因为,所谓高利贷,并不能单就高的利率这一个特征来概括,它有它活动的社会基础,活动的方式和动向,它是不能无缘无故的从历史上消失去的。如其它的存在基础还没有丧失,即代替它的银行业,如果没有大工业或现代产业作其存在的根据,它就不可避免的要变态的带有高利贷的特质。在中国开始受到世界恐慌的一九三〇年以后的数年间,甚至在银行事业特别繁昌的江浙一带,我们就曾经常从报章杂志上,听到旧式金融业的典当业,在大声疾呼的诉说银行及农业仓库,在变相的做着它们的业务的竞争。而中国银行在吸收存款的竞争上,为了对抗信用优越的外商银行,对抗旧式金融业者,乃至同业者,不得不提高存款利率,从而,不得不提高放款利率(许多小规模的新成立的银行,在战前,已把利率抬高到一分以上),而其贷出款项,又都是对于小生产者乃至消费者的短期信用,那就更容易给人以高利贷的印象了。这是中国银行资本的第一个特质。

中国银行资本的第二个特质,是由其财政的性格上表现出来。中国银行业是起源于一八九七年所设立的中国通商银行,至辛亥革命的一九一一年,尚只有八个银行,此后经过第一次世界大战,直至一九二五年,全国银行已达一百四十一个之多,这原因,当然可以从第一次世界大战及此后数年间的中国民族资本,特别是轻工业资本的蓬勃发达,得到理解,由是推知银行发展与产业发展的联系。但这至多只是一个说法,而且,这一说法,应用到此后的场合,就不能有效了。在一九二五年以后,直至"七七"抗战开始止,是中国产业的苦难期,在前此勃兴起来的纺织业、火柴业、面粉业……几乎是全面的归于萎缩停闭或转让给外人,但这一时期的中国银行业,却并不曾随着崩溃,反之,不仅在数量上仍有所增加,各银行的阵容,其资力,似更形充实,更有规模了。在这里,使我们不期然而联想到近代初期各资本主义国家,以公债的形式,依存于所谓国民银行,而国民银行则借公债以资营养的事实。在实际上,一九二九年、一九三〇年、一九三一年,是中国银行的旺产期,同时也正是政府公债的增发期。抗战发生前三年,是中国银行的调整期间,同时也正是政府公债的整理期。银行资本之财政的性格,那也许是银行资本在其发展过程中必然要经历的一个阶段。不过这个阶段的时间久暂,各国是不尽相同的。

最后,中国银行资本还有第三个特质,那就是大家公认的商业的性格。不错,银行业本身就是一种特殊商业,它与一般商业的区别,也许就在这一点,即它所经营的是货币,而一般商业所经营的则是商品。但我们这里所说的商业性,却是在比较的相对的意义上,用以次几点事实来加以限界的:比如,第一点,中国银行资本因为被发展不健全的产业,限制了活动的范围,它对于商业特别是对于有关国外贸易的商业的联系,就较为密切。在一九三四年,中国各银行投资的百分比,工业仅占百分之一三,商业上却占百分之二九,机关(公债在内)占百分之四一,由这个简单统计数字,可以看出中国银行资本的又一种商业的属性;大量公债券保留在库存中,是可能而且必然诱导它,把这些死的债券,相机活用在市场上,去同地产标金发生买卖关系的。此外,习惯了活动在生产过程外部的银行资本,还会进一步直接钻进流通过程,使货币的经营与商品的经营统一起来。这也许不仅是理论的逻辑,我们约略的可以由此证示中国银行资本的第三特质。

中国的商业资本及生息资本既分别具有上述的内容和实质,在每一种资本形态可以表识着一般资本性质的限内,在各别资本相互间保持有一定有机关联的限内,中国的产业资本,是大可由此暗示出它的特质来的。

首先,把产业资本当作一种特定的资本形态来理解,是须得探究它的来源的。中国产业资本的来源,根本就有了先天不足的毛病。在资本蓄积过程上,一般是先在商业资本上蓄积,后在产业资本上蓄积的,换言之,商业资本上蓄积所得,是现代产业开始的最主要的本钱,中国商业资本对于地权的联系,在本质上,已限制了它的蓄积过程。而商业资本通过地权,与政治上的密切联系,使它在结局上不能不与各个王朝的兴衰同其命运。中国在现代化开始的时候,正是清代王朝向着衰落历程迈进的时代。乾嘉的时期的宫廷扩大浪费和豪商集中土地的情形,已由太平天国及这前后的贫民大叛乱证示其后果。过去商业资本上的可能蓄积,一再遭受极度的破坏了。这对于中国产业资本的形成,是一个先天的障碍。不错,在五口通商以后,即在中国商业资本变换其传统姿态以后,由商业促成农产物商品化,多少有所蓄积了。但由这种方式蓄积的商业资本,又因产业发展的诸般前提条件(如关税权、交通权、货币权、工业权等),愈来愈受破坏,愈来愈不完备,而不易转化为产业资本;而已经利用某种机会,或借着政府帮助,而相当树立了规模的产业,又因为没有自主而灵活的产业证券市场,不容易化为票面流动资金,不容易招收新股扩充资本,此外,如上面所说的中国银行资本的特质,虽然可以理解为产业不能正常发展的必然结果,但在其作用过程中,却更反过来加大了产业资本的桎梏。单就资本累积的关系上讲,银行投资条件,已使产业自身的扩大再生产受了限制。

　　社会既不曾为产业蓄积起可资运用的资财,对于仅有的资财,又不易有效的集中运用,而在动用中的有限产业资本,又复不易扩大再生产,这种从资本来源上看出的产业资本的特质,就必然要招致它第二个特质,即资本组织形态的落后了。关于这点,大概可就以次两种事实得到说明,那就是股份公司对独资合资所占比例甚小,官办及官督商办形式,始终占着极重要的地位。以前一点而论,在中国新式企业中,只有极少数的大规模企业采行股份公司的形式,其余不是独资,就是亲故的合资,此种情形,原系受了社会信用、交通及银行业不发达的限制,而清末奖励独资兴办实业的政策,(一九〇六年清代改商部为工农部,颁布奖励实业规程,办一千元以上之实业者,赐男爵,二千元以上赐子爵)似亦不无关系,至于官办及官督商办形式,在中国产业发展的第二期(一般以太平天国乱后的官办及官督商办期为第一期),即由中日战后(一八九五年以后)开始的民营期,虽已有所改变,但一般较大的企业,如交通业、矿业乃至一部分的纺织业,仍系采行官督或官办方式。此种方式,在外表上,似与晚近各国的国家资本主义经营形态相仿佛,但其实质大相径庭。后者是建立在高度集中与高度技术化的基础上,而前者则恰好是因为资本无法集中,技术过于落后,始由国家直接从事监督或经营,借资倡导。姑无论企业形态是独资的抑是亲朋故旧合资的,其不可避免的缺陷,首先会表现在企业会计与家庭会计不分上面,表现在管理无方上面,此外,它还会同官办或官僚资本企业招致同一的致命的后果,那就是对于扩张资本,改进事业,都在其组织形态本身受了极大的限制。

中国产业资本由上述两种特质导来的第三个特质,就是资本有机构成的低下。产业资本有机构成的高度,是必以它的资本的机械化或固定资本化的程度来测定的,而机械化或固定资本化的前提,首先就得有大量资本的集中。在中国民营轻工业极其畅旺的一九二〇年,资本在十万元以下者,占绝对多数,在二十万元以下者,占百分之七五,百万元者,仅占百分之九。以此小规模的资本数量，当然不难测知其资本构成的低下。而且，落后国家的产业，大抵开始是着重在轻工业或消费手段的生产上的，而其生产手段的供给，则照例是为先进国家所独占。轻工业或消费手段的生产企业本身，就已经限制了它的高度机械化的可能，而要由国外，由外人手中取得机械的供给，乃无异加上了一层取得其同意的限制，事实上，作为帝国主义政策之一重要部分的生产手段的独占，其作用恰好就在这里。除此以外，我们的产业有机构成的低下，实还有其他更本质的理由，一国的产业，如在对外对内关系上全无保障，它为适应动荡不定的环境，最好是实行"易合易分""可止则止"的游击式制造业形态。制造业是只需在机具上使用极小量资本的。这是中国制造业特别发达，十万元以下的资本经营特别繁多的基本原因之一。在工业上如此，在农业上尤属如此，工业高度化机械化的障碍，农业同样会经验到。不过，农业还有它独特的困难；中国迄今还未变革过来的传统的地权关系或土地所有形态，使农民或农业家要为土地的所有权或使用权花费它全部资本或农业生产费用的最大额数，以致固定资本在全资本额中所占比例，只达到百分之二到四的可怜程度。

二 由质到量的考察

在上面我们已把中国各种资本形态的特质，分别指明了，它们分别具有的特质，在相互间，宁可视为一种有机的配合，更可视为是一个具有特质的总资本之质的分割。依据社会科学的分析，一切社会事象之质与量间，是有着极密切的函数关系的。中国商业资本、生息资本及产业资本所分别具有的那些特质,事实上,已可暗示出它各别在总资本中所占的比例之量的规定。

一个社会的财富,究以多大的比例转化为资本,究以如何的比例,分割为各别的资本,那是颇不容易明确判定的,那取决于许多社会条件,并且时时刻刻都在流转变化。不过,我们所需要的,如其不是在静态经济状况之下的固定数字,而是为了借着一定的可能提供的比例数字来说明一般演变趋势,上述的困难就比较缓和多了。社会科学告诉我们,在产业发达和产业不发达的社会间,各种资本所占比例,是显然不同的,在后一种社会,资本是在商业上乃至在高利贷业上蓄积,由于和社会形态相适应的社会信用及交通的不发达,商人资本周转极其缓慢,由是,在总货币资本中,当作商人资本用的部分就极大了。生产越不发达,则与其投在流通中的商品总数比例而言,商人资本的总额必定会越大。所以,一位经济科学者曾这样表示:"在生产不发展的情形下,一个社会的真正货币资本,必有最大一部分在商人手中。"其实,在这种社会,不论是采取商业形态,抑是采取与商业有密切联系的高利贷形态,多以货币资本为一般资本,因为当作它们的社会基础的小商品生产,其所有生产费用,还不是采取资本的形态。反之,在一个产业发达的社会,不仅一般资本是在产业上蓄积;且与产业发展一同展开的社会信用和各种新式交通,又复相对的缩减了用以经营商业的货币资本的数字。因之,也相对的改变了商业资本在全社会资本中所占的比例,它的以货币来表现的资本数量,已不复能超越于产业资本之上,却须随着产业发展的程度,而成反比例的落在产业资本之后了。

这是理解上述中国各种资本形态之量的比例的前提认识,同时，中国各种资本形态之现实的量的比例分割，也大可加强我们对于此种认识的信念。

在前面分析各种资本的特质时，我们是由商业资本起，在这里，检讨各种资本的数量，却反过来，从产业资本起。在中国产业发展刚由繁荣期走向下坡的一九二四年，全国五百六十五个注册工厂的总资本，是二亿二千四百一十四万元。其中，交通业及矿业的投资，不在此限，外人的产业投资，亦不曾计算在里面。作为中国最重要交通部门的铁路总投资，在一九三〇年，约为五亿二千万元，而同时，煤矿业、金属矿业及航业上的投资加算起来，中国在战前属于民族资本部分的产业资本，就将近达到十万万元的数量。这个概数，与谷春帆氏的统计没有大的出入，他认定抗战以前的新式产业资本，共约三十八亿零七百八十一万元，其中，外资占二十八亿元，达金额百分之七四，本国资本仅占九亿八千七百万元。

与产业资本不相配称的，是生息资本的数量。在一九二五年中国一百四十一家银行的总资本，合计一五八，一六〇，四七一元，至一九三二年，一百五十家银行的总资本为二六六，七〇〇，〇〇〇元。至于旧式金融业的钱庄，在一九三五年合计有一千三百四十七家，其总资额不过五千万元，两下加算起来，约达三亿余万元。但此系就实收资本而言，设把银行实收资本、公积金、存款及发钞等的总资力合共计算，则在一九三一年为二十六亿元而同时拥有五亿一千六百万实收资本之外团银行的总资力，则达八十四亿元。

至于最易转变而又不断在转变的商业资本，自然很不易作确切的估计。但我们可以由以次两重事实，得到一个轮廓的推算。五口通商以后的中国商业，其对外的重要性，远超过其对内的重要性，而且对内商业的发展，或者，农工业品的商业化商品化倒宁是由于对外贸易的要求。在一八六四年，中国对外贸易输出入总额尚不足一亿两，一九一四年，达九亿二千万两，一九二四年，差不多达到十八亿之巨。单就这每年十数亿元对外贸易来说，已可概见周转它的商人资本，达到了如何大的数量，设把社会信用及交通均不发达的诸因素加入考虑，则总货币资本中由商人掌握着的数额，就大得可观了。在一九三一年，雷麦(C. F. Remer)算定外人在中国的投资，计达三，二四二，五〇〇，〇〇〇美元，其中商业投资占二，五三一，九〇〇，〇〇〇美元，政府借款占七一〇，〇〇〇，〇〇〇美元。设将美元以战前四比一的平价换算为华币，外人总投资额一百三十亿元中，除去大约三十二亿元的政治借款，其余将近一百亿元，就都是商业投资。特这里所谓商业投资，那是指着一切用企业形式去谋利的资本，即上述银行资本和产业资本都包含在内。设把这两项资本即银行资本十六亿元（为实收资本、公积金、发钞各项之总计，由上列总资力八十四亿元中减去存款六十八亿元所得之数），产业资本二十八亿元，从总商业投资百亿元中扣除下来，剩余的五十六亿元，大体可以说是八千家洋行大大小小的外国商店旅馆乃至各种娱乐场所各种交易所所拥有的商业资本。（参见蒋学楷等译雷麦著《外人在华投资论》）

由上面提出的各种数字，很显然的说明：在中国各种资本（无论是包括外资，抑排出外资）中，产业资本只是占着一个很小的比例，同时，如把接近商业且在实际上是做着商业经营的银行资本，加算在商业资本方面，则商业资本在数量上的压倒优势，就大可测知中国产业资本落后的程度了。

三　由量到质的再考察

依照我们在前面的分析,中国各种资本量的分割,本质上就受到了它们各别的质的规定。产业的落后形态,即仅点缀着有限的新式经营,而仍以前资本主义的小商品生产占着压倒优势的产业形态,当然只好让商业资本大肆其独立活动。这中间,早由世界资本运动史实所提示的法则在作用着:"商人资本的独立发展,与资本主义生产发展程度成反比例。"

这个法则不仅说明了商业资本与产业资本,由质到量的变化关系,还说明了它们由量到质的变化关系。

独立发展的商业,既然不以产业的规制,它就不可避免的要规制着产业。它将是由牺牲产业而取得自己的营养。中国的商业资本的数量的增大,一直是把它对于新式的旧式的产业的无情榨取作为基础。这种不利于产业发展的局面,不但使可能转化到产业上的资本受到妨阻,并会使已经投用到产业上的资本改变用途。产业在量上愈加处在劣势的地位,它就愈没有力量转变它不利的前途,使它原来具有的诸般特质,更形加强起来。

然而这不单是理论的逻辑,事实是比理论表现得更有力的。且看下文罢。

第三章　中国资本累积、集中、分散的总运动

在前面，我已把中国资本的形态的特质，其数量，其质与量的相互关联，作了一个分析性的考察。这种考察，虽然已对各种形态的资本的内在联系，有所说明，但从综合的观点，把它们当作一个总体来看；从总运动过程中，去观察它们所以不能不形成那诸般特质的究竟，并由是看出它们全般发展的趋势，那却是需要在这里加以研究的。

不过，直到此刻为止，我提论到的中国资本，都把在中国的外国资本或国际资本，抛在一边。除了极少的必要场合，我几乎是把在中国的外资，甚至外资的作用，都当作是不存在的，至少，是把它当作从外部来给予中国资本以压力或阻力的。——这都是为了说明的便利。我们现在研究中国资本的总体运动，再不能忽视外资在中国资本运动上的作用了，反之，我们将会证明：在中国资本的全运动过程中，外资实际在起着左右一切的决定的影响。

因此，在论及中国资本之累积、集中、分散的运动以前，须得把外资何以能在其中发生决定作用的事实揭明出来。

一　国际资本对中国资本运动的作用

也许说,在中国境内的国际资本与中国本土的资本,实际上是很不易明确区分开的。许多中国经济问题的研究者,就曾这样强调着。但它们间的联系,不论如何密切,比如,不论中国买办商人,如何通过外资赚得一宗货币,这货币又当作存款,存入外国银行,外国银行又可能利用这宗存款,在中国经营某种企业,而这企业的营利,更可能用以参加中国民族资本经营的工矿业。……如此辗转下去,好像谁也不容易把外资从中国资本或中国资本运动中划然区分出来,但这种问题的研究,决不能随着零碎枝节的现象兜圈子,我们这里特别需要运用抽象力,从掺杂错综的现象中,去理解它们各别在一定场合在一定主体下所表演的作用,否则我们就不但无法把中国资本与外资区分开,即在中国资本中,亦无法把产业资本与其他和产业资本交互发生流通关系的各种形态的资本区分开。而我们这里所要究明的资本总运动,并不是也不能拢统的混同的予以讨论,却反而是要把它们各别在那种运动中作用着的范围与限界,认清了之后,才能讨论的。

讲到外资对于中国资本运动所起的作用,有若干认识上的前提问题,须先予以处理。其一是外资主体或外资所有者的意志,是否统一,即它们对于中国资本运动的作用,是否向着一个方向;其二是外资所有者即使对中国资本发展问题能统一其意向,它们是否就能在实际活动上贯彻其意向?

关于前一问题,我们可以这样理解帝国主义各国对于任何落后国家的经济要求或展望,因其各别所具的自然条件及其对该落后国家的历史关系不同。原可大异其趣,因而对于其帝国主义政策的执行,不尽能采取同一的步骤,甚且可能在某些场合采行相反的步骤,但在它们同为帝国主义的国家,帝国主义终有其相同的基本要求的限内,我们仍不难在其暂时的局部的或参差的冲突中,看出其对落后中国经济或中国资本可能采行的共同对策;而且,我们往往只注意到不同的要求所引起的冲突,而不知多方的冲突所造出的一致或平衡。近百年来的外资侵略史,已充分为我们指证了这种事实。

关于后一问题,国内论坛上已不时讨论到。最容易说服我们的意见,似乎是说:各资本主义国家对于中国资本主义或资本的发展,虽然在它自身的各不同发展阶段,可以采行不同的政策(如在帝国主义阶段以前,它还不妨开明点,虽使各落后地带的封建生产方法,为资本主义生产方法所代替,一到帝国主义阶段,它需要保留或带往落后地带之封建生产方法的志望,就比较来得显明)。但依不同的志望采取不同的政策为一事,是否能使其主观志望,依一定政策予以达成为又一事。这种说法是聪明的。但似未想到帝国主义者执行某种政策的志向,就已经是把现实的客观条件作为前提,现在且从这方面来展开我们的研究罢。

在研究程序上,我们应把帝国主义对于中国经济发展的态度,转注到它们对中国产业资本发展的态度上面。上面述过的中国近百年来产业资本发展的成果,也许可以说是"外铄"的作用居多,——虽然任何外铄的作用,须得通过已有的社会经济基础而表现出来——同时,中国产业资本在发展过程中所遭遇的坎坷与挫折,亦似大体可以由此得到说明。

首先,帝国主义各国不允许或不希望落后的中国发展产业,无疑是恐怕因此影响它们的制造品市场,影响它们的原料供给要求,乃至影响它们的资本出路。前两者在今日已可凭常识去理解,而后者则需要予以原理的补充,因为,照我们将在后面解明的,一国产业能顺利发展,能不绝扩大再生产,它就可以逐渐大量累积资本,使各国剩余资本的输出发生障碍。

其次,它们让中国民族的产业顺利发展,固有上述的障碍,它们代中国,或在中国发展产业资本,不是于尽量利用中国廉价劳动及原料之外,更可有利的把握市场,并连带解决其过剩资本问题么？它们确曾在打这样的如意算盘,然已在实践中经验到了此路仍是不通的结论：因为,它们在中国多一个产业的单位,其国内同种类的产业,就要在输出上受到排挤,对本国产业的竞争问题,是它们不能在中国任意扩展产业的第一道难关；它们在中国发展产业,即使除极少场合以外,不会受到中国民族资本的竞争,它们相互间的倾轧竞争,却是不易避免的,比如,日本纵然可以把对中国输出的纺织业,全搬到中国来,但它不但会遭受英国在华纺织业的排挤,且会受到英国兰开夏纺织业的排挤。中国既不能防卫保护自己的产业,也当然不能为其他任何国防卫保护其产业。这是他们不能在中国任意扩展产业的第二道难关；加之,每一个帝国主义国家,虽然都有它在中国的特定势力圈,它比较可能在势力圈内畅所欲为,但这种由分割所得到的利便,却又为分割引起的劳力原料及贩卖市场不易如意控制的不利所抵销；况且愈到挽近,每个帝国主义者的势力范围,都在因他们之间的激烈斗争而受到动摇,这是它们不能在中国任意扩展产业的第三道难关。最后,由中国产业不发达所保留下的落后生产关系,及由此引起的治安、交通、货币乃至购买力上的诸般困难,虽然反过来会给予中国产业发展的妨碍,也同样会妨碍列强产业在中国的发展,这是第四道难关。

列强在这不能促进中国产业发展,也不能代中国发展产业的客观形势下,自然而然的会依实际利益的指导,利用其可能利用的特权,使中国经济或中国资本的运动,向着它期望的方向走去。

一国的财政金融,对于全资本运动,是有着决定的作用的。它们由赔款及外债支借程序的控制,由标金、公债及外汇市场的控制,已使整个中国的财政金融受其支配。资金向着产业方面运用,既有上述的障碍,它们只有极必要而且极有利的场合,才由金融市场证券市场的控制,使他们的资本参加到中国产业方面,以为合并买收的准备,或诱使中国资本参加到它们产业方面,以增大其扩展与合并的资力,除此以外,它们就依照其不利于发展中国产业资本的程度,而要求加强中国的商业资本活动,事实上,中外商业资本的分工合作,是达到了非常"协和"的程度的。比如,以原料品为主的输出贸易,强半由国人经营,但以达到通商口岸为止,过此则依托于外人,而同时以制造品为主的输入贸易,则主要由外人经营,但大体亦以到达通商口岸为止,过此则委之于国人,这种买办性的商业,在外人控制着中国财政金融的条件下,是更易滋养起来的。配合这种商业资本发展的诸社会条件,更要求配合它们的其他社会条件,层层相因,在一般情况下,特别是在一种压倒的优越的外力,在全面经济上发生领导作用的情形下,很可能造成一种限制中国资本全运动或全发展过程的局面。这是研究中国资本运动,所须预先理解的要键。

二 中国资本的累积过程

在资本的全运动中,首先要知道它是如何累积起来,并在如何累积着。资本的累积,是资本运动中的最基本关节。中国资本的本质,我们实际是只有在它累积运动过程中才最容易曝露出来的。

特关于中国资本累积问题的理解,需要把一般人最易混淆的两个累积形态,简括加以说明。资本的累积,有资本主义式的,有前资本式或原始式的,两者是判然各别。资本主义式的累积形态,是以产业劳动者的剩余生产物,为其累积的基础。此剩余劳动生产物转化为剩余价值,而资本化,而连同原资本一同投入再生产过程,就形成扩大再生产过程。在自由竞争局面下,每个产业资本家,为了以精美廉价商品去竞胜其同业者,都力图采用新式多费的机械,从而,都力图减少消费,使其剩余生产物或剩余价值,尽可能的转化为资本。产业自身扩大的要求,使变为强制累积的要求。不过像这种累积方式,并非一开始就是如此的,要追溯产业资本的最初来源,就使我们不能不述及另一种累积方式,或即所谓原始累积的方式。这种方式的累积,恰与前者相反,而是以独立小生产者的剩余生产物或剩余价值物,为其主要的累积基础。在此种累积基础上,立即就挥起了与它相适应的商业资本与高利贷资本的活动。它们的活动愈形加深和扩大,那种剩余生产物或剩余价值物,就愈不易资本化,甚或使它原有的资本,更严密的说,即使它原有生产诸要素,愈益缩减其规模,当然,在这种情形下,再生产规模也可能有所扩大,也可能维持原状,但在这种基础上的任何资本累积，显然不是由于产业自身的扩大要求，不是经济内部的强制，而是在产业过程外部，借着政府公债、赋税、商业政策，以及近代型的银行政策等来进行的。

我们关于资本累积有了这种基本概念，乃可研究到中国资本累积的性质及其基本形态。

中国产业资本，曾在上次帝国主义战争时期，即在它们压力稍弛的场合，在若干轻工业部门，有过相当的发展，但战争甫经结束，那种压力重又加紧，前此发达起来的若干部门的薄弱产业基础，又复归于萎缩外资的产业，诚有若干方面在中国民族产业的废墟上或被吞并的基础上，显示出了变态的繁昌，但根据前面的说明，那终归是有限的。而且，就是这有限的资本主义式的累积，亦还是靠着经济外的特权，靠着原始累积方式来予以支持。这一点，不独外资是如此，就是一部分民族产业上仅有的资本累积，依旧要靠着原始方式的协助。因为一个社会的资本主义生产方法如其没有占着优势地位，或者，如其全般的说来，还是对旧的生产方法占着劣势地位，则资本主义式的累积，可能要借助于原始的累积方法。事实上，现代初期的各国资本主义经营的利得殆无一不是通过政府的保育政策，通过政府用原始方式吸收资金，来间接成就的。

中国就是到了目前，还未曾脱出上述诸期阶段。它的资本累积的最主要形态，还是原始的，还是以独立小生产者的剩余劳动生产物作为基础，亦就因此之故，它那一部分在资本主义形式上累积起来的资本，我们有理由断定它是叨光于原始累积的庇阴。虽然那不一定是由于政府的保育政策，而宁是由于帝国主义对封建的特权关系。

惟其我们的资本累积，主要是原始的。故资本累积的程度，其规模,不能也不易直接由生产规模上表现出来,却反而是间接的表现于买办的商业资本、新型的高利贷资本及与其相适应的变态的财政资本的规模上。

我们在前面已经概略的提到了中国各种形态的资本的统计数字,那些数字,虽然大体可以表明中国资本累积的规模,但其间有几个问题须得予以分释。

第一,从那些资本规模上,我们不应只注意其累积的一面,即我们已讲过,作为中国资本累积基础的独立小生产者的生产规模,虽有极少部分可能在扩大,不少部分可能在维持单纯再生产原状,实还有极大一部分在缩小或全盘停顿。这缩小去了或完全停顿了的生产部分,显然不但无所累积,且把已有的累积也被消毁去了,在前述中国各种形态的资本统计数字中,就有极大一部分不是资本累积的结果,而是原有累积被吞蚀被剥削去了的结果。大家试一留意我们由都市到农村的普遍破产现象,就知道其中的症结。不幸的是:在资本主义式的累积中,一般生产规模的扩大或缩小,大体可以看出资本是否真正有所累积,而在中国这种原始式的累积中,要从表现那种累积的其他形态的资本中,去测度我们一般生产规模究在扩大或缩小,就颇为不易了。这是深刻的破产现象,并不能引起一般人甚至一般经济学者注意的最重要原因之一。

第二,除了产业资本外其他各种资本形态,如商业资本,农业上的土地资本,新旧式金融资本等等,都比较缺乏定着性,它们之间的流转是很迅速的。就地租来说,它是农村资本累积的一个基本方式,中国地租的非现代化,不仅包括进了利润工资的成分,而且把农村副业的收入,农民正常生活费用,也给囊括了去。就土地所有者的浪费,及依种种方式扩大集中地权的关系言,地租竟直接间接作了商业资本与高利贷资本或高利贷性资本的活动根据,虽然商业及高利贷本身,亦各有他们独特的累积方法。此种流转或伙同活动,在中国社会是极自然的,因为中国社会经济基础给它们配置着诸种适需条件。同时,在上述各种资本,它们更可借信用掩蔽,使自己茫无涯际的膨大起来,因此,要从他们的统计数字,来说明一个社会的财富或资本的确实累积程度,那是极无把握的。而我们许多经济学者,每每就像天真无邪的从中国银行资本的扩大上,来反证中国经济的发达,好像社会资本的累积,可以不通过产业,而戏剧般的在银行金库中或会计簿上变出来似的。

第三,如其说,资本累积表现在商业上、农业上、金融上不易察知其底蕴,则它表现在财政上,在财政政策所支配的公债、赋税及通货上,就更加使人摸不着头脑了。而像中国这种没有现代产业基础的国家,私经济范围内的商业与金融的利得或资本累积,经常无可避免的要同政府的财政政策,特别要同帝国主义在中国的商业金融发生极密切的联系。就前者而论,中国商业和金融上的资本累积,是必需经济以外的强力,从外部来予以支撑或补充的。商业和高利贷业或银行业在赋税与公债上所贡献给财政上的助力愈大,而它们就更好把赋税,把公债乃至把通货作为加倍转嫁或向独立小生产者索取较高代价的口实或工具。比如,近三十年来最显然膨大起来的银行资本,论其累积过程,应当不忽视政府所给予他们的特别恩惠,政府以公债的方式向银行贷款,公债票面价格和政府实际借入款项之间,有一个大大的差额。除此差额的利得之外,还有较高的利率,还可把公债当作资本运用,且还可把公债券作为发行钞票的准备。银行就把它其他方面的业务活动的赢利抛开不讲,单是这种借贷关系,就能给予它以四重的利益,银行资本是这样累积起来的。财政上为了保障债权人的权利,当然不能完全依赖借债还债,而必需以赋税方式来予以弥补,结局,经济外的强制,就成了资本累积的杠杆。中国商业资本的累积,虽然没有银行资本那样显然的依靠经济外的强制方式,但我们略一分析其借助于多重不等价交换的内容,分析其利得与官场的联系,更分析愈闭塞愈落后地域,就愈可不计较成本,而计较市况,而任意抑价勒买,抬价额销的事实,就知道商业资本能有现在这样累积的成果,并不是偶然的。

显然的,我们并不以中国资本的这种累积方式而感到失望,而宁愿使这种累积方式合理化,因为借原始累积来促进来助成现代型的累积,那正是现代初期各资本主义国家共同经验过来的现实道路。所可惜的是,我们踯躅在这条路的时间太长了,这原因,本须关联到上述中国商业金融资本累积,与帝国主义在中国的商业与金融保有内在联系一点上面去,但关于这点,我想把它留在下面来加以证明。

三　中国资本的集中过程

资本的累积形态,是由一定的社会经济条件规制着,资本的集中形态,亦是如此。我们很可以说,资本的集中形态,是由资本的累积形态所决定。

资本主义式的资本累积,我们已经知道是在资本主义经济组织内部自我强制的进行。每个企业组织或生产单位,如其要求自存,要求不为与它同时竞存的其他企业组织或生产单位所击败,它就必须在技术上讲求改进,在设备上讲求充实,即是说,它必须多方讲求再生产规模的扩大。扩大变成了图存的一个致命的前提。所以,资本集中,成了资本主义商品生产的基本法则。一切有关资本主义的经营,无疑有这个法则在其中作用着,资本主义的商业与金融业,自不能例外。但不论那种企业上的集中,都须把产业或生产事业上的集中作为它的依据或基础。如像脱拉斯、加特尔一类组织,虽然包容了广泛的交换过程,关系商业资本活动,但却是把产业作为它的重心,商业只演着附庸的角色。就是现代庞大的金融资本,如抽去了集中起来的产业,它立即就显示为一种虚浮的存在。

反之,在原始累积形态上的集中,就完全把它的集中运动移到产业或生产领域以外了,特别是移到交换领域了。我们已经知道:在一个产业落后的社会,尽管它只存在着分散的零碎的独立小生产规模,但却并未因此就妨碍它的商业资本的扩大。经济科学告诉我们:独立的商业资本,可能与产业依相反比例而发展。引言之,即产业资本上的不集中,在某种场合,正可成就商业资本上的集中。

这是中国资本集中形态的实话。

早在开始现代化程序以前,中国的商业资本,就对当时的产业,表现了极不相称的规模。资本所以容易在商业上集中起来,在极多的原因之中,第一要数到商人在落后社会的优越经济地位。他们利用独立生产者的无知与分散,自然成了单纯商品买卖价格的决定人,一部商业哲学,是由贱买贵卖的原则一以贯之的。他们"因利乘便"的地方,已够多了,又如在必然的社会联系,高利贷业,甚至初期新式的金融业,都在作他们的帮手,设推开论点,把我们前面已经解述过的中国土地资本与商业资本伙同活动的关系,加入考虑,更就商人传统的接近官场,且容易变为官人的事实,关联越来,社会资本很快就容易集中商人手中的事实,是不难理解的。

但商业资本集中到一定的量,理应可能改变它的质,这个论点,得从两个方面予以说明,其一,关系到资本分散的问题,将在次节讨论;其一,则是在中国现代商业资本集中里面包含了它对帝国主义的商业与金融的关系。我在前面已讲到中外贸易的联系方式。那种方式,表明中国的国外贸易,全由外人操纵,而依属在国外贸易下的国内贸易,则显示为对外人服务。本来对外贸易也和对内贸易一样,一极的商品向其对极方面运动,对极方面的货币则向着这一极方面运动。在这里,工业品同农业品本身,并不能表示什么轩轾。但因大体上,主要输出以工业品为代表的社会和主要输出以农产品为代表的社会,在国际经济政治关系上是处在不平等的地位,它们的商品,就处在不平等的地位而要求,而被强制以较大价值的农产品(或半制品),去交换较小价值的工业品(乃至一部分农产品)了。这种不等价交换本身,必然一步进一步的诱致中国经济国际化,诱使中国商品货币经济与国际商品金融发生更有隶属性的联系,结果,在中国对外的商品往复运动与货币往复运动中,就形成一种很异样的资本集中运动。由一八六四年到一九三四年这七十年中间,只有很少几年是出超,其余都是入超,仅由一八七一年到一九二八年的入超总额,就已达到了五千三百九十万两,这大量入超所需支付的货币额,是以中国社会资金,由农村流向都市,流向本国金融机关,流向外国银行,其中一部分再行外流,这一集中过程来体现着的。自然,集中到这任一阶段的资金,并不是无所保留,就一直向前运动,同时也并不是全不回流。事实上帝国主义者在中国积累到了三十二万四千二百万美元(一九三四年)的投资总额,大体就是这样集中起来的。而中国现代商业金融资本的集中形态,亦不妨说明托这种大集中运动的余阴而逐渐形成,同时反过来说,也正是那种大集中运动所由形成的基础。

但在这当中,我们应肯定一件事实,即商业金融方面的破产没落现象,并不因那种集中运动而减少,且反因那种集中运动愈益强化而加多。一部分或最大一部分的破产没落,就为另一部分或另一极小部分集中化膨大化的基础。这是中国新旧产业连续破产,而新旧商业金融,也并非一律欣欣向荣的症结所在。至若在商业金融方面,其所以有的能够扩大,有的不免于衰落的原因,在我们现在论及的场合来说,那与其说是看谁有没有取得帝国主义的或封建的特权关系,毋宁是看谁有没有运用那种特权关系的资格和本钱。帝国主义在中国的势力或其投资力愈益加大,它所要求为它服务的中国商业与金融,就愈需要有像样的规模或较能集中的资力了。

四　中国资本的分散过程

从表面上看,分散恰好是集中的反面,但资本的分散形态,却为其集中形态所制约,所规定了。资本能在产业上集中,它向产业以外的商业金融方面活动,也是为了适应产业的要求;反之,资本如其主要是集中在商业方面,商业按照它独力活动的法则,就只有在很特殊的场合,才肯向产业上分散,否则它一定会以扩大自身的活动,扩大与自身活动最相类似和最有密切关系方面即金融方面的活动，为更有利益。

惟其如此，中外商业金融业所大量集中起来的资金，虽然有较小的一部分，为了要购取中国农村的原料和半制品，而不得不分散到农村去，但这需要较长周转时间，且不免为治安交通等条件所限制的买卖，即使能运用各种方式的特权，以加大不等价交换的有利差额，那亦只是在特别需要原料品或半制品，以便成就其他更大利益的场合，才能为中外商业金融业所注意到。他们念兹在兹的，毋宁是那些转手即可获取大利的交易对象，所以，在商业金融上集中的资本，几乎连正规的严格意义的商业，即包括有货币商品运动在内的商业，也"敬而远之"，而一味向那些离开生产过程更远的标金市场、外汇市场、公债市场以及各种方式的交易所去讨生活了。此外，地产经营，也是逐利者非常中意的投机目标之一。

中国资本的这种分散形态，延到此次抗战爆发前数年间，几乎发达到了极点。当时国内国外正为经济危机乃至政治危机所侵袭着。一切正常的贸易关系，都有脱节的趋势，因而更加强了上述的投机活动。但用投机方式迅速分散去的资金，不转瞬间，又依投机方式迅速集中起来，由是黄金流来流去的水池里，很容易发生漫溢现象。甚嚣尘上的所谓游资过剩，就在这里不易分散开的分散运动过程中，当作一种严重病态表现出来。

不错，我们是不能忘记中国商业上集中的资本，还有一种传统的分散方式的，中国商人赚得的钱，一向除了进一步扩充商业外，就是拿去购买土地，而中国的特殊封建经济关系，又大抵允许商人自由购买土地，这是我们一再讲过了的。这种向土地分散资本的方式，原可理解为把土地当作商业活动的特殊对象物，同时，土地上的收入，确也照例成为商业累积的一个特殊方式，但我不想在这里进一步分析，我们只须表明：这种分散方式，在五口通商以后，因为商业有了广大活动范围和有了杂多轻而易举的活动对象物，就慢慢在商业比较发达的地方，为一般商业经营者所不注意了，他们甚至把都市及其附近以外地方的土地，看为是累赘。自然，在比较落后的地区，情形是不尽相同的，但在现代商品货币经济日益扩大其范围与影响的情况下，我们仍不妨说：那种分散资本的方式，已渐不重要了。不过，这是指着战前说的。

如其说把商业上累积的资本，用来购置土地，在战前已成了很不时髦的投资方法，而与这相关联的传统的高利贷活动，亦同样逐渐减少了它对资本的吸收性。破产的广大农村，无疑仍是高利贷活动的舞台，但当资本能找到其他有利出路时，它并不会怎样恋恋于这变乱无常的地盘。这是上述资本由农村集中到都市的一个有力的注脚。

自然，这一切的演变推移，都是逐渐的不平衡的展开的。在我们的社会经济基础，不曾经过全面改革以前，商业上的资本累积与集中，自不免还有依靠土地投资及高利贷活动为其支助的地方，在同一限度内，它的资本的分散，也必然会"饮水思源"的流用到这些方面。但当它的资本的累积与集中，与其说是关联于封建的特权，却宁是关联于帝国主义在中国不平等的特殊利益，则它的资本分散，就无法遵循古典的通路，而不得不强制着，使原有的土地投资，逐渐变形为都市地产投资，使旧来的高利贷活动，变形为银行资本活动，并且，有如过去土地投资与高利贷结托一样，地产上的投机也同样有高利贷性的新式银行资本活动联系起来。这有关资本分散的引论，重又回到我们的出发点了。上述游资过剩现象，一直肿胀在资本分散运动当中。

直到抗战爆发前若干年,泛滥在都市,在银行中的大量游资,始逼着所谓民族资本家,把注意转向农村方面,自是而后,"农贷"变成了资本分散运动中的一个新的节目。但把资金分散到农村,一定不仅是为了想借此宣泄一个痛快,而是为了那可能帮助它有进一步的累积与集中。农村的生产事业,原应是有利可图的,但造成农业生产有利可图的其他社会条件,还不曾产出结局,农贷就不但因此限制了它的性质,也相应限制了它的数量。按照现代农村贷款的正常程序,理应是由长期而至短期。因为在刚走上现代化旅途的社会,土地差不多要占农业生产费的全部,必须依长期贷款使农民从土地的负累中解脱出来,他们才可能利用中、短期信用,来改良土地和调剂其年垫资本。但我们的农贷一开始就是短期的,因而,就不能是生产的,而是青苗钱式的,这原因,一般人讲的很多,当然以我们农村社会生产关系,还不会造出运用长期贷款的社会条件之说,最有根据,但我还须在这里指明一点:我们在都市过剩的资金,在量上,在质上,都不够也不能有效而合理的分散到广大农村去。这是我们随后要说明的。

五　在资本运动全过程中表现出来的总趋势

我们由上面的研究,得知中国资本的全运动过程,不论是累积、是集中、抑是分散,都捺上了商业或商业性的印记,而不是产业的。由商业性活动所累积与集中的,大抵是货币财产,我们已讲过的,由农村到都市,到中外银行,再流到外国的资本集中运动也无非是这种货币财产的运动。论到这里,读者定然会发生这种反问:

商业活动既包括了货币运动与商品运动,则在上述的一列当作资本的货币集中运动过程中,也一定会伴以当作资本的商品反向运动,就对外贸易关系来说:一定有与外流资金相应的大量物资的流入。这里且不用涉及不等价交换的故事,单是输入物资的品质,即可解答我们的疑问。中国物资的输入,不是为了满足产业扩展的需要而是为了满足扩大了的商业的需要,即是说,不是为了生产,而是为了消费——为了享乐的不生产的消费。全国各大都市的时髦享受,主要都是从国外供应的。这一来,即使没有不等价的交换关系存在,我们依入超付出的大量资金,亦只在国内诱致了不必要的、于现实资本无所裨益的浪费。所以,输入或入超尽管年复一年的增加,商业规模尽管不绝扩大,那种量的扩大,却不能引起质的变更,因为浪费一直在相应的扩大着。

但问题还有比这更严重的。由大量入超应当引起的资金外流,大体是三个方式予以弥补:一是逐年的华侨汇款,一是外人在华的投资(包括政治性投资或外债),一是金银条块的输出。许多人往往奇怪:中国天灾、内战、破产,成了家常便饭,而全国各大都市的浪赞享受还有增无已,仿佛浪费是可依魔术来达成似的。我们即使再达观的假定:中国社会一般的生产,特别是农村生产,平均的能保持单纯的再生产规模,那亦无法解释各地继续扩大的各种方式的浪费。不错,大多数人民的生活是更苦了,但"更苦"所挣出来的物质要素,单就国内立论,也许可以用为抵偿"更多浪费"所需增加的物质要素;甚且就国外贸易说,可用国内人民"更苦"生活所挤出来的更多物资,去换取更多的浪费材料。但我们的论点,是填补入超,是填补已经由多方增进输出而尚不够抵偿的输入。因此,国内人民更苦的享受,不过事前因此缓和了或降低了入超额,而在一定的场合,实无关于已经形成的入超额的填补。填补既经形成的入超,除了华侨汇款,外人投资以外,仍旧要落到金银条块的外运上。我们没有确切的统计,证明金银外运究达到了如何程度,但在开战前后数年间,外运的数量确是可观的。许多年以来,当作社会蓄积而散留在民间的金银,当作社会绝对财富体现物而看为国宝的金银,是在前述资本集中运动过程中,通过国内外银行,集中到外国了。

但金银乃至我们社会的物资,尽管不绝被抽取去,被吸收去,而以货币来测量我们的商业金融业资本,却仍旧在扩大着,并表现得分外充斥,这个"谜"是比较容易猜透的。我们在前面资本分散的论点下,已经讲到中国商业、金融业越到后来,越是把公债、地产、标金、外汇,……作为其活动的主要对象,事实上,在这些场合活动的资本额的增大,仅只是价值记号的增大,比如,就公债说吧,我们的大资本家大银行家,有大量转化为国债的信用货币在手里,在他们由此按期获得一定额利息时,那宗信用财产虽然被看作是资本,被看作是生息资本,但其实它只在生息这一点上,还对贷款者是资本,它早已经不是当作资本而支消了,早已经不存在了,至少,亦不过是在观念上存在的虚拟资本罢了。所以,像这种性质的债权的增大,如其关说到资本,无非是虚拟资本的增大罢了。

更就地产的投资来说罢,对于同一物质对象物即地产的货币价格的增减,例如,全上海地皮由十万万元价格变为五十万万元的价格,再由五十万万元的价格变为二十五万万元的价格,这种变动,如其没有地产上的现实投资在其间发生作用,则因投机操纵造出来的价值记号的加减,实在很难说有资本膨大或缩小的意义。尽管当上海地皮由十万万元价格膨大到五十万万元价格的年头,地产的所有者，确因此按比例膨大了它的资产，但其唯一结果，却不过是使他在资产登记簿上多写一些阿拉伯的或罗马的数目字，弄出更多的数目符号而已。在其他物价相应增加的限内，那用英国休谟（Hume）的话说，就是"使他为了衣服，器具和马车，支付更多数量的金属货币"。

不过，在中国金属货币大量外流的场合，不论是商业性的或金融性的资产价值额的增大，都不是也不能表现为更多数量的金属货币。也许一大部分是为了适应这种不寻常的情形，或解决资产价值增大而金属货币却不绝外流的矛盾现象（其实是不矛盾的），才发现统一货币的发行是非常切要的。货币改革在这里竟变成了中国资本运动到了战前那种吃紧阶段的必然结果。

货币改革实现以后，中国商业性的金融资本在表象上的资力是更容易膨大了，但这已经是临近抗战前夕的事，在这种意义上膨大资力的结果，却是到抗战过程中才尽量表露出来的。

第四章 战时及战后表现的资本运动规律

资本的运动,是由其本质所规定了的。由战时到战后十余年间,我们显然没有任何理由,说中国资本在这个动乱的过程中,从根改变了它的本质。即使说,整个中国经济,在战时乃至战后,它的表象,是改变了许多了,相应着,我们的资本活动,亦自不免有了许多特异的表现。然而,"万变不离其宗",在近十余年来的资本运动中,虽然加入了不少的前所未有的新的因素,如战时经济,如公营事业,如敌伪物资,如国外借款,如大规模救济品等等,但那些因素的加入,事实上,即使在某些场合,某种程度上,极其错综的把原有资本运动复杂多样化了。我们如从事物的内部去观察,仍不难体认出,那在本质上,依旧是已有资本运动的继续和强化。兹特简括的从以次几个显著方面来予以说明。

一 由产业资本向着商业资本的转化

关于这一方面的考察,我们需要弄清楚一个前提认识,即产业资本向着商业资本转化的倾向的存在,首先须产业资本的存在,产业资本继续不断的转化为商业资本,一定要产业资本继续在增加或在扩大,否则,那种转化,如何可能变为一个经常化的运动倾向呢?

对于这个疑问,我的解答是这样的。在整个现代化过程中,我们都在多方设法发展产业,在整个抗战的过程中,我们更为了支持抗战,曾竭尽所能的建立一点工业基础;在战争结束以后,我们又接收了不少的敌伪工厂,但迄乎今日,所有这些方面的努力成果,有的已经荡然无存,有的则在迅速崩解中,虽然我们还可在发展产业上继续努力,但我相信,在一般社会生产关系未改变之前,那种努力定会遭到同样的命运。这原因,大家也许颇注意于内外战争的破坏,但我觉得,最关重要的,还是产业资本向着商业资本转化倾向存在,使这种倾向当作一个不易抗拒的压力的客观条件的存在。

在前面,我已分别分析了我们社会各种资本的特性。与国际资本有血肉关系的中国商业,中国商人,在社会经济上既处在优越地位,并利用落后的传统的种种剥削方式,站在生产圈外来操纵侵渔生产者,那已命定了产业的前途。而由抗战以至现在,日益增加其严重性的通货膨胀,更使已经不利地位的产业,愈形不利,已经有利地位的商业(买办官僚化了的商业),愈加有利。在恶性通货膨胀的影响下,就把我们商业原有的优越地位抛开不讲,对于适应市场比较缺乏机动性,对于流通周转比较需要更长时间的工业,已经是困难万分的,而近年来用外国物资,外国廉价商品来压低国内物价的对外贸易政策,更不啻给予那些抬不起头,喘不过气来的大小工业,以火上添油的煎迫。结局,"以商养工"或"化工为商",就成了一般工业家挣脱灭亡命运的一个有效方法。

二 由国民资本向着官僚资本的转化

本来,在内外战争中,在困厄中挣扎的大小工业,除了用上述的"以商养工""化工为商"的下策,借图自救外,它们还曾不绝的请求政府救济,请求政府贷款援助。而在财政万分困难,主要靠印刷机来维持支出的政府,它用什么来救助它们呢?显然的,还是凭了印钞票的印刷机:通货膨胀会增重生产事业的苦难,加多生产事业的援助,又会增大通货膨胀的程度,这像是一个苦痛的循环,然而这循环并不是单纯的重复。其间经常的必然的会伸出改变生产事业原来的所有与使用关系的魔手。许多事业在这循环过程中被统制,被合并,且被操纵捉弄。或者在国有国营的大名义下,化私为公;或者在优先补贴及其他特殊便利的诱惑下,化民有为官有,不论采取那一种方式或兼采两者的混合方式,原来是国民的产业,都直接间接全部的或者部分的变为官有了。

事实上,当战乱在经济上使干涉统制成为必要时,受到上述迫害宰割的,并不单是工业,就在有利可图的商业,亦是不能幸免的。政府在交通、信用、外汇、课税以及其他种种方面,都可给予商业以困扰和限制。囤积居奇是干犯禁令的,偷关漏税是干犯禁令的。结局,假使商业要在法令范围内规规矩矩的作去,它并不能比工业好多少。在这种认识上,我们就知道抗战以来的商业的特殊利得,是由商业特殊化了,获得了违法反禁的保障,是得到了权势者的默许,奥援或支持,由是"以商养工""化工为商"的倾向的存在,就是由于"以官济商""化官为商"的事实摆在前面,这一来,不但工业资本官僚资本化了,就是商业资本也官僚资本化了。

直到现在,一般国民资本还在继续转化为特殊国民——官僚的资本,这转化,已成为大家都能体认到的一种倾向,一个具有不可抗御力量的运动规律。

三 由民族资本向着国际资本的转化

在上述两种资本运动倾向连同作用下,定然会促成第三种资本运动,即民族资本向着国际资本的转化。事实上,这种运动已经在非常强烈的表现着。而它的形成,是把以次这些事实作为内容的。

一国生产衰颓而商业却能变相繁荣,那已说明它的那种商业,主要是做着贩运并分散外国货物的商业,就当前讲,是经营美国货的商业。这种商业专为外国产业服务,它的买办性是非常明白的。而在"以商养工"或"化工为商"的情形下,已不啻使一部分民族资本,变为以国人名义经营的外国资本。不错,外货的输入,也可能有助于民族工业。但通货膨胀及其他种种不利于生产的条件,使国外输入的货物,更不可能是有建设性的生产手段,而更可能是有破坏性的消费资料,我们不用看官方的海关公布的物品数字和种类,试走到任何一个市场,都可触目惊心的碰到外国人特别是美国人为我们备办的烟、酒、化妆品、钟表、自来水笔以及其他"不用也行"的日常适用品和便利品。输入品愈不是生产手段,就愈是消费资料或奢侈品,这样相互影响会造成一个倾向,使我们社会只合存在一种买办商业资本以及配合买办商业的其他资本形态。不仅此也，在某种限度内，可视为买办商业金融作用之结果的战乱，和与战乱相伴而生的恶性通货膨胀，使我们在敌伪产业基础上新生起来的若干生产事业以及依各种形式保存着的社会资财，都直接间接或明或暗的向外国逃避了。而官僚与买办的苟合，更不啻为此逃避开了一个方便门户。因此，我们政府不管怎样叫穷叫苦，请外国帮助，而我们国内的资财、外汇、黄金、土产，却源源不绝的在向我们希望从它得到援救的国家输送。这种矛盾得极其可笑的现象，正在我们面前表演着，而我在此所要注意的，却是这逃往外国的资本，并不是一去不回的，它们为贪取国内的较高利得和权势，一有机会，还会回头"眷顾"这可怜的祖国，不过，待到它们回过头来时，那已不是，也决不会是当作民族资本在国内生根，而是当作国际资本，或联同真正的国际资本，从外部投向中国经济角逐舞台罢了。

从上面所说的这几种倾向看来，抗战以后的中国社会资本运动，虽然同战前比照起来，增添进去了不少新的因素，并作了比较错综曲折得多的表现，但在实质上，毋宁是一贯下来的。为了要透过现象去看本质，去看资本运动所由左右的内在关键，我们得进一步去分析我们社会的利润与利息形态。

本篇问题研究

一、一般流俗的资本概念，为什么不能用来说明资本主义社会与非资本主义社会的区别？

二、劳动力的买卖，劳动力变为商品，是资本主义生产的基本前提条件；中国社会不但早有劳动力买卖的事实存在，且有过剩的劳动力存在，为什么总不易实现资本主义的商品生产？

三、中国历来的商业资本，对现代商业资本，对过去欧洲的商业资本，具有怎样的特质？

四、高利贷资本与银行资本，乃至银行资本与金融资本，究有什么本质不同的地方？

五、在一个生产比较不发达的社会，它的货币资本为什么有最大一部分在商人手中？

六、中国社会的商业资本，不肯支持并转化为产业资本，却反而侵蚀产业资本，其关键究在商人，抑在其他方面？

七、中国民族的产业资本不发达，为什么外人在中国的产业也不很发达？

八、资本的累积过程，何以会决定资本的分散或转化过程？

第五篇　中国利息形态与利润形态

第一章　利息、利润及其相关联的诸法则

在上面一篇中,我曾述及中国资本总运动过程中,利息同利润在其间发生了极大的制约的作用。但除了极必要的场合外,我还不曾正式论述到这两个经济范畴。为的是需要另作专门的系统的讨论。

对于这两个经济范畴,原来是打算分别讨论的,但在讨论过程中,我发觉把它们分别独立起来,它们相互关联的许多重要论点,仍非合在一起讨论不可,所以索性采取这个研究方式。事实上,这样的把它们合一起来研究的方式,也许对于我们有许多认识上的方便;因为我们将会知道:利息和利润的各别独立形态,是要在它们相关联的发展全过程上去明确理解的,而中国这种对于一般资本主义的利息、利润,具有极大特殊性的利息形态与利润形态,尤须从利息、利润一般历史发展过程中得到说明。

我们需要在利息、利润演进全史中,去显现去发现中国利息、利润的形相。

我们今日一说起利息及利润来,好像它们清楚明白的是两个判然各别的范畴。如其说,经济对象认识的发展过程和经济对象发展的过程,保有相当密切的关联,我们就很可由利息、利润之认识上的演变,而测知它们在现代以前,并不曾怎样明确的,由各别

的独立形态,表示出彼此间的为我们今日所理解的内在关系。

直到现代初期,利息还被认为是利得一般,利得正体。"利润"这个名目,还不大见诸经传,重农学派的领导者魁奈(Quesnay)在一七五八年印行他的杰作《经济表》,表中分资本为原垫资本与年垫资本,对于前者的补偿或报酬,被称之为固定资本利息,而不称之为利润。自然,他所指的利息,也许就是我们今日所说的利润,但他显然对利润没有一个清晰的概念。斯图亚特(Stuart)在一七六七年出版的《政治经济学之原理研究》,曾把他这个书名,附题为"论自由国家之国内政策",特别着意于人口、农业、贸易、工业、铸币、利息、流通、银行、交换、公债及赋税。这个特致的标题,几乎把一切主要的经济名目都提到了,但不提及利润(虽然也未谈到地租)。在他,利润是由利息来代表的。

不错,在这些"准现代"作家以前,就是经院派学者们,也并非意识到两者的差别。安东尼努(Antoninus)所谓"货币本身无利益,商人把它使用起来才有利益",用借者贷者两受其利的可能,来使利息合理化,言外已暗示着利润的合理存在了。不过,明确把利润由利息区分开,还是后期重农学者杜阁(Turgot)的业绩,他认定资本有五个用途,即购买土地,制造企业上的垫支,农业上的垫支,商业上的垫支,再加行息的贷金。每种用途,都须得到利益。利息不过其中之一罢了。

但使利润由利息独立起来,仍未脱初期的认识阶段。现代资本主义的利息,反过来,是从同性质的利润去取得它的存在的。此中症结,在一七五〇年,即由马希(Massie)所著的《自然利息率论》中,最初予以揭破,他说:人们为要使用他们借来的东西,必须支付利息,这种利息,便是他所能生产的利润的一部分。亚丹·斯密在一七七六年出版的《国富论》中,明确表示:使用货币一般所能支付的利息,必须受支配于使用货币一般所能取得的利润。此后,居尔巴特(Gilbert)复于一八三四年在所著《银行业的历史与原理》中表明:为图利润而借钱的人,应以利润的一部分给贷者,那是一个自明的自然正义的原则。

对于利息与利润关系的这种认识的演变,显然不能用智慧或天才的高低来说明,那有现实发展作为它的基础,在以前,利息其所以被视为利得一般,就因为贷出货币被看为是资本一般,资本正体。《圣经》上特别责难利息,利息问题障蔽了商业利润问题的提出,因为当时的商业经营者,是惯把高利贷者的利得要求,拿来掩饰他们的利得要求。到后来,特别是到了近代初期,商业产业特别发达起来,机能资本在社会的比重,亦逐渐大于生息资本。生息资本活动的主要对象,已不是借债维持生活或借债享乐的人,而是借债从事商工业的人,高利贷业者对后者的诛求,就不能像他过去对前者那样酷刻,因为商工业自己不能获利或亏本,他们显然是不会继续借款的。然而利息被压低下来,还有其他更基本的原因。在商工业发展过程中,社会资本的累积,会相应增加待放的生息资本,结局,生息资本所能期待的利息,就不能不相应低减了。生息资本利息低微,小量的放款,或凭了个人蓄积的放款,不但不易维持放款者的生活,也不够供应日益扩展的生产事业规模,由是,生息资本中的高利贷业,就为适应新兴生产事业要求而发生的银行业所代替。而同时,得到了银行业支持而益能扩大其规模,增加其累积的生产资本,就开始对商业资本立于支配地位。一向不容易辨识其来源的商业资本利润乃至生息资本利息,至是始明显表现出它们是从产业资本利润中分派来的。

在上述历史性的客观演变中,经济科学为我们指证出了利息与利润相关联的几个基本法则:

第一,在资本主义以前的社会,是利息率决定利润率;而在资本主义社会,则是利润率决定利息率。——这个法则的定立不但需要透过一些极易蒙混的现象,且应就这法则作用的范围加以限界。显然的,在任何一个社会,其利息率大致是固定的,已知的,而利润则是不易确定的,就在资本主义社会的平均利润,亦是如此。这种表象,很容易给人以利润率是受支配于利息率的印象。但事实恰好相反。在一定场合一定时间内的资本主义的确定利息率,正是把当地这时以前先行的利润率作为基准。不过,这作为基准的利润率,不是特殊的额外的利润率,而是一般的利润率。

第二,一国利息率的高低,在利息率的差别,实际表示利润率的差别的限内,是与产业发展的程度成反比例——就在一个经济发达的社会,它的发展也是不平衡的;农村的比较落后的地带,其利息率一般都比较交通发达的都市方面为高。这法则活用起来,似不妨由利息的高低,测知一个社会发达的程度。

第三,与产业资本比较来说,商人资本越大,产业资本的利润率就越是小,反之产业资本的利润率就越是大,——就同一社会的诸发展阶段说,抑就不同发达程度的各社会说,这法则是均有其妥当性的。

有了上面所结论出来的诸基本法则,我们对于中国的利息形态与利润形态的说明,就算有了认识上的准备和依据了。

第二章　中国的利息形态

上面的说明,已暗示我们的研究,须得从利息形态开始。

贷款要求在一定期间以后,给予母金或原本以外的报偿,即所谓利息,这是任何社会相同的。不过旧日欧洲社会受耶稣诫律的影响,一般谴责乃至禁止贷款取息。而在实际禁令施行的地方,取息往往还比较高,为的是贷款者违反禁令的可能损失,照例是要预先向借债人摊嫁的。这即是说,限禁利息政策,从来不曾收到预期的效果。在中国不同,中国历代王朝对于"坐列贩卖,操其奇赢"的商贾,尽管三令五申的禁抑(其禁抑商贾的结果,也大抵和欧洲限禁利息的结果同),对于高利贷业,却像不曾特别注意到似的。这原因,当然不能由中国圣人之徒,不曾对高利贷业表示特别憎恶来解释;反之,却可由中国历代作为圣人之徒的士大夫阶层,强半是土地所有者兼高利贷业者的这一事实来解释。不错,他们也是会兼营商业的,但商业毕竟另需要一个排场,在身份上不无形格势禁的地方,兼作高利贷业不必名号大召,可在暗中进行,却就无伤大雅了。

利息竟像是在名教的"遮羞"作用下受到了特别的纵容。

但何以遭受禁抑的商业极易猖獗起来,而比较纵容了的高利贷业,却竟不曾在历史上有过何等煊赫的表现呢?这里需要更深一层的理解。

在中国作为利息来源的高利贷资本,尽管与所谓土地资本及商业资本,结成了"三位一体"似的不解之缘。但高利贷业往往是当作扩大商业与集中土地的手段而活动,高利贷业上一有所累积,就当作商业资本,特别是当作土地资本来支出了,就因此故,在中国历史上的许多社会变动中,我们就只看到商业与地权造成的祸害,而高利贷业反不与焉,其实推源"祸"始,高利贷业,不但是商人用以控制独立小生产者或小土地所有者,并由是增其奇赢,集中土地的有效手段,事实上,高利贷业者对于借款者所处的地位,比之商人对于其货物买卖者,比之需要土地者对于其被需要土地的所有者的地位,是更加有利或有势力得多。土地的出卖者以及货物的买卖者,却较能选择其交手的对象,但借债者,特别是为了维持生活的贫困者,他能选择的范围就极狭了,因此之故,予取予求的高利息率,就在无形中成了商业利润率和土地地租率的指标——虽然后两者在特别有利条件下的异常高率,又可能促使这个指标抬高水平。

与现代资本主义接触后,情形一直在变化着。我们知道:商业资本早已经改变了它的古典形态。地权亦沿着商业资本对它发生的新变化,而改变了或和缓了它在这一方面原来会诱致的集中趋势。不过,大的变动,大体是在沿海都市及交通比较发达的地带进行,广大的农村,一般只不过在单纯商品货币关系扩大的范围内,在旧式农业手工业因此引起分离,引起全面破产的范围内,变换其姿态。而高利贷业,则不但仍旧在维系其对地权的传统关系,甚且在广泛破产与社会资金被吸收到都市的场面下,益形猖獗起来。

同时,在其他方面,因为前述产业资本不易得到正常发展,国人例皆视生产事业为畏途的事实，又敦促都市方面的许多新暴发户自适其适的专门从事金融活动。新式金融业，与其说主要是为了适应新商工业扩展的要求而产生，毋宁是为了配合众多的各色各样的金利生活者的要求而产生。但无论如何，这种金利活动的对象，已不是农村的破产者，而在一方面是被意外收入肿胀着需要好好宣泄的人，同时在其他方面则是一部分商工业者、政府和专操投机事业的份子，像这种活动的对象，当然不能应用农村高利贷业的利息水平。

此外，我们还需要提到第三个金融活动圈，那是由国际金融资本所设定的。它们在中国是做的太上金融事业，它们金融活动的对象，是它们的商工业者，中国的金融业者，这已用得着另外一种利息水准；若就它们金融机关最合算的买卖，是吸收中国人的存款一点来说，那就更有此必要了。

在中国境内，我们大体就有三个利息基准在行使着作用着。

第一是外人在华银行的利息基准，在经验上的变动限界，一般在百分之四与百分之八之间。在这限界内，有几点形成其差率的事实需要指出：外人银行利率，各与其本国一般利率、金融状况乃至对华资本政策保有密切联系。比如，英国一般金融状况较日本为好，英国国内银行利率，较日本为低，其在对华人方面信用亦较日本为优，日本在华银行照应其国内水准，其利率已经要高一些。若在吸收存款方面，同英国竞争，它的银行存款利率，从而，放款利率，就更不能不相应提高，但虽然如此，英国银行的一般利率，总很少低到百分之四以下，同时，过此限度，它将失掉控制金融的机能；日本银行的一般利率，亦很少高到百分之八以上，过此限度，它将因为过于接近中国银行利率的水准，使它失去其对中国银行保有相当距离的优越地位。这是第一点。其次,外商银行对于华人和外国人的贷款,乃至对于华人和外国人的存款,其待遇是有差别的,特别是当着战乱时候,华人在外行的存款,不独没有利息,往往还须付纳保险费。不过,这种差别待遇,也多少要受它们各别对华资本政策的限制。这是第二点。此外,银行对于外汇标金及证券市场的操纵关系,又随时会强制着它们的利率,发生变动。

第二是中国银行与钱业的利息基准,它在经验上的变动限界,一般在百分之九与百分之二〇之间。在这限界内,亦有几点形成其差率的事实需要指出:首先,新式银行与旧式钱业本身,就会暗示出它们利率的差异,虽然较小银行利率比之较大钱庄利率还高,但我们一研究银行和钱庄各别活动的金融对象,就知道银行利率一般是较低的。钱庄往往是向银行通融资金,而钱庄的主顾,则不外小工商业者和较典型的高利贷业者;其次,中国金融业因为主要是同商业发生联系,商业活动的性质,其周转的速度,其冒险性的大小,亦足以影响其利润率的高低,由是相当的范围着利息率的变动;再次是,当银行对外商银行发生业务竞争时,它颇需要把利率降低下来。但一旦受到较旧式的钱业的竞争,它又得提高它的利率。像这样在多方面受到竞争和牵制的金融业务,自然很不容易使它的利率固定在一个水准上面,无怪中国银行有的虽已具有现代的外观,有的却还保留下了浓厚的高利贷的特质。

第三是中国一般旧式高利贷业的利息基准,它在经验上的变动限界,一般在百分之二四到百分之三百之间。在这限界内,其差率形成很显而易见的原因之一,当为愈接近都市,其利率将愈为都市通行的利率所吸引,而在愈僻远的地带,其利率就愈像无限制了。这情形,似乎同样会发生于商业方面,但商业上即使再无行市,农民如其有钱在手,毕竟还有多少参酌的行情表示犹豫的可能,自然,为了生活或者为了维持生产过程中的生活,致不得不预卖乃至预买,那是又当别论了。但那种方式,与其说是由商业进行,毋宁说是由高利贷业进行。高利贷业在十分有利的场合,虽可乘人之危,多方勒索,把它的利率抬高到最高限——百分之三百,乃至不照惯例,任意漫无限制的勒取。但反过来,即使在最不利的场合,它的利率,亦不会低到百分之二四的限界以下。因为高利贷资本是习惯了把它的累积,见机投用到商业上或地权上的。即使商业利润带有几分不确定性,特别在动荡的社会,很难得把当前已经获得的利润率拿来测定今后的利润率,但地租率却是比较固定在那里的。事实上,如我们已经讲过的,大多数从事高利贷业活动的人,本来就是在地租上有所累积的人,他们看到高利贷上的利息率,可能大大高过地租率,固然暂时乐得把资本移用到高利贷业方面,一旦高利贷业的利得降落到与地租率相等或接近地租率的程度,高利贷资本是会回流到土地上来的。在这里,我们是把地租率理解为一定土地年租额对于该土地价格的比率,即土地上地租率的大小,是就土地价格对年租额的倍数而言的。年租额如其被确定了,则土地价格高,就表示地租率低,土地价格低,就表示地租率高。据估计,中国土地价格,大约为其年租额的十倍,而由此推算的地租率,只是占百分之十了。照此理解,我们农村的利息率,似乎要低到百分之十的限度,才有使资本由高利贷上移用来购买土地的可能。但在这里,我们须明了地租是最确实可靠的;地租即使一年因为水旱不收,当作其原资本体现物的土地,却安全无恙,而在贷借的场合,就不但子金难有把握,即其原本,亦往往不免有完全丧失的可能。所以,把利害相权起来,在利息率低到地租率水准,即百分之十的限度以前好远,资金就会转投到土地的购买上面。这是农村通行最低利率,被局限在百分之二四的主因。

由上面的说明,中国同时存在有三个利息的基准了。这是事实。我们须从这既成事实中,去发现它的特征:

首先,中国的利息率,综合起来讲,是在极大范围内显示其差异与变动,由百分之四到百分之三百,这是任何国家所没有的现象。本来,就在资本主义极度发达的国家,亦并不能把它的经济发展的参差性,即把其国内某一地域某一部门的比较落后性,一斩平的拭去,而这种不平衡的发展,就是其国内生息资本利率,不易划一的一个主要原因。但它们的利率差异及其变动,很少能越出百分之一到百分之十的范围。如其说金融市场的稳定,利率水准的划一,是一国产业发展的必要条件,则我们这种利息形态之妨碍产业发展,就十分显然了。

其次,利息在过于扩大范围内表示其差异与变动,要使其均衡化或一般化,已不可能,而况前述三个基准,又各有其特殊的分野与基础,更把它的一般化均衡化的障碍加大了。一个社会的资金,不绝由利息率较低的用途转向利息率较高的用途,等到利息率较高的用途,集注有这个用途的容量以上的资金,利息率又降落下来,使资金向着原来由利息率较低引起资金缺乏,更由资金缺乏引起利息率提高的那种方面或用途上去,这种趋于平衡的倾向,就是利息率一般的前提。中国社会显然不曾具备资金自由流通所需的诸般条件。它就不但无法形成一个全般的均衡化的利息率。即使是在那三个基准所由形成的各别金融活动圈内,其一般化均衡化的程度,亦大有参差;大约外国银行的利息率,一般化的可能性极大,虽然其间仍难免各国相互设下资金流通的障碍;中国金融界的利息率,就它所作用的范围,大体是限于商品货币化关系比较发达的都市方面来说,无疑是保留有相当均衡化的余地的,但各都市及环绕着各都市之社会关系的极端的差异。使各都市金融之点与点间的正常联系,亦颇不易建立起来。至于活动在广大农村的高利贷的利息率,那是更谈不到均衡化的。

又其次,中国利息率均衡化一般化虽为事实所不许可,但不能据此就断定各种基准的利息率之间,没有相互牵引规制作用存乎其间。在表象上,外银行利息率由百分之四到百分之八,中国银钱业的利息率由百分之九到百分之二〇,农村高利贷的利息率由百分之二四到百分之三百,这已提示我们:中国银钱业的最低利息率,与外人最高利息率衔接,而其最高利息率则与高利贷的最低利息率衔接。它们这种大体衔接的事实,就说明其间有一种互为影响的可能。而在现实上,也许这正是帝国主义资本政策,能在中国全社会发生支配作用的一个不可忽视的连锁。但说也奇怪,中国的利息率,尽管是由农村到都市到外国银行方面,愈来愈低,而中国的社会资金,却不向利息率高的地方集中,竟向着利息率低的地方集中,这种反常的现象,似乎需要把资金要求高利息,但却更要求确定稳当来说明资金愈怕留在农村乃至留在城市的中国人手里,太无保障,于是在农村的资金愈感缺乏,愈要求高率利息了。单从这个角度来讲,不是高利率把资金赶跑了,而是资金在帝国主义资本政策下被吸收去了,被集中去了,农村金融过于枯竭,才益使利息率提高起来。

此外,还须指明一点,中国的利息率,我们虽只指出三个不同的基准,其借贷的方式,却是极其多种多样的。大约愈在利息率低的场合,其借贷手续比较单纯,愈比较现代化,愈是以货币为借偿的依据，而在利息率最高的农村，则有许多原始的信用方式在通行着。借钱还物，借物还钱，母物子钱，母钱子物，乃至母子均采实物借偿形态，种类繁多，不一而足，究其原因，不但是由于农村资金缺乏，货币关系未曾普遍确立起来，同时也因为高利贷业者，愈是采行花样多的借偿形态，就愈易找到勒索的机会。农村高利率，有许多是借着借偿的繁复手段来进行的。

第三章　中国利息形态对于利润的规制作用

上述这种形态的利息,对于利润,该有如何的影响呢？

如其把这里待论及的利润,暂以产业利润为限,那需要我们回顾前面关于利息、利润相联系的诸般问题。我们将由是明了:中国的利润,迄未从那种利息形态解脱出来。

在现社会,生产资本利息对于产业利润的关系,是从生产资本对于产业资本的关系中去理解的,现代产业不但一开始就需要大宗资金,并且随时还得有大宗资金周转,就是作为商品生产或交换价值生产必然会换回的货币,那比以前独立小生产所能挣得的额数,是大得多,多得多的。正因此故,一个产业资本家使它的产业资本无滞碍的尽可能迅速的完成其周转,他就不仅需要为他经营商品的商业家,同时还需要为他经营货币的金融家,在一旁协助,结局,他生产的最后成果中,就得分别按照常规给予商业家以利润,给予金融家以利息。在这限度内,如其他不怕麻烦,不计分工的利益,自己兼营商业,兼营金融,那就不论其最后成果将由此受到如何影响,其全部将成为他的收入。不过,在分工发达的现社会,即使他能如此兼营下去,他的纯收入中,仍须分成三个部分,即产业利润、商业利润及生息资本利息。在这里,如其把商业利润搁在一边,产业利润和生息资本利息间的关系,已是非常明了的。产业资本家不论他是独营产业,抑是兼营其产业所需范围内的金融,他一定要由他的产业,获得其所投资本的普通利润或平均利润。此外,还须多少有可充用为利息的部分,否则他借来或移用来的资金所要求的利息,将从他的普通利润或平均利润项下扣除下来。可是,这里却存在着问题的症结;如其为了借入或移用来的资金的利息,碍及他的经营产业的普通利润或平均利润的实现,他就会终止其产业经营。要在这样的情形下,利润才算是由利息解脱出来了。

我们的产业利润,却不是如此,它始终没有摆脱利息的桎梏。利息与利润的现代关系,并不是也不能由它们本身任意建立起来,那有许多社会条件在纲维着。就中国广大的农村说,那里正实行着百分之二四到百分之三百的利息基准(德人瓦格涅尔分析山东农民的高利贷负担,说他们为要生存,常付出百分之二百乃至三百的高利息,马扎尔也认为是依据这个基准)。这种骇人听闻的高利息率,用农村太缺乏资金来解释,是颇不充分的,其基本关键,宁在借贷者不是为了从事生产经营,而是为了维持生活上的支出。农村一般独立生产者的开支,无疑会有一部分可以视为是生产上的开支,至少维持他在生产过程中的那一部分生活费用,就是如此,但如其是无所事事的农村流浪者,他就根本没有借贷的资格。他借贷,如其生活无虞,纯是为了维持生产支出,为了更新农具,购置肥料,雇用人力畜力,他就一定会盘算到他由此增加的收入,是否能抵偿借入资本利息而尚有余剩,在一般利润率尚不曾建立起来的情形下,他也许暂以些少余剩利益而满足,但如连这点利益亦没有,他就会尽可能在生产上因陋就简,不肯去借贷了。在这场合,他对利息率的高低,还有表示选择的余地。换一个表现方式:就是生息资本的所有者,如不愿他的资金呆放着,他就不能完全不愿及借贷者的赢益。把地租及商业利润暂置不论,利息在这时还不能把产业利得全部吞蚀。

如其这位生产者,对于上述各种生产要素,如农具、畜力、种子、肥料,都能勉强供应,只对于支持到收获以前的日数必需生活费发生问题,则在这种情形下,它对太高利息率,还保留有一些对抗的可能,那就是用生活手段压迫生产手段的方式,把肥料、畜力、种子甚至农具,分途典质变卖为生活费用,必要时的劳力的雇用也予以中止。真有这种躲闪余力的借贷者,他说不定还能期望放款的人降低其利率标准,利息率果然降低了,他由借贷把生活费用张罗到了,这时,他也许能叨自然的恩惠,在生产成本以外,还可挣到弥补其借贷利息的剩余,在这场合,如其利息率再低一点,那剩余中间有一部分,也许可以称之为利润。

一旦,这生产者农民,遭到了极寻常的天灾疾病或其他人祸,把极简陋的生产手段大体处分了,而尚无以为生,他的借贷条件是低到无以复加了,这时能让他选样的,要就是立即死亡或者就是威胁他日后生存的高利息率。这里早没有一点利润的影子发生作用。把话倒过来说,利润在这种场合的缺如,与其说是由于利息率太高,宁是由于当作利润之存在依据的资本本来就不存在。农民穷到了几乎单凭劳动力与自然力支持生产场面,高利息就不是当作原因,说有了它,利润就无法成立,而实是当作原因的原因,说有了它,利润成立的前提条件无法产生。

尽管农村贷款关系的成立,有无限错杂的因子在作用着,且不限于上述几个例子,但把那看作是有关农民贷借景象的基本型,而由是理解农村利息率所以那样高,那样参差,那样妨碍着利润的实现,那也许不是怎样远于事实的。当然,就在我们农村,也并不是绝对没有对雇用劳力资金,支付利息建立起了现代关系的利润形态,我们上面所说的,为了充实生产手段而挪债的农民,他所付的利息就比较可能使贷借者降低到农村利率最低限,而由是允许若干充作利润的剩余存在。但我们在这里还只看到问题的一个面,现代型的利润的成立,同时须得把农民的劳动条件——地租加入考虑的。

也许说,现代资本主义诸社会关系的建立,是从都市慢慢延伸到农村的。我们都市方面的利息基准由百分之九到百分之二十,比农村一般的利息基准低了那么多,如其说农村的最低利息率可能容允些许利润萌芽存在,其最低限利率亦还低于农村最高限利率的都市方面的贷款,一定是不会怎样限制利润产生的。事实确也仿佛我们的推理。

首先,我们得明了,有关借贷条件的都市居民的性质及其生活方式,是与农民两样的,特别是在新兴都市里,他们是从四面八方凑集起来,极没有定着性,他们多半没有血缘社会关系,没有自己的居所,特别是没有定着的土地——不论是自己的,抑是租得的——给他们以范围和拘束。像这种人,大体可归类为两个成分,一是找工作做或已在工作中的无产劳动者,一是多少拥有各种形态资财的商工业者。论到借款,前者一般是没有资格,至少亦不曾形成都市贷款的主要对象。在商工业者中,这里是暂时需要把商人撇开的;从事工业经营的人,有独立手工业者,制造业者及现代型的工业家,都市的独立手工业者及很少一部分雇佣劳动者,也许是农村高利贷活动,还多少存在都市方面的现实依据。其余一大部分的制造业家及工业家，他们要有所经营，当然不是为了谋生，而是为了谋利。有利可图，即他们的生产经营，能给予他们以相当的利得或利润，他们是乐于从事的。一旦利润无着，而这利润无着的原因又被发现是由于利息率过高，他们显然会由停止借贷来停止其事业经营，而把他手中控制着的作为借贷之依据的资财，也转向为比较不费气力坐享其成的金融业的本钱。

另一方面，在农村由地租由高利贷及其他原始方式累积的资金，无疑还希图用一种方式，继续增大其累积，但因鉴于农村动乱堪虞，自不免相率集中都市。可是由这种方式获得，并由这种趋势集中到都市的资金，在本质上，已把其所有者运用它的意向局限了。地租是坐享其成的收入，利息亦是坐享其成的收入，坐享惯了的人，要他到不大熟识的都市，去从事不大理解不大习惯的生产经营，自然是太强人所难了。最适合于他的生活方式，当然是金利生活者的生活方式。

有钱的人，不肯从事生产经营，而以从事金融业较合脾味，有资格借钱的人，如再顾虑利息率太高，无所获利，而也宁愿转到金融业上去活动，结局金融的供给超过需要，利息率是理应降低的。事实上，与农村比较，都市金融业的利息率，已算低得可观了，不过，这已降低的利息水准，仍无大补于中国产业利润的形成。

由百分之九到百分之二十的利息率，比之我们的农村，诚然是够低了，但比之外国，乃至比之外人在华银行的利息率，不仍是太高了吗？这里有几点须得弄清楚的：首先，我们金融界的利息率，为什么不能再压下到接近外人在华银行的利息水准呢？这需要我们回顾前面的买办性商业及参酌我们下节要说明的商业高额利润。集注到都市金融界的资金，如其除了从事金利活动，就只有投用到产业方面一个出路，它的利息，一定要注意到产业的利润。如其除了金融和产业以外，还有商业可供其运用资金的选择；依前述资金来源及其集中过程，它在本质上，就宁愿倾向商业，而商业依着种种特殊条件所能挣得的利润，更加会促使它对于利息的考虑，不以产业利润为准，而以商业利润为准。因此之故，我们的生息资本的利息，就无法再降低了。

其次，一国新式产业即使没有外在的破坏力，它在开始时，亦会感到它对旧式产业的诸种有利优点，会因它的社会优势尚未形成，各种需要的社会条件——如技术、资本、市场——不曾具备，而不能发挥。所以，在近代初期，各国产业能通过各种落后关系的障碍而挣得利润，那利润有许多宁是由国家直接间接扶助促成的结果。在各种保育方式中，有关利息的节目，计有三项：一是低利通融资金，一是无利且无须还本的奖助金，一是借中央银行左右利率市场统一金融步骤，使资金能顺序的走向产业方面。我们过去奖助产业的办法是施行过的，但不普遍且不切实，不曾使最需要最值得受奖助的企业，得到实惠。至于低利通融资金的办法，直到近十数年来施行工业贷款，始有一个端绪。此外，关于统一金融市场的步骤，我们根本没有具备有效的条件，那将在下面予以说明。

因此，中国的新式产业，即使没有外来的障碍，它除了像在前次大战过程中那样特别有利的场合，是决不能由它的那种利息基准得到何等合理利润的。

而况在高利息率限制着合理利润产生的过程中，低利息率同时又在发挥破坏作用，外人在华银行以百分之四到百分之八的利息率，对他们在华产业通融资金，而在同一市面上，在同一部门的国人产业,则须以百分之十以上的利息通融资金,在其他一切没有差别的情形下,单是这个不平等的利息负担,尚只令国人在产业利润上遭受相应的损失,但若把外人产业尚有种种特权,国人产业却在为种种特权所束缚,同时,再把技术、资本、经营方法诸方面的差别条件加算起来,这项不平等利息负担所引起的不利结果与损失,就更形严重了。

不仅此也,因为社会政治各方面的原由,外人在华银行吸收大宗存款,并不是以高利息为饵,反之,却有许多是用低利息为饵。他们凭各种特权,在中国有钱阶级间造出一种变态的社会心理,以为利息率愈高,确实可靠性愈足怀疑,反之,利息率愈低,低到零,甚至需要纳保险费,其安稳性就愈大。结果,国人最大一部分社会资金,就被幻化为外国银行存款簿上的阿拉伯数字。如其说,资金的充溢,是利息率降低的一个有力条件,则外人依此资本政策,不绝吸去中国在一切可能有利条件下,借助于原始方式所累积的资本,那就会永续使中国银行利息率不易降低下来。不错,在这种观察下,中国银行不也可以用低利政策同外银行竞争么?但这是行不通的。低利息率反而容易吸收大宗存款,那不能单从利息本身说明,那有一列特殊权利在作用着。中国银行界终能把握住相当额数的存款,却又毋宁是用高利息率去竞取的。除了特别有钱,因而神经特别过敏的那一部分人,高利息率终不失为一吸收存款的有效手段,但存款利息提高,贷款利息也就不能不相应提高,这样提高的利息率,显然是在对付外银行低利息率的压力。

然而最关重要的,还是引导社会资金,以低利率流向产业方面的金融政策,由于外国银行在中国另有一个特殊利息基准,致不克顺利执行。本来,中国广大农村是存在着高利贷的利息基准的。

但根据近二十年来社会资金集中分散的经验,零碎散漫的高利贷,乃至作为高利贷集中化了现代化了的钱庄,并不能在社会资金流通上,发生何等决定的影响,反之,它却不绝在为新式金融业所左右。这就是说,中国不能执行有利于产业的低金利政策,在金融范围内,正好是由于外银行在中国另有一个作为其操纵牵制中国整个金融活动的低利息基准在。至若在此低利息率及其他特权庇荫下的外人在华产业,虽不仅获有利润,且获有超额利润,但那种性质的产业利润,正是中国正常产业利润无法形成的一个症结。

也如在其他方面一样,我们的产业利润,在由代表极落后社会关系的高利贷的高利息率,和代表极发达社会关系的外国银行资本的低利息率,受到双重的打击与破坏。

第四章　中国商业利润形态对于产业利润的规制作用

把问题放在较广大的(还不是全面的)视野去观察,不能对利息立在支配地位,而反受其支配劫持的产业利润,同时也不能对商业利润立在支配地位,而不免受其支配劫持。

中国的商业资本形态,前面已讲过许多了。那种商业资本形态本身,就已经决定了它对产业资本的关系,从而,决定了它的利润对产业资本利润的关系。那种关系,就现代社会讲是反常的,但就过去社会讲,却宁是正常的。影响产业利润的高率利息,在它是为高率商业利润所牵引的限内,可以认为是商业利润间接的或通过利息予产业利润的压制。以下我们将要述及它直接妨阻产业利润的全历程,因为那是不容易横断的去说明的。

在农村从事产业活动的独立生产者,他们的生产,显然是小规模的,零碎的,分散的,但却不一定是能自给的。他们需要用自己消费不了的剩余生产物,去交换自己所需要的他人消费不了的剩余生产物。换言之,他们要在某种限度依赖市场,可是他们不易接近市场,也无法确定行市,由是,为他们负起通有于无的责任,为他们流通单纯商品的商人,同时,也代他们比较那些商品的价格。这一来,多少依照着价值或生产价格买卖的过程,即利润平均化的过程,就一向只表现在流通范围内的商业上。至于那种产业有无利润,在何种程度实现利润,反而成了一件无从索解且无关重要的事。不但如此,商业利润最后终归是把独立生产者的剩余劳动作为基础的事实,也因此掩饰了。因为独立生产者们本来就不是为了利润生产。而同时,作为其单纯商品之交换媒介人的商业经营者,如非获得赢利,就不肯去担当那在某些场合,还不免冒险的烦累。如此演化的结果,产业经营即使后来逐渐改变形态,露出了要求利润的萌芽,那利润也只能是从商业利润派生出来的。

这是过去普行于一切社会的通则。

如其说中国商业资本有它与外国很不相同的特质,它的利润,亦仍只在这个通则之下,表现为一种变例或者更加强这个通例的作用而已。

我们已在前面提论到中国商业与地权的联系,设把地权理解为体现封建政治权势的基石,则我们的商业经营者,就比较与封建权势处在对立地位的欧洲商人,有更大欺骗掠取的可能。与欧洲资本主义接触以后,我们的商业,无疑在逐渐解除其对地权的联系,但就在那种过程中,它却又找到了新的靠山,它受到国际资本或帝国主义的支持;它离开了旧的特权,而寄生于新的特权中。它似可一仍旧贯的予取予求,继续任意扩大其利得了。但这样一种推行转变,其间毕竟造出了一些限制其利得的前提。

首先,在商业与地权发生密切联系的阶段,商业主要是把独立生产者手中的剩余生产物变为商品。这时欺骗掠取的对象,是容易欺骗也可能任意掠取的农民及手工业者。到了它附上了买办特质的阶段,都市方面许多生产物,已经是当作商品生产出来,即在农村里面,为适应国际市场要求,有不少地方,不少门类的农业,已经在专门化,商品化。这就是说,这时同商人交手的对象,已不像

第四章　中国商业利润形态对于产业利润的规制作用

先前那样容易欺骗,那样可以任意掠夺了。他们不但较易接近市场,他们并由生产方法的逐渐改变上,逐渐认知了产业利润的意义及其重要性。利润平均化过程,至少已由商业扩展到新式工业及制造业上了。人们至少已感知产业利润同商业利润是处在对等重要地位。但虽然如此,一般人还不易看出它们的差别作用,这也许是因为在事实上,还不允许把它们的社会关系,合理的倒转过来。我们一直还逗留在这一个境地。

现代型产业在中国的出现,自然是产业利润取得存在的前提。但产业利润被认知其存在为一事,它能在何种程度被实现为又一事。前者是关系产业性质的问题,一切以现代生产方法经营的产业,都要求利润,但它能在何种程度实现其利润要求呢?那却很可说是关系产业数量的问题。我们中国是不发生前一问题的,谁都不怀疑中国已有新式产业经营,但却易发生这后一问题,大家不已是惯把"质"的问题的考察,径行代替其"量"的考察么?

产业上的生产方法的变更,即由独立手工业者与小农的生产形态,变为大规模生产,并不是一蹴可几的,那是由一个部门一个部门的,一个地区一个地区的缓慢进行的,因此,产业利润的前提,虽会由此慢慢造出来,但它并不一定也不能就因此采取相应的平均化利润的姿态。一个孤立在旧式生产方式中的新型产业,甚至一部门孤立在其他一切旧式生产部门中的新型产业,均不能谈到平均的产业利润。平均产业利润法则,只有在新式产业在数量上,已经全面的对落后的旧型产业取得了压倒优势的场合,才能表现出来。我们的产业,显然离这个发展阶段还远,因之,我们就不难测知中国产业利润,还不能依平均利润法则去较量它。

但这里有一个看似矛盾的命题。新式产业在未取得压倒社会优势以前,是不能谈到合理的平均利润的;构成其合理利润的许多条件,即新产业借此对旧产业表现其有利优点的许多条件,是不能在旧的生产方法支配之下形成的;但同时它要扩大其社会优势,又须得到合理的利润以资敦促,并作为扩大再生产的手段。对于这个矛盾,近代各国是用政治的力量,加强破坏旧的关系,同时保育新的关系去解决的。我们已在利息形态的说明中,提到了有关低利通融乃至奖助的诸种方式。论到这里又须回顾到它们在商业上采行的各种保护设施。如其说,许多近代国家的初期产业,有的甚至挣到了期望以上的利润,我们决不能因此就断定那纯是新式产业对旧产业表现了极有利的优点的结果。至少,其中有一大部分要归因于经济以外的力量的支持。这所谓经济以外的力量,除了在利息上商业政策上给予种种便利外,还有赋税上的新特点,但最关重要的,还是依各种明定的或默许的方式,使其对于剥削基础的劳动力,尽力成就其可能的贡献。

近代新式产业是这样"造就"出来的。它在初期以后,逐渐在利得的方面,获有超越商业的优势,它在社会地位方面,亦压倒了旧的产业,在这过程中,许多关系产业发展的一切条件,都改变了,平均利润化的过程,才次第由商业方面,移到产业方面;商业已经是当作产业的一个机构在作用着,它的利润,则是比照它对产业的"服务"限度而被规定了的。社会的局面,各种社会关系,这才认真倒转过来。

上面讲了这些,似乎离开本题了,但其实通是中国产业利润对商业利润关系的反面。我们已确实存在着,并在各种有利机会下,展开过近代型产业。可是,在我们产业向着现代型转化的当中,却不但不会在利润方面,受到经济以外的力量所支持,却反而受到了那种力量的阻害。中国近代商业的买办性,其本质就是排斥产业的。它在国际资本的作用下,担当了为外国产业服务的任务,它就不需要也不能更为中国产业服务。这是中国产业很不易把商业转化成为它的服务者的根本障碍。况加依托外国特权所挣得的大利润,更助长了买办商业对于民族产业的骄矜戆态,在这种情形下,单是实行近代各国在金融、商业、赋税上所给予产业的各种"温情"帮助,还不一定能把产业利润,提到商业利润的水准,或进而超越商业利润;那颇需要采行较彻底的方法,从一般社会基础上,挖去商业资本,从而挖去帝国主义政策行动的依据。如其那种行动依据还安然存在着,那就不但会根本妨阻产业利润受到金融赋税诸方面的特别培育,而在大抵的场合,且可能使那种培育的"实惠",中途转化去,更反过来,变成产业的负累和压力,这早已不是理论,而是事实。

如其产业对商业之社会优势的形成,需要借政治的力量,来分别抑扬它们的利润,是一个原则,则我们在外力挟持下的国家,要成就那种社会转变,就须活用那个原则,不能同那些仅须打破国内传统社会关系的近代西欧诸国,采行同一的方法和步骤。

然而在大体上,我们似乎把那个原则看得太刻板了,或者太没有看准那个原则,因而就只就一些枝节表象方面照着先进国的榜样做去,结局,已经利用各种机会建立起来的若干产业,因为得不到相当的利润,有许多失败了,崩溃了,而可能慢慢发展新式规模的产业,亦因得不到相当的利润,有许多一走到制造业的阶段就停下了或者是没落了。产业一直在坎坷不振中,它不能由本身累积起扩大再生产的基础,它就无法在量上增加优势,因而也就不能在质上表现优越,这反复造出了致命的结局。

但事情还有比这更坏的一面。新式产业不能发达,旧式的落后产业,却竟在国内外新式产业的影响下,差不多全面临到了破灭的绝境。而同时在这种情形下被解体了的传统农工共同体,被丧失了机能作用的独立生产组织的诸要素——人的要素与物的要素,尽管无法被吸收被集中到新式产业中,但却为商业资本活动开拓了更广泛深入的通路。在这种限度内,商业资本不但不利于新式产业的成长,更使得旧式产业毁灭。它的独立发展性,因为被附上了买办性,就如同猛虎附翼一般的猖狂起来,它的高率利润的基础,尽管仍是破碎支离的新旧产业,但由于它是通过外国种种特权取得那种高率利润,这就好像是在产业的废墟上,繁殖商业的果实似的。结局,由高率商业利润累积所扩大的商业规模,特别在国际资本作用之下,就造成了它得任意驱使御用产业的社会优势。产业尽管在被人重视,产业利润尽管被一些人看得比商业利润还重要,但产业既然一般的变成了商业的服务者,作为其"服务"报酬的利润,自然要从其主人的总所得中分派出来。

这是抗战发动以前的一般情形。如其需要提出那一般情形中的若干特例,即若干方面的产业,还能维持其场面,并在某些场合,表现了成长趋势,同时,若干方面的商业,有的早显出了衰落的征候,有的且已崩溃了,这都不是意外的。关于前者,为了说明上的便利,我将在另文论工资、论地租中分别予以补述。至若一般获得高率利润的商业中,亦有破产现象发生,那仍可就中国利润形态的特质来说明,中国商业对于产业的优势,并不能理解为一切商业都能保障其繁昌,单就商业领域说,其资本的累积与集中,同时还是由牺牲同业来达成的。大商业吞并小商业的情形,在商业不受产业规制而独立活动的条件下,是更易发生的;其次,商业利润如同帝国主义特权发生联系,则其利润的大小,就要看它对那种特权有无联系,或联系的密切程度如何。自然,各个帝国主义者的不同商业政策,也是会大大影响其依托者的利得的;又其次,在一般具有买办性的商业中,究也有不少与民族产业发生较密切关系的,特别是那一部分在前次大战的有利机会中建立起来的民族产业,自更能诱致当时因对外贸易中落,以致"惶惶无主"的许多商业,与它发生联系。据估计,抗战数年前各大都市商店的倒闭歇业,主要就是由那些产业发生恐慌所引起的;最后,由上面的说明,似乎我们的商业,也并不能完全离开产业而独立发展,纵令如此,在它的利润终归是把产业上的剩余劳动生产物或剩余价值作为其来源的限内,新旧产业的破灭,到底是会使它那种利润源泉涸竭的。

第五章　中国利息、利润的综合观察及其在当前的新姿态

由上面的说明,我们已了解中国的利息形态与利润形态,正好是我们那种商品、货币与资本运动过程中的必然产物。虽然它们分别对于那种商品、货币、资本运动过程,同时又在尽着规制或者调节的功能。

本来,利息及利润,都可理解为关系资本流通的调节因素。是资本流通的原因,同时又是资本流通的结果。资本不问其来源如何,它在社会作为产业资本使用,作为生息资本使用,抑是作为商业资本使用,一般是把利润(产业的与商业的)率或利息率作为其流通的指标。迨它依照这利润率或利息率的高低,而确定了用途,这用途就将以等于或大于或小于原来作为其流通指标的利润率或利息率,给予它以报酬。但这样的资本流通过程,是只有在资本主义的商品货币关系已经一般确立了的社会,才能实现的。换言之,就是要产业资本在总生产过程中,把生息资本及商业资本,分别作为其经营货币与经营商品的助手的关系已经确立了的社会,才能实现的。

像在我们这种社会,商品主要还不曾脱却单纯商品的形态,它生产出来,有的即使不免要投入流通过程,但其目的显然不是为了利润,由是,它所由生产出来的生产手段价值与劳动力价值,甚且不是当作资本。货币主要亦不会脱却适应单纯商品流通的形态,

它的运用,并不是为了拿去购付生产手段价值与劳动力价值或者实现商品的剩余价值。这种商品形态与货币形态,已经先天的限制了它待转化的资本的流通性质。

不过,我们的商品与货币如系完全采取这种形态,则我们社会如其发生资本流通问题,那就只是高利贷资本与商业资本间的流通问题。只有高利贷的利息与商业利润(我们暂且不涉及地租)在其间发生不大明确定规的调节限制作用。

但我们的商品货币关系,至少,早已允许产业资本取得社会的存在了。而一向当作资本流通之节制因素的高利贷利息与商业资本利润,早已不能完全忽视产业资本利润在其间的作用了。根据上面的研究,我们似可在这里指证一个定则,在产业资本已正式对高利贷资本及商业资本采行对立姿态,但却又不曾成就其对后二者之统治,即使后二者转形变质的受其支配的场合,后二者始终是"朋比为奸"的给它以阻碍。比如说:在利息变异过于悬殊,且又形成了各种基准,以妨阻产业资本利润平均化的场合,商业资本利润,就更好利用产业没有一般利润率的机会,依各种方式侵蚀产业的利得,同时,在商业正凭借外力,从多方面予产业以打击的场合,产业就因它自身无法造成扩大再生产规模的累积,乃不得不在高利贷资本,新式银行资本乃至外商银行资本的多重差别利率的束缚钳制下,受到迫害。商业资本和高利贷资本在本质上是有对新式产业资本采取共同行动的要求的,但这要求,是通过许多事实表现出来,而其中比较有决定性的事实,就是商业资本是最易改变用途的,与产业资本比较,高利贷资本乃至银行资本,亦有此种性质。因此,在产业前途荆棘孔多,利润难有把握的情形下,生息资本与商业资本间的交往,就更形密切。社会资本就主要是把商业利润与生息资本利息,作为其流通的机键。而在此两者中,生息资本利息率,更作了商业利润要求的指标。过去产业证券市场的不振,而金融市场、公债、地产市场,却意外显得热闹,那也可以看出此中的一些盈虚的消息。

但是,我们还有需要在这里顺便说明的一点,即利息的差异及其变动过大,对于产业资本诸多妨碍,那同时也不会妨碍商业资本利润率的一般化么？这是容易解答的。商业资本在它不会当作产业资本的一个辅助部分,而采取独立形态的限内,尽管在某些场合,还要把比较市价与生产价格的任务,摆在商业方面,但在商业者本身,但却并不希望把其中的底细揭穿,他的欺骗哲学,是要在不成规律,没有章则的情形下,才好"混水摸鱼"的(虽然在它变质为现代性商业的其他条件齐备了的时候,它却又特别的需要规律与秩序)。所以,利息率上的莫大差异,它倒很可当作一个有利的条件来利用。即非如此,它的流动性与机动性亦是不难让它去有效适应那些不同利息基准的。也许正因如此,新式工业乃至制造业独立手工业,尽管对于各地利息变异,感到是它们经营上的大障碍,但一般商业却像是很能应付裕如的。

抗战发生以后,整个国民经济改变了它的轮廓。利息及利润各别的及其相互的关系,自然也有不少的变动。但变动不论发生在那一方面,却并不曾改变我们上述的定则,也许更把那些定则加强了。

在抗战初期,社会资金在要求高利得,同时,更特别要求安全的情形下,都相率以更迅速的步调,沿着以往的集中途径,汇挤到外人势力所在的沪港各埠。由于货币改革,统一发行的结果,实的金银尽管在维持外汇及资金多方逃避的情形下,陆续外运了,而虚的资金,即用各种票据、证券代表着的资金,却分外显得充斥。自限制提存令公布,国人的银行钱业,早变成了金利生活者的畏途,各种商业投机活动至是乃更趋剧烈,商业利用战时种种有利条件,利市百倍,生息资本利息,已显得黯然无光了。

迨沪港相继沦陷,对外贸易全部陷入绝境,商业的买办性是暂时被中止了,但因其买办性中止,并非由于产业的发展,同时,产业上已有的薄弱基础,且还随买办性条件的丧失而归于瓦解,这就使商业得恣意利用仅有的现代商品货币发展关系,又利用一切因产业不发达而保留而强化的落后社会关系,而尽量发挥其投机操纵的性能。商业上的暴利或高率利润,已在货币膨胀,物价飞涨中,把产业资本利润乃至生息资本利息,压缩到了不足齿数的程度。社会资金似乎只在把某些部门或某些地区的特殊商业利润,看作其集中的指标。不独政府提高利率,奖励存款的金融措施,收效不见显著,就是受到多方资助支持的产业利润,亦不能惹人注目,生息资本利息和产业利润,简直像失掉了它们对于资金流通的制约作用。

不过,生息资本与商业资本,究不失为孪生兄弟。商业高率利润的来源,如果是得自商人以外的其他社会阶层,则由此造成的其他社会阶层的贫困与缺乏,就定然会为生息资本造出需要的前提;同时,社会资金集中到商业方面,一方面虽会因此形成游资过剩现象,另一方面,却并不因为商业上游资过剩,就断定一切商人或一切准备经商的人,都有足额的资本;在商业愈集中,有愈大的规模,就愈能运用落后社会关系,发挥其囤积居奇本领的情形下,商人虽然因货币不绝贬值关系,想不绝用去他们手中的钱,但同时为了较大量的买进，又需求备有较多量的钱。这就是说，社会各阶层乃至商人阶层本身，都需要钱。那还不是生息资本的活动的好机会么？银行不能吸收存款，只不过因为银行所定利率与商业利润太悬殊了；工业上资金周转不来，只不过因为工业所能担当的利息太轻微了，有了钱，尽可当作商业资本用，而不必当作生息资本用；当作商业资本用，不仅要时髦些，且还没有更大更多烦累的场合，如其要从他贷款，他就显然会把他的利息率，提高到以商业资本为水准，不但如此，他为了要保证这种高利息率，一定会采取实物形态。以实物借偿，如借钱还物，借物还物，在战前，只是在较落后地带才实行，而于目前，则已差不多常作一般的形态在普及着，已经像传染病一样由农村扩展到都市了。这种实物借贷的利息率，如借谷一担，或借一担谷所值价格五十元，约定一年子母偿还两担，就实物讲，已是百分之百的利息率了，这在战前，本是列在第三基准的高利贷的利息率，但在今日，除了官方银行带有救济性质的额定放款外，任何生息资本，必不会以这种利息率为满足。可是实物贷偿，就除了这百分之百的实在利率，还有一个算法。如在借偿的一年期内谷价由五十元涨到一百元，是五十元变成了二百元，是百分之四百的利率；如谷价由五十元涨到二百元，谷两担，便是四百元，是百分之八百的利率。在这种条件下，或在更高的实物利率的条件下，生息资本的利得，就不一定比商业资本的高利润，更有逊色。商业资本被换成了实物，商家是希望其大涨特涨。愈涨愈有利益，生息资本以这个形态贷放出去了，贷借者亦是希望其所偿贷对象物的大涨特涨，愈涨愈有利益，在这种限度内，生息资本简直变成了商业资本的一个亚种。它贷出去，就等于囤积在那里，不过，囤积只收得涨价的利益，而这种特殊的囤积方式，还使被囤积的东西，自己成倍的增殖起来。

不过，生息资本不论怎样变形变法似的在适应商业资本统治的特殊场面，它在实际活动上，究有了不少的变迁，生息资本的利息率，已经不是商业利润的指标，反过来，商业利润率，却或隐或显的做了生息资本利息的指标。在这种现实变动过程中，过去的三个利息基准，亦早不能支持其原有的限界了。外人的金融势力，在战时沪港沦陷而失其活动基地，战后形式上的不平等条件撤废；亦多少有限制影响。中国都市金融业与农村高利贷业在利息率上的大差异，不但被异常高率的商业利润显得其极其轻微，就是新式银行业要求过去高利贷的利息率，一般人还会特别予以"同情"的原谅。一切已变得使人不能用原来的评价去考察当前的金利行情了。然而形式上不论怎样改变，不论商业资本利润在战时如何规制着生息资本利息，而目前的非常可怕的高率生息资本利息，又在如何制约着商业资本利润，它们任一方面的暴利，或相互间角逐比赛所挣得的超额利得，最后都是把国内大大小小的生产事业作为牺牲。

本篇问题研究

一、利润形态的发生与发现，一般是落在利润形态之后，其原由安在？

二、由利息率决定利润率，和由利润率决定利息率，对于社会经济的发展，有何不同的影响？

三、以往通行在中国社会的几个不同的利息基准，相互间在怎样发生作用？其后果怎样？

四、我们的产业利润,为什么总不能摆脱利息的桎梏?这与剩余价值的分割有什么关系?

五、商业资本控制并侵蚀产业资本,试从商业利润对产业(资本)利润的掠夺与混取上予以说明。我们的银行资本,为什么在这里不支援产业资本,却去帮助商业资本?

六、在目前,原有的诸倾向,是改变了,还是加强了?

第六篇　中国工资形态

第一章　劳动形态与工资形态

　　工资是对于劳动者在一定时间支出的劳动,所给予的报酬,或以货币表现的劳动力的价格。在这简单的说明中,我们已不难理解:(一)工资劳动的形成,是以工资劳动者,已取得形式上的独立地位,它由是得自由处分它的劳动力,把它的劳动力当作商品向人出卖;(二)工资劳动者肯把它的劳动力当作商品出卖,工资给予者肯把劳动力当作商品买入,都表示作为劳动力借以活动,借以发生作用与效能的生产手段,已改易其内容,并从工资取得者手中分离而被移转到工资给予者手中了;(三)一定时间内的劳动价格,以货币支付,那是货币关系已有相当普遍的发展,否则那种支付,将不会采取货币形态,而将采取其他形态。上面这三种事实,是相互关联着发生的。以这种种事实为基础而形成的工资形态,就是所谓现代性的工资。这种现代性工资对于过去勉强可以称之为工资的那种劳动报酬的区别,与其说是存于报酬的内容和限度上,毋宁说是存于劳动者因以取得其报酬的劳动条件上。因此,我们可以说,工资的形成,是受决定于劳动的形态。

　　劳动形态的发展史,在私有财产制的社会,包括了由奴隶劳动,到徭役劳动,再到雇佣劳动的全演变历程。

　　在奴隶劳动条件下,奴隶自身是当作活的工具,和死的工具同样隶属于奴隶所有者。对奴隶所给予的生活资料,不得称为报酬,那和在土地上施肥,对家畜饲养没有两样。在徭役劳动条件下,情形显然不同了,农奴的劳动被分成了两个部分:一是他为自己劳动的部分,一是他为土地领有者劳动的部分。他所以为土地领有者劳动,是为了取得为自己劳动的权利。如其他能由前一部分劳动维持自己及其家人的生活,则后一部分劳动,就算是维持生活以上的余剩。在经济科学上,称前者为必要劳动,后者为剩余劳动。这剩余劳动,无疑是生产手段(主要为土地)所有者收入的来源,而必要劳动则是生产手段利用者收入的来源;但在当时,必要劳动的成果,不但不曾转化为生产手段所有者给予生产手段利用者(主要为农奴)的报酬,反而使剩余劳动的成果,变为生产手段利用者对于生产手段所有者的贡纳。但不论谁给谁,谁是与者或受者。其被予被受的对象或现实基础,却是十分明白的。虽然领主随时可以依其好恶,任意使必要劳动部分与剩余劳动部分的限度予以伸缩。

但要使劳动者之必要劳动部分的成果,以工资形态表现出来,那需要根本改变劳动条件,即由徭役劳动移转到雇佣劳动,在雇佣劳动条件下,社会整个情形都改变了。以前一切的权力同财富,都集注在土地方面,寄生于土地的领主,自然想死死束缚农奴,借以继续勒取贡献。但作为新社会主人翁的资本家,却反需要解除农奴的那种束缚,农奴由那种束缚解放了,他才能成就其资本扩张的要求。由是,反封建特权的自由平等口号被提出,商品生产关系被造成;劳动者已不是在隶属的关系下,把他的剩余劳动作为贡品,而是在平等形式下,把他的劳动力作为商品。结果,现代型的工资出现了。

自然,形式的假的平等,对于真的隶属,究有何等好处,或者,资本的劫持,对于土地的束缚,究有那些便利,那不是我们要在这里分析的。在劳动进化史上,雇佣劳动总归是一个进步的形态。这个进步形态的劳动的出现,即资本主义工资关系的确立,其经过的历程,实在比我们用几条原则概括出来的内容,要复杂、错综、曲折得多。无论在工业上,抑在农业上,由徭役劳动向雇佣劳动的转化史,在生产劳动者方面,就很可视为是他们的一部苦痛史,他们留在徭役劳动条件下工作,是一种痛苦,他们认真的进步到了雇佣劳动条件下工作,也许要经验另一种痛苦。但如其他们一直被迫而滞留在转化阶段,就不但受不到假的平等或真的隶属可能享有的好处,同时还会经验到这两重的痛苦。他们的劳动力,一方面尽管取得了当作商品的外观,另一方面,还可能具有当作贡品的实质。

我们中国今日的工资形态,就如实的说明了这一点。

第二章 中国传统的雇佣劳动关系

如其我们把现代工资的形成,理解为资本主义全面生产关系形成的一个最基本的部分,那个痛苦的过渡阶段是任何一个现代国家的生产劳动者所曾经历过来的。特其过渡时间的久暂,及其在过渡阶段的痛苦遭遇,则因各个国家而不同。它们各别的自然条件与历史条件是极不相同的。

我们尚论中国今日的工资形态,在述及其形成过程时,至少应当把对它具有极大影响的传统雇佣关系,略予说明。如其我们发觉那种雇佣劳动关系,颇为特殊,在它今日诸般劳动形态中,还保留下了它极多的残余部分,那就更有说明之必要了。

特我们在这里有一个问题需要交代清楚。就是作为工资产生依据的雇佣劳动关系,如前面所说,既是在私有财产社会劳动进化史上的最后一个形态,它理应不会在现代以前的社会发生。如其现代以前的社会,竟存在着这种劳动关系,我们前面述及的一般劳动发展法则,就被破坏了。事实上,这样的问题,曾一般的被提起过。特烈夫斯基(L. Delevsky)就认定:奴隶制,农奴制,和自由劳动同时并存,有时且调和到难得确定它们主要职责是属于那种劳动形态。他以为在古代社会里,当希腊、罗马奴隶制达到其最高峰时期,自由劳工在数目上常占着很多。此外他还依据梅伊耶(Edonard Meyer)的说法,力言自由劳动与奴隶劳动的存在同样悠久。即在中古时代,严格意义的奴隶,甚且与农奴乃至城市中的自由劳动,存在得一样长久。在美洲,奴隶与自由劳动者,是比肩的活动着。由这一列事实,他结论说:"历史并不承认有法则。"(参见王渔邨编《中国社会经济史纲》九——一〇页)

这像是"言之有据"的好理论,但没有分辨清楚两个论点:其一是,社会劳动史的划分,是把各别社会的主要生产方式,以及被规定在那种生产方式中的基本生产关系,作为基础,例如,在古代社会,我们得认知当时供应统治贵族及自由市民诸君之豪华放纵生活的,究是少数偶然勉强从事生产作业的自由劳动,抑还是那些广大的奴隶群的污秽不洁的劳动;还有:存在于古代社会,存在于中古社会的所谓自由劳动,与我们现代的自由劳动或雇佣劳动,究有怎样本质的区别,这亦是我们非理解不可的。前一点是量的问题,后一点是质的问题。把这两个问题提供出来,就不但可以解答反社会劳动发展史的诸谬见,同时且可分释我们社会过去是否能存在雇佣劳动关系的疑团。

约在一百八十年前,以渊博著称的亚丹·斯密,就曾在其大著《国富论》中,把中国劳动者的工资问题提起。他说:在马哥·孛罗(Marco Pollo)前后游历中国的许多旅行家,在其游记中,一般公认中国劳动工资的低落,和劳动者不能维持一家老小的困难情形,雇农辛辛苦苦耕作,能挣得些微买米的货币,就心满意足了。工匠的境况,则坏到了不能更坏的程度。他并说,他们不像欧洲的工匠,能够安逸的坐在他们店里,等候顾客光临,却常是背负着工作工具,挨户叫卖,宛如乞丐。此外,他还概括的表示:中国下层阶级的贫困,比之欧洲类似乞丐之国民的贫困程度,还要厉害。何以见得呢?他在这里指出了我们见惯了倒不觉得,听起来却未免有点汗颜的事实。他说,在通商口岸的广州各埠,中国人对于欧洲商船弃而不食的肮脏东西,都争着去捞获;已经死了的狗和猫,其尸体即使半臭,中国人欢迎的程度,不减于其他各国人民之欢迎最合卫生的食料。然而他又说,中国下层阶级尽管这样穷,中国却很早就是世界最富庶的国家之一。国富而下层人民竟是那么穷的究竟,他的解释是:一国财富虽说很大,但如它静止好久了,它的国民的劳动工资,必不能希望很高,尤其是不能希望有所增加。

斯密是用中国的工资水准,来论证他的工资变异论。他认定:一国已有的富裕程度,不能说明工资的高率和工资增进。只有不绝增大其财富的国家,其工资才不绝增高;只有不绝减少其国富的国家,其工资方不绝降低;他以美洲的进步状况,为工资增进的例证;以东印度及英国其他殖民地后退状况,为工资缩减的例证;而中国则被视为留在不进也不退的静止状态,其工资就一直保留在使一般靠劳动生活的人,不能维持生活的境地。用他的话来结束他的意见,就是:"劳动的优厚报酬,是国富进步的自然象征,贫困劳动者的微薄生活资料,是万事停滞的自然象征,而其饥饿状态,则是万事往后退步的自然象征。"

斯密的这种工资变异论,我们没有在这里讨论的余裕。但其关系中国工资的全部说明,指出了工资低到不够生活是对的,但单以社会停滞来解释那种低率工资的形成,却太笼统,太不够了。

首先得指明:中国的雇佣劳动关系,是老早就存在着的。但它取得存在的社会条件,和同样"古已有之"的西欧各国雇佣劳动关系因以形成的社会条件,颇不相同。因此,它的形态和性质,是颇不相同的。

在农业社会,工业一般是附着于农业,而形成为农业的工业。

那种散在于农村方面的工业,大抵是采取手工业形态。而这手工业,则以三个方式从事经营:其一是当作副业,或为自家消费,或为贩卖;其二是当作本业,兼作农业活动;其三则是当作专业,变为纯粹手工业经营。这纯粹的手工业,可因其保有工具及原料与否,而分为独立手工业,与不够独立的"工资作业"。

我们这里所要讨论的,是这种"工资作业"的手工业形态,看它在中国究表现了怎样的特质。原来工资作业有两个方式:一是作业者自备设备经营,让主顾拿原料到自家工作场所制作,制作完成,对设备所费,自然要求补偿,但主要还是从主顾索取工资,故这种作业,称为"自宅工资作业"。我们今日习见的交麦去磨的磨坊或面坊,交布去染的染坊,交米去碾的碾坊,交菜子或棉子去榨油的油坊,都类似这个形态的作业。反之,没有设备经营,只把自己操业所需的简单工具,负着去找寻主顾,如像铁匠、铜匠、锡匠、补碗匠、箍桶匠、木匠、石匠、泥水匠、缝工之类,或者在家中等待主顾雇请,如像工匠、缝匠、石匠、泥水匠之类;他们通通是在主顾家工作,由主顾取得工钱,故这种作业形态,亦称为"外出工资作业"。我们今日所见的"外出工资作业",当然掺杂进去了不少的"现代化"成分,但比较起来说,我们社会一向是把这种"外出工资作业",作为它雇佣劳动的原基形态。(参见王渔邨编《中国社会经济史纲》)

这两种劳动形态,看似简单,但其形成过程,却给予此后发展以莫大影响。

单从表面看,"自宅工资作业"在取得作业报酬上,便对"外出工资作业"占有很大的便利。等主顾来找,说不定会失掉工作机会;有的人非万不得已,就不肯上门。往找主顾,说不定还可增加工作机会；有的人即非必需，也许顺便请其工作，可是讲到报酬，前者尽管是处在无妨高索的境地，后者却是处在不能不少要的境地。不仅如此，在自宅作业上，不但作业的程序和时间，得自行有效的调整和安排，短期内即无主顾上门，说不定还不致妨碍其经常作业，此外，对于原料的用途，他也许可能作有利的支配。可是，在外出工资作业上，作业者都是无法自立。无论他是等人招雇，抑是找人招雇，时间及作业程序作业范围，都操之于人；一日没有工作，也许就一日没有饭吃。把这种种情形参酌较量起来，外出工资作业的报酬，已经是注定了要降低许多的。

还有，"自宅工资作业"这种劳动形态，并不是当时的手工业者愿意采行的，反之，却是被禁制的结果。欧洲中世的工业基尔特，对于同业是具有极大权威的。为了化除内部的竞争，曾用种种方式限定了它们的活动范围。不许任何同业者自由在各地操业，在一定场所以外找寻工作，那正是基尔特规定中的一个重要项目。但在这种限制下，自宅工资作业者人数，就不会超过需要，他们的工资，就可因此抬高起来。但在中国社会，工业基尔特的组织，是不够严密的；甚至可以说，像严格的欧洲型的基尔特，就根本不曾建立起来。一切类似基尔特的"行""帮"，其所有的规定，宁是偏于祭祀、联络、互济，以及特殊乡土关系方面的，就因此故，外出工资作业者，就如同托钵僧道一样，可以到处自由活动，不受拘束。而他们作业者人数，遂无法限定在需要范围以内，致令其所得报酬，不能不相应减落下来。

在这里，我们还可由这种劳动者的来源，来指述外出工资作业者，该是处在如何不利的地位。中国农村经济条件，同欧洲中世比较起来，是较多变动的。这也正是中国世袭职业不发达的主要原因之一。我们在其他场合不时提论到的中国地主经济形态,即土地移转买卖上的相当自由关系,很容易使土地集中少数人手中,而中国特型的商业资本,更助长了此种趋势。结局,借土地生活的农民,不论是自耕农,抑是佃农,在他由原有土地游离开,而又不能以更不利条件得到土地的时候,在职业上,就只有两个可能的出路:一是把他原来当作副业经营的手工业,当作本业,当作专业,变成独立手工业者。然则他是变成怎样的独立手工业者呢?在过去,一般人民,把土地看得特别重要;有了土地,他就宁愿是农民,而不是手工业者的情形下,同时,又在他因了贫困或者因了债务,致迫而离开土地的场合,他自然无力自备何等工业设备经营,而不得不选择需要较少学习技能,需要较简单生产工具的那种工作来做,那就正是外出工资作业形态,但是这条路显然是最不易走通的。除了上述那诸般压低工资的原因外,在这里,还得指出致命的一点。就是,他们的作业,如果只限于简而易行的那些事项,他们就不但会发现漫无限制的同业竞争,同时还会发现,每个较有心计的农民,都是他的竞争者。过去农民的特点,在使自己的生产,适合于自己的消费,吃自己耕种出来的米,喝自己酿成的酒,穿自己纺织裁缝的衣,甚至亲自动手修理家内一切门窗户壁,修理抽屉及箱笼。特别在一般农民陷于极度贫困的场合,他们只要可能自己做的,可能因陋就简的,他就不去叫工了。所以,在外出工资作业者中,即等人来雇的,比之向人兜工的要好一些,但他们毕竟总是失去了或者根本没有获得土地,才不得已而干这种活计的。就令其中一部分经历了多年的学徒训练,但学徒本身,就是展望着没有田地耕种,或不适于耕种田地,才出此下策的。

不错,除此以外,农村的失土者,还有一个可以称为职业的出路。那就是,向土地所有者乃至土地利用者(即农奴)以劳力换得饭吃。他们被称杂户、浮客,或浮食游民,在各村庄间,在他们以劳动能力或以勤俭德行,见称于"强豪",因而再被"贷以种苻,赁以居处",使成为其私属以前,差不多是一种奴隶的佣农。他们与其说是半自由的,毋宁说是没有生根的,他们的地位,当然比那些自备有简单作业工具的外出工资作业者,还要不如。因此,他们由利用其劳力所挣得的,就比之外出工资作业者的报酬,还要没有现代工资的涵义。

在上述工农雇佣劳动关系之外,也许还须提论到中国历代相承的官业上的劳动形态。官业有两个类型:其一是像制盐、采矿、烧瓷、造纸一类需要较高技术及较大规模设备的事业,那多半是由官办的,或由官方督办的。其主旨与其说是辅助生产,毋宁说是为了增加财政收入,故带有独占性质。这类企业形态,颇类似现代型的制造业。那在本质上,虽然仍是靠手劳动,而非借着机器劳动,但在这种协业方式下工作的劳动者,因为他们只分别担任全系列作业的一个方面,于是比较起需要一个人完成全系列工作的独立手工业者,就较能得到分工合作的利益,而使其劳力增大起来。单就这点说,从事这种作业的劳动者,已获得较大报酬的可能。而他们不论是招雇来的,强制来的,抑是自动投到的,都无需像独立手工业者那样,自备简单生产工具,那已说明他们更有接近现代工资劳动者的可能。

另一种官业,是关系封建君主贵族官僚乃至一部分特殊僧道之服用享受的物品制作的。老早以前,中国官厅就将从事这各种物品之手工业,称之为"百工",计分攻木之工凡七,其分作之业务,为舆、轮、弓、庐、匠、车、梓;攻金之工凡六,其分业为筑、冶、凫、㮚、段、桃；攻皮之工凡五，其分业为函、鲍、辉、韦、裘；设色之工凡五，所分为画、缋、钟、筐、慌；刮摩之工凡五，所分为玉、㭫、雕、矢、磬；搏埴之工凡二，所分为陶与瓬。每一门类，皆设官以掌之，其制详见《周礼·考工记》。当时分工程度，组织系统，似不可能做到如此完整地步。但历代上层社会或官家服用之特殊需要，既不易由民间得到满足，自不能不由官方统筹办理。特其分门别类及制作对象，因时代而各有不同，如佛教传入以后，有关铜钟、佛像、香料一类物品，始形成新的需要。而且，当少数特殊阶层需要，逐渐变为社会一般需要时，前此专为官方制造的物品，又不得不期之于民间的生产。但不论如何演变，每一个朝代，终归有它关系其特殊需要品制作之官业存在。而在这种官业上工作的手工业者，其名目尽管被称为"官奴"，因其技能类为一时之选，其报酬大体较为优渥。但他们显然不是创造交换价值而是专门创制使用价值的，"御用"的。他们也许当得起"贵族劳动者"的称谓，但其数量是有限的。当然不曾被亚丹·斯密归类在中国贫困的工资劳动者的范畴中。

第三章 由传统雇佣劳动到现代雇佣劳动的推移

上面有关中国雇佣劳动的简括说明,主要是为了要研究此种劳动,看它在向着现代雇佣劳动转化过程中,会发生,并曾发生怎样的作用,是促进的,抑是障碍的。

首先,外出工资作业的普遍存在,那可说是工业基尔特脆弱性的结果,同时又是它的原因。自然,说手工业者散在农村各地,并不是对中国"百工居肆"的史实怀疑,而是说明"居肆"的"百工",是会因此减少,因此分散的。手工业者要改变他的劳动条件,使他在现代劳动形态工作,是先就要否定他自己,使自家这一团,一部分或很少一部分变为老板,变为资本家,同时其他一大部分则变为依托那少数资本家之生产手段为生的一无所有的工资劳动者。这种劳动现代化过程,显然有许多社会因素在从中演着催生作用,但原有的雇佣劳动关系,显然是其中的有力因素之一。如其独立手工业者们,都被强固的约束在基尔特组织中,他们得化除内部竞争,增加对外抵抗力,他们的利益,就能很快的成长起来。欧洲的基尔特都市,曾是对抗封建贵族权势的大本营,而在这种都市中,至少在以前,在商业资本于近代初期确立其优势以前,差不多主要是以工业基尔特为重心(接近近代的商业基尔特,有许多是由工业基尔特转化的,或是联贯若干工业基尔特而形成的)。它们依着这种组织,虽然像是"作茧自缚"的把各个手工业者,拘限在一定都市,无法自由移动,同时,在这些手工业者中,当作职工,当作学徒而活动的劳动者,也许更感到不自由的痛苦。但当作一个社会集团,他们的成长和发展,却由此得到了莫大的保障,这可由种种方面予以说明。

先从内部关系讲:

被约束到了市集或都市的独立手工业者,他们已被限定是采取自宅工资作业方式,多少总具备有一些设备经营。他们的生活是比较固定的,精神是比较专一的。倘若有了利得,他们是可能而且便于把那个经营基础扩充起来,使其具有制造业的雏形。他们因为专一而集中,对于生产技术上的改进,业务经营上的改进,即没有基尔特的监督和指导,亦是较能收效的。

更就内部关系讲:

独立手工业者们有了组织,他们在生产过程中,已就生产品的种类、质量、成本价格等等方面,有所协议。对于其顾客的预定生产,并对于其非预定生产品的供给,都能在相当范围内加以规划。这一来,在各基尔特都市内部及外部从事贩运业务的商人,就把他们欺骗操纵的可能性大大限定了;就在这当中;整个商人基尔特在都市中的权势,也相应被限定了。所以,在欧洲,除了国外贩卖事业繁昌起来了的少数都市,如斐尼斯,汉撒同盟诸市,及英国在若干时期的某些都市,特别表示了商人的优势外,其余差不多都不能忽视工业基尔特的社会力量。工业基尔特能对封建贵族,以各种方式表达自己的要求,同时又可能对商业实行对抗,甚至处在优越的地位,那对工业乃至工人发达前途,有了极大的便利。

这内部外部的一序列有利社会条件交互影响,产业变革或新的雇佣劳动关系的产生,就得到了缩减过渡阶段的莫大促进作用。

我们再回头来看中国的情形。

中国独立手工业者被分散在农村,事实上,已把留在市集的手工业者的力量减弱了,而都是"行""帮"一类准基尔特的组织,既如前面所说,只在祭祀、联络、互济及乡谊上发生作用,对于从积极方面发展本身利益的种种措施,就大体缺如了。而同时,在同一市集或都市上的商人,一方面利用手工业者组织松弛的弱点,另一方面又利用传统的联系地权,结托官场的弱点,就无形形成了都市内部的组织者和支配者,他们由是得把工业当作营业的牺牲品。那些手工业者愈在都市失却了权益的保障,他们就愈不易向都市集中,反而促其向农村分散,使都市更本质的变为商人和政治者"共存共荣"的消费圈了。这无异奠定了商业支配工业的历史基础。

而同时分散在农村的外出工资作业者,他们那种作业方式,即使能使他们很意外的得到较好的报酬,或者能借着其学徒的劳动的补充,在维持其最低生活水准以外,还有所蓄积,则他对于蓄积的处理,决不是用以扩充其工业的设备经营,而是用以出贷,或者用以购置土地,在这种限度内,工业就不但受商业的劫持,同时也受农业或地权的妨阻。这是独立手工业者工资低落的原因,同时也是现代雇佣劳动关系不易形成的原因。

不错,我们也曾有前进一步了的协业或"准制造业"存在。但在那些方面,照我们前面所分析的,也好像同欧洲采取了不同的步调,由家内工业进展到独立手工业,再到制造业,最后到工厂工业,是一个非常自然的发展途径。但我们的那些协业或制造业,却不但不一定是独立手工业进化来的结果,甚且把手工业向着这方面进展的程度阻断了。我们的协业或制造业,或较大一点的协作企业经营,多半是由朝廷或官家,依着它的消费的需要,或者依着它的财政收入上的需要,而督促成功的。前述中国工业基尔特的政治脆弱性,早使独立手工业者不能自动的或自觉的提出它的保护或解放要求,而在官方监督下成立的各种具有规模的工业经营,更容易使一般在那里作业的人,把它对于经济的政治的要求,矇糊下去,钝挫下去。

不仅如此,官业上是有许多独占权益存在的。极普遍的极有发展前途的生产事业,如盐业、丝业、瓷业等等,即由官家伸出了独占的手,私人活动就感到困难了。同时,由社会上层消费的较有价值的物品,既多半由朝廷设官以董其事,一般独立手工业者的有利制作,可能索高价的制作,就受到限制了,这种种,已说明了官业在如何阻碍独立手工业向着制造业发展。而在另一方面,那种由官办或官督办的协业或制造业,其所有的利得,都不过是当作一笔财政上的收入,当作各种形式的浪费的开支,极不易转化为变革生产组织,扩大再生产的基金。历代独占官业的破产结局,是需要从这里去理解的。

最后,农业雇佣劳动的特殊形态,即土地所有者乃至土地使用者(即已经有土地可资利用的农奴),对那些浮游无根的失土者,或分给以小块土地、简单农具、种子及破烂小屋,使在自己监视下,从事耕作;或使其帮同耕作,只允许其换得最低生活资料;或只允许其就食的那种雇佣劳动形态,那显然会从多方面予现代雇佣关系以阻碍。首先,由于这种雇佣劳动的存在,土地所有尽管因土地的累积加多而不断集中,而其利用,却正因为由此可以增加累积,而又不断零碎的分散;土地零碎分散了,作为雇佣劳动前提的较大经营,就没有推进的余地;其次,由土地不绝集中,不绝游离出来的失土者,像是使那种形态的雇农或隶农不绝造成的源泉。他们不能做独立手工业者,不愿为乞丐盗匪,就只有这一条路可走。这种雇用方式,当然不是把他们当作奴隶,奴隶不但要直接监督其工作,且还要直接担负其疾病死亡与灾荒时的维持费用;也当然不是把他们当作农奴,农奴不但自备有简单的生产手段,不但对领主或土地所有者形成了一种普遍化了的惯常关系,即使加强榨取,也还有那种关系之下须得遵守的一般权界,同时,他们已经结成了奴主关系,就不免有使其关系固定化的倾向,使其土地所有者不易任意选择更理想的榨取对象。这就是说,在我们中国这种雇农形态上,主佃的关系是不确定的,这在某些场合,也许可以看作是结成正式地主农奴关系的一个前期的准备的或者试验的阶段。但只要还留在这个阶段,就可由其能任意解除供给土地生产工具及粮食的要挟武器,使那种隶农以尽可能少的食物,留供自家食用,以可能多的生产物,提供于土地所有者。惟其具有这种可任意榨取的特质,就不但"强豪"乐意引为"私属",而一般较有资力的佃农,也都相习利用"浮客",这真所谓"农奴的农奴"了。中国过去在农业方面,连极其形式的雇佣劳动关系亦不易建立起来,当然有许多更基本的原因在,但这种形态的劳动方式,无疑也演了莫大的阻碍作用。

  如其我们在这里所注意的,并非它们是什么,而宁是它们将会变成什么,则上述诸种传统劳动的形态,也许以最后这一形态,特别不容易变更它的本质。虽然全面的看去,它们对于现代雇佣劳动关系的形成,似乎在"通力合作"的造成一种大阻力。

  与现代资本主义接触以后,中国整个社会的任何一方面,都发生了或深或浅的变化。要在生产劳动关系上,看出那种变化对于其原有基础的关联,不禁使我们痛感到:已有的社会历史条件,该是如何限制其后来发展的历程。

最先,一向把独立生产者特别是独立手工业者,当作隶属来支配的商人及其组织,在他们被赋予了买办新使命以后,尽管被支配的对象,是有些改变了,农村的家内工业独立手工业在加速的趋于破产;适合次殖民地要求的制造业,也突破了原来的官业方式,变成了私人老板们的经营,并且,它们还是集中在若干大都市中,连同那些相继创立起来的中外新式工厂,把原来由官商合组成的消费都市性质,也给改变了。传统的商人基尔特式组织,亦已改换了面目——但所有这些改变,丝毫无碍于商人对于工人乃至工业者的全面支配。全国大大小小的都市,都是以所谓商会作为对外的政治性的代表。由都市到农村的大大小小的产业单位,差不多都是在商业资本作用下活动着。都市方面的许多工厂企业及制造业,或者是由商人直接当作其副业来经营,或者是由商人间接依贷给原料方式予以控制。在农村,凡属与对外贸易乃至对内贸易有关联的变形了的独立手工业及家内工业,殆无一不是隶属在商业资本之下,而以其各种花样的高利贷方式,将其集结起来。在这种劳动形态下作业的人,差不多是依照他们托附商人的程度,使他们自己或多或少的变为所谓"商业的血汗劳动者"或可"顾名思义"的称为"商奴"。其在都市方面的劳动者,他们表面虽然是直接由其老板或工业家取得报酬,与商人不发生关系,但商人在许多场合,显然是以后台老板的资格在活动着,而出面的老板或工业家,倒反而变成了中间人。如其说,商人的榨取,比较制造业者或工业家,还可更无怜惜,更无限制,我们都市工资劳动者的"商业"性,似并不能因其采取了现代的外形,而全被遮饰住。这一点,我们在后面还有比较详细谈到的机会,这里只说明:买办型商业对于工业的新统治形态,实在恶用了旧来商业基尔特支配工业基尔特的社会基础。

其次,近似现代制造业的各种官业形态。我们已知道那不是独立手工业逐渐进化的结果,而我们仅有的各种工厂工业或大工业,亦显然不是由那些旧时官业或协业逐渐演化的结果。它们像是各别横断着历史发展序列,而从工业过程外部,因为某种特殊要求,或特殊机缘,而被扶植创建起来的。这种特点,在产业的技术、资力、组织及经营与经验等等方面,比之一步一步发展过来的那些产业,是会表示极大的脆弱性的,这已够范围着我们的劳动形态工资形态;而且,一个突然起家的暴发户工业家,或商业的工业家,或政治性的工业家,对于他所支配的劳动力的管理及其劳动力的利用,比较起那些由独立手工业者变成老板,再进而变为工业资本家的人,他们不但是不肯怜惜,不肯保护,且也是不知道怜惜保护的。他们一开始,就是站在生产过程外部,让他们的委托者去作威作福,任意侵渔劳动者的。然而这还是过去企业影响雇佣劳动现代化的一面,事实上,还有更不利的一面。官企业虽形格势禁,不能向着现代大工业发展,但一切由官办或官督办的现代型企业,如像初期有关军需的各种工厂工业,都直接间接或多或少的采取了过去官业官企业或官制造业的各种经营方式。依据经济科学的特别指示:不是以私经济或私人工业之集中发展为基础的官业或国营工厂,很容易变为一个"衙门",一个"肥缺",而相应的把它的劳动者,以过去的眼光去理解或待遇为一种"官奴"。其实,这不独中国为然,就在封建性相当浓厚的日本,它的许多资本主义经营的国营工厂,根本就是招买贫农并集中囚犯去作业的。

最后,我们再来检讨过去那种"隶农"劳动形态,在农村雇佣关系现代化过程上的作用。谁都承认:中国农村社会是落后的。但这并不是说它还能维持原来的状态。外国各种廉价商品向农村的进出,农村一向由工农合体结成的自然经济,就逐渐为商品货币关系所分解。土地集中的速率,按照其传统趋势,大体是为社会资金向都市集中的速率所抵消了,或弛缓了。地主开始想慕都市生活;而都市方面的许多作风,如关于我们论题内的:把生产手段控制在自己手里,货币支付劳动者,使其在一定期间内从事劳动的那种逐渐通行于都市的方式,不但在土地所有者(地主或自耕农)乃至土地利用者(佃农)方面,觉得有利而轻快,因为在动荡的社会里面,把生产诸条件交给没有生根的"浮民",让他们随便去处理,已经是不上算的,不可靠的,而把一定土地及其他生产要件散分给若干隶农,究不如把他们集在一起,集在自己支配下工作,较能发挥分工合作的效率,但还有问题的另一个面。在一般失地的贫农,尽管农村副业破坏了,独立手工业也是死路,但都市方面即使不一定能给予他以工作,至少,已能给予他以获得工作的展望,实际上,大批的农民,已相率离开农村,在都市觅得了店伙、工资劳动者、苦力的职业了;而且,不但贫农有此就业的可能,他的妻和年幼的子女,亦有此可能。在这种情况下,他就不情愿依托于土地所有者,做他鞭笞下的牛马了。即使他有留在农村的必要,如不能取得充分的土地,或自备土地以外的生产条件,就宁愿按照自己的打算,或作年工或短工,或作月工,为经营土地者(自耕农或佃农)劳动,而由他们取得自己可能希望的报酬。在这种彼此两便的情形下,借着货币关系发展的促进,农村的劳动形态变化了。但单就土地经营者和农业工资劳动者的相对关系而言,那种变化过程,愈来愈对后者不利。产业不能顺利发展,由农村游离出来的劳动者,无法从都市找到工作,反在产业不况的期间,大量向农村逆流。结局,他们一向被当作游民,当作"游客",当作"游食浮民"的极不利地位,虽然在货币关系发展及其他社会条件变易的前提下,不再让他们成为"隶农""私农"一类的农奴以下的农奴,但那种农奴的实质,即那种农奴可能挣到的报酬的水准,仍被体现在一般农村劳动条件中,仅把给受的相互关系颠倒了一下:以前由隶农提供最大可能限度的剩余劳动生产物,现在由土地经营者给予最小可能限度的必要劳动生产物,而此必要劳动生产物部分,还大体货币化为工钱。这就是"变化"的全内容了。

由上面的说明,我们已大体可以理解:中国传统的雇佣关系,该在如何阻碍着并歪曲着雇佣劳动现代化的历程。自然,我们是在问题的全面中,作一面的考察。在这种前提假定下,如其我们过去的雇佣劳动关系里面,不体现着"商奴""官奴"和特种农奴的诸般特质,则在同资本主义接触以后的变化,也许不会像今日这样的畸形,至少,会是另一种姿态罢。

第四章 中国雇佣劳动的质与量

这里须得在说明所需的范围内,提出中国雇佣劳动者的统计数字。

比较经过审慎选择的数字,是说中国全部靠卖劳力生活的人,约计五千万以上。设认定全国人口是四万万,雇佣劳动者就占其中八分之一或百分之一二·五。那比起英美各国来(英国产业工人占全体人口百分之七八,美国产业工人占全体百分之七四),已是瞠乎其后了。但如其再把其中的品类加以识别,那就显得太可怜了。据大约的估计,(见《文化杂志》二卷二期许慎之著《中国产业劳动之研究》),那五千万以上靠卖劳力生活者当中,有三千万以上是农业雇佣劳动者(这同王宜昌在《中国经济》三卷九期《中国资本制地租》一文中,引述《中山文化教育馆季刊》第一期有关中国雇佣劳动数字,而计算的结果,无大出入,那是说,全国各省存在有占全农村人口,最少为百分之六左右,最多为百分之二十左右的农业雇佣劳动者人口,平均起来,共占全农业人口的百分之十以上。如其全国人口以四万万计,照一般估计,中国农民占全人口的百分之八十,则农业雇佣劳动者,应为三千二百万左右)。有一百五十万以上,是包括城市码头工人、铁道上运夫、清道夫、人力车夫、轿夫、船夫等(依照经验,这项劳动者的实在数字,也许还大得多),有八百万左右是家庭工业者及独立手工业者;有六百万到八百万,是各种旧式手工业作坊工人,旧式矿坑工,特别是制盐、制烟、榨油、烧瓷及旧式纺织场工人;此外,有三百万到三百五十万,是新式产业工人。这各种劳动者数目,除了最后这一项,尚有不甚完全的统计可资依据外,其余多半是出于推算或估计。但全盘综合起来,大体可给予我们这样一个总概念:在大约四万万左右的人口中,约有数千万的雇佣劳动者,而在此数千万的雇佣劳动者中,只有还不到十分之一的产业工人。

我们就从产业工人数对全国人口数的比例说起。

如其说,现代产业工人的人数,大体可以看为是一个社会发展程度的指标,看为是资本主义生产方法对落后生产方法征服进度的测验,我们就不妨大体依据这不十分准确的比例数字,在原则上,分别考察产业工人以外的数千万雇佣劳动者的可能特质,及那些产业工人本身的可能特质。

资本主义生产方法对于落后生产方法的代替,不是用移接的外科手术可以奏效的。它得在旧有的社会基础上,把一切新生产方法所需要的社会条件创造出来,老牌资本主义的英国,曾在澳洲及美洲,有过一些失败的经验。它想用轮船把资本主义搬运到澳洲,却不能从自耕农的澳洲居民中找到配合搬运去的生产手段及其他技术条件的工资劳动者;它又曾企图用轮船把资本主义搬运到美洲,但它的机器工厂及一切技术设备,即使随同移民一道到了美洲,但那些移民一到达了那里,就因为自己很容易由垦荒及掠夺工人变为富有者,他们怎么也不肯为资本家生产了。这说明,贫困或使社会广大群众变为贫困者,无产者,是资本主义生产方法最不可少的一个条件,缺乏这一个条件,其他一切成就资本主义生产的因素,都将变为非资本主义的了。反之,如其一个社会,像中国这样,一方面由传统的土地集中方式,使农民不绝由生产手段分离,同时,又由外国商品的大量输入,使农村旧有的工农合体组织分解,由是,大量贫困的生产者被制造出来,由是,资本主义生产的这一不可缺少的条件,乃有了着落。但依据实际经验,我们产业发展或商品生产所需的诸般内在外在条件,都付阙如。贫困的无产者尽管对于资本主义生产最关重要,但如其缺乏其他社会条件,他们显然无法独立成为资本主义的因素,而变为现代性的工资劳动者。所以,在前述五千万左右的雇佣劳动者中,除了仅占其中二十分之一的产业工人而外,其余尽管都是靠拍卖劳动力生活,但因为在资本主义生产方法下利用劳动力的条件没有形成,那些劳动者就无法在平等自由的形式上,出卖其劳动力,换言之,其劳动力的提供,即使具有"商品"的外形,却仍不免保有"贡品"的实质。在新旧的制造业上,在变形了的家内工业乃至独立手工业上,他们那种劳动力的"贡品"性质,主要是以"商奴"或"债奴"的资格表现出来的,而在农业上,他们那种劳动力的"贡品"性质,则主要是以"特种农民"或"隶农"的资格表现出来的。

事实上,在上述各种落后产业部门的劳动者,诚然无法以现代雇佣劳动条件工作,即那些幸被吸收在新式产业部门的劳动者,他们亦不能也不曾在充分的现代雇佣劳动条件下工作。其中最基本的原因之一,就是产业现代化,是把一个社会全面的变革作为前提。不论从事任何新式产业经营的企业家,其设备可以是够完备的,其经营方式可以是够合规则的,但如其他的工厂是设立在没有成就社会变革的环境之下,他对于劳动力的购买,就一定会依着他的自利打算,把那种购买条件尽可能的压低到变质的程度。这是每个资本主义国家都曾在近代前期经验过来的事。

其次，如其说，中国产业工人的雇佣劳动条件，不论怎样不够现代化，一般还比较手工业者、苦力乃至雇农为佳，那就说明，这三百万以上的产业工人，经常将近有二十倍或更多倍的产业预备军或候补者，在威胁他们，在向资本家招手。在农村破产局面日益严重化的情形下，这个不断增加的压力，该会怎样在产业工人雇佣条件上发生不利的影响，那是非常明显的。

此外，我们还得把中国新式产业中的外人经营，乃至托庇外人而经营的成分加入考虑。外人在中国经营产业，在开始，已经是把中国劳动价格特别低廉这一因素，放在注意的第一位。而且，对于劳动力的榨取，外国产业经营者比之中国资本家，还要没有习惯道德观念的拘束。即是说，还要没有怜惜。加之，帝国主义者对于殖民地人民，特别是对于殖民地的劳苦大众，早就不是以人看待，而各种形态的特权，更足以敦促他们，使他们得无所顾忌的给予中国雇佣劳动者以非人的待遇。

我们把这种种方面的情形考察起来，就知道，在中国广大的雇佣劳动群中，就连那有限的一部分产业工人，亦还不能完全在现代雇佣劳动条件上受到雇用。

然而，这都是偏于原则方面的说明。我们将由现实的具体事实来予以证示。

第五章　从工资形态上看出的各种榨取关系的现实基础

在中国,为外人所经营的产业,一般是能获得超额利润的;生息资本与商业资本,是能获有使人难于置信的利息利润率的;地租率是高到使人难于想象的。这种种事实,自然须从许多方面予以说明,但最基本最本质的,却须在我们劳动形态工资形态上得到理解。

先从较新式的产业方面讲起。

资本主义采用机械的第一个标语,就是妇女劳动与儿童劳动。就是一方面利用妇女儿童劳动的低率报酬,同时又利用低率报酬的妇女儿童劳动,来压低成人劳动的工资。现代资本主义的果实,差不多有许多是用妇女儿童劳动的血汗灌溉成功的。而一切对资本主义的非难,一切限制资本增殖的工厂法令,在开始殆无一不是把注意集中到妇女儿童劳动上面。——我们很可把握这一命题,来开始中国产业工人之雇佣劳动条件的描述。

可以算为是中国新式产业工人的,得分为三个部类:一是铁道工人同海员,一是矿工,一是工厂劳动者,特别是纺织工人。其中,第三部类产业劳动者,占有绝对的多数,我们下面的研究,主要是集中在这一方面。

《中国劳动年鉴》在一九三三年登载全国二十三省市工资劳动者二百万零二五六人中,妇女童工就占有四分之一以上。但在上海一地,把厂外或家庭作业者也算起来,单是缎业上,在六十万劳工中,就有五十五万妇女儿童。上海市的报告,指出全市十四岁以下的儿童劳动者,计达一六八,八八五人。妇女儿童劳动者人数竟达到这样大的比例,最直观的说明,当然是他们所担任的工作,即使同成年男工相等,报酬亦大有差别。比如,上海在一九三〇年,根据工商部调查,各业平均每月普通工资,男工为一五·二八元,妇女为一二·五〇元,童工则为八·七〇元。他们的工资差别如此之大,也许在若干场合,男工要比妇女儿童所担任的工作要繁重些;或者妇女儿童所担任的工作,在有些场合,说不定要简单些。但不论工作繁简如何,一律使用成年男工,就一律支给成年男工的报酬。尽可能使妇女儿童来担任成年男工的作业,雇佣的支出,是无疑要相应节省下来的。

但雇佣妇女儿童的利益,决不止此。妇女儿童担任起成年男工的作业,成年男工在一定职业活动范围内,立刻就要感到其妻子辈的竞争和排挤,这对于压低成年男工工资,更进而压低妇女儿童劳动者工资,是一个杀人不见血的好手段。

不仅此也,妇女儿童比起成年男工来,是更易管束,更易鞭策的。我们由此可以想见:中国上海等大都市新兴工业方面采行的劳动管束督励方式,如领班制、包工制、等级制、轮班制、压工制以及彰明较著的打骂规定,都与妇女儿童劳动的大量雇佣,保有极密切的联系。压力总是向着抵抗力较弱的方面伸展的。比如,关于上海的幼年劳动状态,上海工部局曾于一九二三年设立一个调查委员会,从事调查。调查的结果,在翌年曾向工部局总会提出,其中指明了:在上海市工业区域里面的二百七十四个工厂中,有十二岁以下的孩童工二万二千人,他们劳动的时间,是从早上六点钟

第五章　从工资形态上看出的各种榨取关系的现实基础

起,到午后六点钟止,或是从午后六点钟起到早上六点钟止,普遍都是一天做十二点钟的工。这个委员会还报告:有许多像是满了六岁,又像不够六岁的孩童在作工,他们有的不到五岁就被雇用。有时竟不是劳动十二小时,像在成天成夜的继续工作。

这个报告无疑是凄惨的。但如把他们这些孩子吃的、住的、穿的生活全般状态调查出来,把工厂附近劳动者住宿区的种种非人道的、被侮辱的与被损害的情形全般调查出来,一定更使人嗅到血腥味道了。孩子们是如此长时间的工作着,他们的父母兄姊们的劳动状态,是不难想到的。

不错,我们是有过一些劳动立法的。民国十二年,北京政府农工部公布了暂行工厂通则,同年,又公布了矿工待遇规则。翌年,孙中山先生曾在广东以大元帅名义,公布《工会条例》。民国十八年南京政府公布工厂法。这几个法令大体与现代资本主义各国早期的劳动立法,有许多类似地方;如真能照着法令的规定做去,也许不难使中国雇佣劳动条件,被强制的具有现代内容。但这是不可能的。比如说,要未足规定年龄的儿童不从事劳动,一定要使他们父母的劳动报酬,能维持一家最低生活,否则儿童劳动的雇佣,就不但不表现为一种罪恶,却会表现为一种"恩惠",表现为一种值得用贿赂方式去获取的"恩物"。事实上,许多劳动者的职业,根本就是用各种贿赂方式得来的。而大英帝国领事馆的报告,还公然认定:把孩子吸收到作业中的父母旁边,或同父母一道进厂工作,较之让他们浪迹街头,还要安全而有保护。当然哪,它们是有收买大批救贫院、孤儿院的儿童,以增殖其资本价值的"光荣"历史的。对于殖民地的儿童妇女,更是无所用其怜惜。所以,在一九三三年六月中国虽在十七届国际劳动大会中提议:"外侨在华所设工厂,应服从中国政府之劳工法规"，但大会竟把这个提案否决了。这说明外人在华工厂的劳动者，始终没有取得现代雇佣劳动条件的待遇。以保障资本主义列强利益为旨归的国际劳工大会，当然不会贸然依照中国政府的请求，把它们在华产业超额利润源泉予以堵塞。

中国方面的雇佣者，在法外的劳动榨取上，诚然比较外人要多受到一些习惯、舆论及道德观念的拘束，但他们的经营，如其不是为了慈善目的，同时，他们的产业利润又在遭受无可如何的高率借款利息，高率商业利润，以及其他种种方面的经济外勒索的情形下，他们几乎比外人还需要在雇佣劳动条件上讨一些便宜。所以，外人在工厂中采行的一切有效榨取办法，华厂方面，立即就受到"传染"；而政府在保护国人产业的立场上，既不易对租界内工厂，特别对外人工厂施行检查和取缔，对于华界的工厂，对于华人工厂，就惟有在鼓励劳动者帮助民族产业发展的号召下，"听其自然"了。

不过，大量使用妇女儿童劳动，借以增加剥削，并增进剩余价值的方式，并不完全是在外人领导下模仿来的。慢说"实利可以使人智慧"，就是中国传统的专制政权下采行的各种奴役生产劳动者的办法，我们的雇佣者，也是不会健忘的。外国许多"中国通"学者，如威特福格（Wittfogel）等就认定：中国产业劳动者的悲惨状况，绝非近代初期的任何国家的劳动者的不幸遭遇所可比拟：他们在作业中乃至作业外所受到的鞭打恶骂和百般凌辱的情形，不是在传统专制淫威下习惯了忍辱含垢的人民，决不能"顺受"，而在华外人其所以不惜破廉耻的采行一切备极侮辱欺压的榨取办法，也只是因为他们看惯了中国上层社会任意蹂躏其同胞的种种情形。这见解，我们是无法完全否认的。

如其说,机械是使新式产业与原始诸产业形态相区别的最明显标识,则使用原始手工业工具的各种协业,如制盐业、制瓷业、制糖业、制烟业、制茶业等;各种制作场,如榨坊、染坊、木作坊、皮革店等;特别是各种旧式纺织场,如丝、麻、棉、纺织场等,亦并不曾在他们的作业过程中,忽视使用妇女劳动或儿童劳动的利益。虽然它们这种倾向,是在受到资本主义生产方法的影响以后,才更形加强的。它们这各种产业经营方式,差不多一般的在施行以次几种雇佣劳动制度,特其程度因各别作业性质不同,互有参差罢了。

第一种劳动制,就是一般通行的学徒制。所有这些制作场所(甚至若干现代型工厂),殆无一不拥有或多或少的幼年劳动者,这些幼年劳动者,有的是学徒,有的完全只是一个学徒的名义;他们每日的劳动时间,尽管由早上五点钟延到午后十一点钟,即把劳动日拉长到了十八小时,他们差不多都只是换到一点粗恶的饭食,而不给工钱。

第二种劳动制,就是与学徒制密切联系的家长制。集结在一个老板手下的若干学徒,及若干与其有师徒关系的职工,一切都是照着老板的意志行事的。工作时间的长短,工作报酬的多少,差不多全没有明确规定。业作是否顺利,老板是否勤于业务,以及老板对于他们的好恶程度,是他们除了换到饭吃以外,能否取得些许金钱报酬的最可靠标准。

第三种劳动制,则是普通所谓血汗制。即把工作领回家中去作的一种最剥削性的计件劳动形态。在旧式鞭炮业上,在瓷业上,在各种纺织业上,特别在火柴业及卷烟业上,都在每一个生产单位上集中有大批手工业者,他们因所在地区及所业性质不同,有的是专靠此种劳动报酬生活,有的则是当作副业,但不论如何,他们的全般待遇,差不多都低微到了几乎使人难于相信的程度。要靠这种劳动谋生，他们的作业时间，就可能是夜以继日的。而他们把一家老小，全都动员到生产作业中，那也是极其自然的事。

第四种劳动制，那是与血汗制相关联的包工制。这种制度当然是非常古典的，但也显然渗入了现代的因素。它是计件工资制的一种副产物。工作由包工者从厂商那里承包下来，再由他们通过一些分包者配给于一般劳动者工作。新旧式的建筑业，一部分的矿坑、盐场，乃至纺织场，都在施行这种制度。这种劳动制，除了同血汗制一样，具有突破时间限制的作用外，还会尽量发挥层层剥削的能事。

我们不难想到：一切多少包含有这诸般劳动制度的产业，自然可能存在着更野蛮的其他剥削方式，但我们在这里所须说明的，宁是它们共同的内在关联。在舶来品与新式工厂经营竞争与压迫之下，尽管如我们在其他场合所说的，具有容易分散容易结合之机动性能的制造业，乃至各种形态的作业坊，较之独立手工业者，是更有存在可能的。但它们这种存在可能性，却主要是为以次两种事实所规制着：首先，制造业及各种形态的作业坊，正好是买办商业资本要求的理想规模，大规模的新式工厂工业，是不肯受其控制的，而过于分散的独立手工业，又是很不容易控制的，惟有中等规模的制造业、作业坊，在作业上，在原料配集上，在产品集中上，都容易收到驾驭操纵的实效。商业资本家可以把它们的老板，变为自己的经纪人，所以，在工业领域内，中国买办商业差不多主要是把这种形态的产业，作为其资本增殖的温床。但这种形态的产业，何以竟能支持商业资本（同时还有其帮凶高利贷资本的高利息），那是我们需要在这里释明的又一点。在制造厂，在各种作业坊中的劳动者，他们虽然主要还是凭手工作，但他们被集结在一个作业单位中了,由分工节省时间了,由协作得到实效了,比起独立手工业者来,他们的劳动生产力增进了,他们剩余劳动生产物加多了。但剩余劳动生产物部分尽管加多,作为他们劳动报酬的必要劳动生产部分,却在依着上述诸种劳动条件,而被迫相对的缩减。他们的非人生活,体现了他们的"商奴"乃至"债奴"的资格。

最后,我需要把我们上面谈到的一千五百万左右的雇农的特质,略予说明了。

个别的劳动者,是由他脱离旧的生产手段——土地,从而依属于新的生产手段——资本或机器,为其特征的。在这种转变中,直接生产的农业劳动者,已不是同土地所有者结成生产关系,却是同土地以外的其他生产手段,特别是机器的所有者或农业资本家结成生产关系。换一个表现方式,即在经过这一转变后,用以剥削他的工具,已经不是土地,而是资本了。

在中国农村里面,不论从事农业经营者是地主,是富农,抑是中小农乃至佃农,通是采行小经营,或较大规模的小经营方式。他们主要的或最重要的生产手段,自然是土地。有较多较大的土地,就算有了较有力的劳动剥削工具。富农及兼营土地的地主,乃至中小农,固然是以土地所有者的资格,与直接生产的劳动者对立,就是租赁他人土地的佃农,他们在临时或较长期雇佣劳工的场合,亦是以土地保有者、土地使用者的资格,与那些既不能所有土地,又不能保有土地,因而不得不受雇于他们的直接生产者对立。

如其说,这是非常明白的不可否认的事实,则我们农村的那一千五百万雇佣劳动者,就不是因为土地被剥夺去了,同时又没有获得土地以外的生产手段而被雇用;而是因为土地被剥夺去了,同时又没有取得土地的使用机会,而被雇用。就因此故,构成中国农村社会最低阶层的三个支柱,即小农、佃农、雇农三者之间,尽管在许多场合,是交流的,是兼任的,但分别当作一个范畴,一方面,小农是在极不得已的条件下,才肯放弃他所有的小块土地,同时,佃农亦是在极不得已的情形下,才肯放弃他保有的少量土地;另一方面,佃农要取得少许土地,固然极其困难,雇农要租得少许土地,也许还要困难。就这样雇农便变成了农村社会最低层的不幸者了。

一般的讲,我们农业经营者之从事土地经营,其最终目的,无非是获得更多的土地。一旦如愿以偿了,他们就不大肯继续担当这种麻烦工作,而变为专讲消费的坐收地租者。这就是说,除了极少数的富农而外,雇佣劳动的人,差不多是一些连必需简单农具都不齐备,生活一直在困难中的中小农及佃农:他们并不是因为备有较好农具,备有得力牲口,才雇佣劳动,反之,却往往是因为备置不起这些劳动条件,才以劳动力来补充代替的。这说明:劳动力的价格,平均要低在畜力以下,低在农具备置费以下,才有被雇可能,即非如此,亦是说,劳动力价格,是不像畜力的价格,不像农具的价格需要一次支付,而可以零碎支付,或到了一定雇佣期终了,才开始支付的。

各种落后的离奇的雇佣劳动关系,就因此产生出来,我们可以让读者自己去印证我们农村,该在实行着怎样的雇佣条件。

有不少的人,见到中国农村雇佣劳动的普遍存在,就从现象上去结论劳动力商品化的根据。其实,劳动力是否真正商品化,其正面的,货币支付形态,其反面的,一般农村劳动者都膳宿在雇主家,而非膳宿在自己家,都不够成为有力的说明。其重要关键,乃在那些劳动者,究是依属于土地工作,抑是依属于资本工作。惟其如我们前面所分析的,他们不是因为缺少资本而被雇,宁是因为缺少土地而被雇,所以,一切掌握着土地在手中的人,无论他是所有者,抑是租有保有者，都可能利用土地来剥削他人。我们农村中的小农佃农，就这样取得了剥削他人的资格——而这也正是雇佣劳动普遍存在的又一依据。

显然的，我们的佃农，一般都不曾具有现代租地农业家的实质。他不是以资本力向地主讲话，而是以劳动力向地主讲话，因此之故，他就不免要因他对土地的依赖程度，而对地主结成相应的隶属关系或农奴关系。这是前述徭役的雇佣方式所由形成的基本原因之一。可是，一般佃农尽管没有完全脱却农奴的性质，那却并不妨碍他对于没有租得土地者发挥剥削的能事。反之，他也许因此更须借助他人的劳动，以成就其租有土地，保有土地，所需忍受的过重负担——高率地租。从这里，我们毕竟探索到了中国奇重的地租之存在基础了。

本篇问题研究

一、必要劳动与剩余劳动的划分，为什么采取了工资方式以后，便不大为一般人，一般经济学者所认识？

二、亚丹·斯密有关中国工资的理解，是否正确？

三、"自宅工资作业"与"外出工资作业"，对于此后工业的发展，有何利与不利的影响？

四、中国新式产业上的雇佣劳动条件，为什么也不能现代化？

五、中国社会存在的种种榨取关系，大体上是把种种雇佣劳动条件，作为其现实的基础，此点将如何说明？

六、中国农村的小佃农，原来与资本社会的租地农业家，有着本质的差别，但他们为什么也取得有剥削雇农的资格呢？

第七篇 中国地租形态

第一章　由封建制地租向资本制
　　　　地租转化的历程

　　在经济学上,地租比较其他经济范畴,更不容易理解。这有两个原因:其一是,经济学在说明或分析的便利上,一般是把工业领域内的商品生产,作为其研究对象,这不但是由于现代资本主义生产方法,是先从工业领域逐渐展拓到农业领域,同时也由于资本主义经济形态,在工业领域的发展程度一般比之在农业领域,较为成熟而纯一。地租大体是归属在农业领域的一个经济范畴,它因而就比较可能保留有一些前期或落后的因素或关系在里面,使我们对它的分析,感到较多的困难。其次是,经济学在研究的程序上,是把工业领域内的商品分析的结论,应用到农业领域的商品分析上,而农业上商品与工业上商品相区别的重要关节,就是在前者的价值中,还比后者要包括有一个可以实现并转化为地租的超额部分。(自然,在工业领域内,也是有地租这个范畴存在的,工厂并不是悬在空中,不过工业上的集中发展,地租在那里的重要性是极度缩小了。)如果说商品价值学说是经济学的锁钥,那么我们对于地租的理解,尤须把那个锁钥牢牢把握着,在这种意义上,全部经济理论,几乎被看作是理解地租的准备了。

　　可是,地租理解的困难,虽曾把许多优秀经济学者例如亚丹·斯密,里嘉图辈的脑子弄得发昏,而在初期,在资本主义开始其端绪的十七八世纪,像配第(Petty)一流学者,却把这问题看得极其容易。这原因,就是由于他们接近封建期,他们还不妨直观的把地租看作剩余价值一般的通例的形态。而当时资本地租,则还不曾当作一个既成形态来困扰他们的分析。反之,在一个世纪以后,当作亚丹·斯密研究的对象的地租范畴,已经复杂化为新旧交替的转形形态了;再过半世纪,在当作里嘉图研究对象的地租范畴中,新的形态难已取得了支配地位,而旧的形态,却不曾完全从人们认识境界消失。所以,亚丹·斯密尽管渊博的天才的确立了许多经济法则,但对于地租的概念,却格外表现得含糊。这是时代苦煞了他,可是时代却也并不怎样便宜了里嘉图,虽然地租论上的基本法则,终竟由里嘉图定立起来了。

一般的讲,地租有三个历史的形态,即劳动地租,实物地租,货币地租,前两者均属封建制的范畴,而第三者则为资本制的范畴。虽然在前资本社会,实物地租往往在某种限度以货币折纳;资本制地租,也往往在某种限度以实物折纳,但通例的资本制地租,则必须是货币地租。

劳动地租是最单纯的地租形态,直接生产者为了利用一定限度的他人的土地,他在每一周间,得腾出一定部分的时间,用那在实际上或在法理上属于他的劳动工具,无代价的,在地主土地上,在地主监督之下,为地主劳动。而在实物地租上,则情形有些不同。直接生产者为了利用一定限度的他人的土地,只须在一年收获终了的时候,提供土地所有者一定限量的土地生产物。在这场合,土地所有者不复能在劳动的自然形态上,取得直接生产者的剩余劳动,而只能在生产物的自然形态上,取得直接生产者的剩余劳动了。直接生产者这时就不但无须在地主监督下劳动,且无须在地主监督下处理其剩余劳动生产物了。地租的这一转化,并不曾改变"它是剩余价值或剩余劳动之唯一的支配的形态"那种本质。

但由实物地租转化到货币地租,一切就要改观了。直接生产者不以他的劳动生产物提供土地所有者,却以他的劳动生产物的价格提供土地所有者,那看似简单,但至少须得完成以次诸般社会前提:

首先,以劳动生产物的价格当作地租,一定要直接生产者手中的生产物全部或一部分变成商品,变成货币。而农业生产物商品化,事实上,势须商业,都市产业,商品生产一般以及货币流通,都已有显著的发展,并且,这种生产物,还得有一个市场价格,以接近价值的市价出售。

其次,伴随土地所有者和土地租佃者间的关系的法理化,货币化,农村的社会生产关系,定然要发生一个根本的变革。原来的直接生产者,一方面会解除其对土地所有者的传统封建义务,由是表现其独立自由的人格,同时,他一向用以从事耕作的土地以外的劳动条件,更须完完全全的成为他的所有物,他并且因为有了这些劳动条件,才能与土地所有者发生租佃关系。在这种新关系成立的过程中,一部分境况较好的直接生产者,便因货币可以取得土地所有权,并连带确定所有了土地以外的劳动条件,他们变成了完全独立的自耕农;而另一部分境况较差的直接生产者,便因没有货币取得土地所有权,也连带无法保持住土地以外的劳动条件,他们遂变成了一无所有的无产者,或农业工资劳动者。他们这一部分人,以前是因为没有土地,从而没有土地以外的劳动条件,便与土地所有者发生直接关系,现在是因为没有土地以外的劳动条件,从而,无法取得土地,便与那些劳动条件或生产手段的所有者发生直接关系,农村社会关系一经取得这种姿态,以前最重要的劳动条件——土地,就对其他次要的劳动条件,逐渐减低其重要性,并反过来变为次要的了。租佃者即农业生产手段所有者,以资本家的资格出现了。所谓资本主义租地农业家,一经插在土地所有者和现实耕作的农业劳动者中间,一切由旧式农村生产方法发生的关系,乃归于消灭。

此外,还有一个重要的前提,来成就由实物地租到货币地租的转化,就是,要使货币地租关系的确定,不变成任意的,偶然的,而有客观的社会的依据,即要使农业生产物的剩余价值,在上述租地农业家与土地所有者间的分割,不是凭经济外的任何强制,一定要非农业领域的商品生产,已经形成了一个作为其资本流通基准的平均利润,有了这个平均利润作为限界,租地农业家,始知道他把资本使用在农业上所应当取得的报酬是多少,从而,知道他在农业劳动生产物的剩余价值中,应当给予土地所有者的份额是多少,同时,在土地所有者方面,他亦由是知道,他应当让租地农业家获得的报酬是多少,和他自己应当在农业劳动生产物的剩余价值中分得的额数是多少。如其他多得了,租地农业家就可能把他的资本投用到非农业的生产上;如其租地农业家多得了,他亦可能变卖他的土地,去从事其他经营。租地农业家与土地所有者的租赁契约,就是这样把非农业领域内通行的平均利润作为其讲多还少的客观标准的。农业上商品生产与工业上商品生产,其特征的区别,就是在农业上,因为资本是更低位的构成,而由是产出了较多的剩余价值,即产出了非农业领域内之平均利润以上的超额利润,来作为土地这种自然因素独占所取得的报酬的基础。结局,以前把地租看作是剩余价值之一的通例的形态,现在却把利润看作是剩余价值之一般的通例的形态了。

上面是封建制地租转化到资本制地租的全历程。这种转化，虽是由实物提供改作货币提供的关系，体现出来，但伏在这种现象后面的本质上的改革，却可总括为几个要点：（一）农业生产物至少有一大部非当作使用价值产出，而是当作交换价值产出；（二）农业劳动条件最关重要的，已经不是土地，而是土地以外的生产手段；（三）农业劳动者的直接依托人或关系人，早已不是土地所有者，而是土地以外的其他生产手段的所有者；（四）农业经营者的报酬，不是在地租限额下，由地租分出，反之，土地所有者的报酬，却反而是在平均利润的限界下，由利润超额转化；（五）农业劳动上的剩余价值，不再是把地租当作其一般形态，而是把利润当作其一般形态。

不过，所有这些变革，是指着资本制地租已经完成，已经走完了它的转化历程说的。而在其开始转化或正在转化的历程中，上述无论那一方面的变化，都将不免表现出极其庞杂不纯的中间形态来。根据前面关于中国商品货币资本诸方面的研究，也许我们特别需要把那些中间形态指明出来，但为了避免叙述上的重复，这里仅指出封建制地租与资本制地租各别的特质及其转化历程，借作我们以后的论据就行了。

第二章　中国地租的一般现象形态及其特质的把握

　　地租在中国亦是一个很古的经济形态。地租的演变,当然与它同其悠久的其他经济形态,保有密切关联,如其说,中国经济史上一向是把土地问题作为其最基本的问题来理解,则当作土地问题之核心的地租形态的分析,就几乎在说明中国历史上的任何经济事象,都有着决定的意义。我在其他场合,已不止一次的提论到了中国地权与商业资本及高利贷资本的关系,或地租与商业资本利润及生息资本利息的关系,但中国地权或其更现实体现物的地租,却是要在这里才能把它的特质表现出来的。

　　直至现今为止,在中国一般经济现象中,也许以地租这一现象,比较保留有更多的传统因素,这原因,似乎不只由于农村方面的经济变革,一般是落后在都市后面,还由于我们在都市方面的产业发展趋势,一般且有阻止农村土地关系根本改变的作用存在。但虽如此,我们的地租形态,并不是一仍旧贯的。近十数年来,中外学者关于中国的地租,已分别在实际调查和理论方面有了不少贡献。我这里仅须就原论说明所需范围内,举述其最一般诸现象形态。

　　首先,地租在中国今日是一个最广泛存在的经济现象。全国各地的情形虽不尽一致,即有的省区或地区的租耕地较之自耕地

第二章 中国地租的一般现象形态及其特质的把握

为普遍,而在其他省区或地区,又有相反情形,但综合来看,在全国耕地中,租耕地约占百分之六十左右(这是根据不同观点的外国学者之概计而作的评估。据马扎尔:西南诸省地主,占有耕地百分之六十到七十,扬子江流域占有百分之五十到六十,河南、陕西占有百分之五十,山东占有百分之三十到四十,湖北占有百分之十到三十,东北诸省占有百分之五十到七十;据拉西曼:自耕农在中国南部十二省,只占到百分之二三,半自耕农占百分之二五,而纯粹的佃农却占有百分之四三),在这广大面积的租耕地中,属于官庄、学田、族产、寺庙等公有地的,仅占极少数,而且还在加速解体中,其余均为私人地主所有。这说明,纯粹封建土地所有形态,已无法继续维持,而具有资本主义外观的地主经济,却在发展着。

其次,与上述地主经济发展相照应,所有这些租地的出租,一般都采取了契约的方式,即租地者与地主已有了契约关系,虽然在较落后地区,在极小规模的极零碎的租赁场合,还存在着口约办法。不过,口约固不必说,就是契约中所载的条款,也是因地因时因人而不同的,而且在不同之中却各存在着一个共通特点,就是,由契约所规定的权利义务,大体都是片面的,即地主对于租地者所应享的权利,和租地者对于地主所应尽的义务。不错,在年限的规定上,有所谓永业租、定期租、不定期租等名色,在租佃的形式上,有所谓包租、分租、转租等名色,对于这各种租佃条件本身的限制,地主似乎亦不免要受到拘束,但试一分析其内容,却无不是在为地主设想,至少,亦为地主留下了可以"便宜行事"的余地。

又其次,租地者或佃户对地主提供的地租,一般仍是采行物纳形态或实物形态。在若干特殊区域,如在新开辟中的东北,在某些特种栽培区域,如在种棉、种烟、栽种竹木及从事园艺耕作地带,还有如接近都市地带，无疑已有货币地租出现。但货币地租在全体地租中所占比重是极小的，这如同力役地租在全体地租中所占比重是极小的一样。自然，我们并不否认地租货币化的趋势在日益进展中，但同时得承认，那种进展是非常缓慢，且在实质上是作为实物地租的变形，而非其转化形态，这是我们要在下面交代清楚的。

最后，我们还须谈到那种实物地租的租率。地租率是土地总价格对于其年租额的比率。但普通还有一个计算法，就是把土地的年租额拿去除它的总价格，就得出若干年度始可收回购买价格的"购买年数"（Purchase year）来，购买年数愈少，即地租率愈高。中国普通的租率，由土地的丰度，租佃当事双方的经济地位，以及其他种种因素，互有不同，但一般租额，总要占土地生产物百分之五十以上，有的高到百分之七八十的。以购买年数换算，最多为十六年，次为十二年，最少为五年（参见马扎尔《中国经济概论》），再加以平均，约为十一年，即地租率一般约在百分之十以上（德人瓦格涅尔分析山东农民的实际经济情形，说他们要缴纳合地价百分之十八的地租，并表示这在中国，还不算是顶高的。同时他还比较的说，普鲁士农民付给国家的租金，不过百分之三又二分之一）。设把英国在产业革命时期中的购买年数为二〇至二五，在第一次战后更降为二七至三〇，德国在毕斯马克时代为二八至三二，在战后始提高到二〇左右，加以比较，我们今日地租率之高，就非现代任何国家所可比拟了。

我们姑以上面这四点，来简单概括中国地租的一般现象。地租的收得者主要是私人地主，租佃手续，一般已采取了契约形式，实物地租占着支配地位，而地租率则高到无可比拟。从表面看来，似乎前两者可给予我们以"现代化了"的印象,后两者又会给予我们以太不够现代化的印象。其实,问题是不能这样割裂来考察的,我们与其在中国地租的诸种现象形态本身上,去零碎枝节的较量其现代化或资本主义化到了什么程度,就宁不如在较广大的视野里,看资本制地租所须具备的一般社会条件,是否能从中国社会找到。这一来,我们对于中国地租的研究,就不是问它那诸般现象形态,能暗示出何等特质,而是问环绕着它的诸般社会条件,究允许它具有如何的特质。

第三章　由商品货币关系发展限界上表现的绝对地租与差等地租的暗影

　　资本主义的或资本制的地租,在经济科学上,被解析为两个范畴:一是绝对地租或一般地租,一是相对地租或差等地租。前者是在一切被租土地上,一般的都会发生的(就在农民自有土地上,事实上亦同样存在,特地租的获得者,不是另外一个人,而是农民自己罢了),而其发生的原因,则是由于农业上的资本构成,一般较低于工业,农业上的商品生产的剩余价值,一般较大于工业产品,如其工业上的剩余价值得提供工业资本家以平均利润,农业上的较大剩余价值,就可提供农业资本家以超额利润。在资本平等竞争的条件下,农业资本家的平均利润以上的所得,必然要转化为地租,因为在这场合,土地所有权是有理由把这种超额利润,看作是利用土地的成果的。简言之,一般地租是发生于工业资本与农业资本的竞争,至若相对的差等的地租的产生,则是由于同一农业部门的诸种资本的竞争。同量的资本,投用在同一面积的土地上,得因土地的品质,地位等等条件不同,而不一其报酬。较优良土地所有者,地位较便利的土地所有者也自然要求较多的地租。依此说明,我们就知道,资本制的绝对地租与相对地租的产生,都只有在平均利润法则已经在贯彻其作用的情形下才有可能,由平均利润

第三章　由商品货币关系发展限界上表现的绝对地租与差等地租的暗影

以上的超额利润转化成的地租,乃是资本制地租不同于前资本地租的本质区别。在平均利润法则的作用,是把商品货币经济的发展作为前提条件的限内,我们要判别中国社会的地租是否具有资本制的性质,当可就以次几个方面,分别来考察:

（一）看中国的农产品,是否大部分都系当作商品生产出来。

（二）看我们作为商品流通手段的货币,是否已大体在国内成就其统一的支配的本位货币的机能。

（三）看我们社会被买被卖的土地,是否已能当作不受传统因袭关系拘束的商品,而自由移转。

显然的,一个社会的农业品,如其主要不是当作交换价值生产出来,而是当作使用价值生产出来,地租以价格支付,以货币支付,根本就无所依据,而农产品与工业品间的差别价值,即前者对后者能提供较多剩余价值,能在平均利润以上,挣得一种转化为地租的超额利润的事实,就无法实现,也就是说,绝对地租无法实现。当然哪,农产品如其要有一个市场价格,而以接近其价值的市价出售,一定需要一个统一的货币形态,来担当那种任务。但仅止如此,还是不够的,农产品是从土地上生长出来的。土地之自然的（就丰度而言）、社会的（就地面的投资而言）,乃至兼有自然与社会两重性质的（就是否靠近可资利用的河流及是否接近可以投售产品的市场而言）诸般条件,是土地买卖价格等差的依据,亦是以土地总价格与其年租额相比的地租率的依据,又是所谓对差地租所由发生的依据。但这种依据的可靠性,是取决于这种事实,即土地在买卖当中,能不受经济外因素的影响,而把上述诸条件,作为其市场价格的标准。

第七篇 中国地租形态

中国的商品形态及货币形态,我已在本书第二篇第三篇中分析过了。由于对外贸易的隶属性的加强,以及由是引起的农村社会各方面对于货币需要的增大,许多农产品,如棉花、烟草、茶叶、大豆、桐油等,原已有专业化性质的,现更加深其商品化程度了,而像米、麦一类最有自给性的农产品,亦渐在增大其商品化的数量和比重。许多人曾把这种事象,作为中国商品生产的有力注脚。我在前面已对中国土地生产物之商品化了的部分对非商品化了的部分,所占的比例,有所说明,其实,这是不怎样重要的。严格的商品生产,并不是看那种生产物生产出来,究是为了自用,还是为了他用,究是当作使用价值,还是当作交换价值,而宁是看,那种生产物,是在何种条件下,供给市场,是在何种条件下,当作交换价值为他人生产。如其说,交换条件一般是在为生产条件所规制着,则那种生产究是在何种条件下生产出来,那才是土地生产物是否脱离单纯商品生产最有决定性的佐证。特关于我们农村生产的现实条件及其一般状态,要在本篇下面各节得到明确的解答。这里可以预先提到的,就是如其说一个社会的商品生产的顺序。一般是先在都市产业方面发生发展起来,然后再由都市产业对农业的内在关联上,逐渐诱致农业生产相应采行资本主义生产方法,则我们前面分别述及的中国都市产业的偃蹇支离状况,已不难明了农村中的生产,只能具有如何的特质。

不过,在论点集中的要求上,我们姑把这种关系放在一边,先看我们农村方面当作商品提供出来的那一部分商品,究竟是在怎样的条件下提供的。变为商品的农产品,交通,度量衡,税制乃至农民的市场知识等等,无疑都会影响其价值的实现,但我们这里认为最关重要的,却是货币。直至抗战发生时止,我们的货币,即使

第三章 由商品货币关系发展限界上表现的绝对地租与差等地租的暗影

就它最基本的机能，即当作价值尺度和价格标准的机能说，它的不统一性及不确实性，亦是不够使一般生产物，特别是使土地生产物，在其流通过程上，形成一个可以接近其价值来出售的市场价格的。我们此刻无须说明，货币这种落后形态或者现代货币关系不能展开的基本原因，究竟受了那些传统的社会生产关系的妨阻，却很可把论点倒转过来，看那些传统关系，在利用货币的这个弱点，来阻止农产品之商品价值的实现。我们已经知道，中国买办性的商业资本，早就是把制造业形态的工业部门及专业化了的农业部门，作为其活动的主要基地的，它伙同高利贷在农村，特别在那些专业化了的农业生产领域，从事操纵与控制。一般农民的生产品，在未生产出来以前，就已由预定预买的方式，大规模的被处分了，而剩下的小部分，则只在内地不同的原始市场上，零碎的发卖。这就是说，农民无论从这当中的那一个方式变卖其生产品，他们都不易有一个可供他们斟酌的中心市价或确定行市。一个地区的商业操纵者，就很可说是那个地区的物品价格的决定者，前述客观的交通不便，税制庞杂，度量衡不统一，都成了他取得那种决定权力的条件，而货币种类的复杂和其价值的动摇不定，却正好是他在于己有利的场合，于己有利的限度内，变动农产品价格的最有效手段。

所以，在这种意义上，货币的现代关系没有确立起来，农产物当作商品化为货币，或者货币当作购买支付手段化为农产物的往复运动，就不免要被流通过程以外的强制因素，堵截或割裂成为不相连属，不相统一的各个片断，各个非有机关联的市场价格。不错，从日常经验当中，我们也许不难发觉，以某些较大都市为中心的全地区里面，毕竟有一个买卖活动的价格水平在。这一点是够有眩惑性的。但仔细分析，就知道那种价格水准的形成，在某种限度内,正是依照我们已经讲明过的,在落后社会,是由商人比较物品的生产价格和市价,是在流通过程发生利润平均化的作用,那是以直接生产者,对市场无知与市场隔离,或不与市场直接发生关系为前提条件。那与我们这里所说的,资本制地租所要求的农产品市场价格,农业经营者的平均利润,差不多是不同种类不同性质的东西。

要之,商品货币关系的不发展,农产品不能正常的商品化,货币化,地租就不可能以价格提供,以货币提供,而一定会牢牢的固着在实物形态上。

然则我们不是已在前面讲过,中国的地租形态,在若干特定区域,在若干特种栽培方面,已实行货币化么?而全国各地偶尔稀疏点缀着折租的办法,不也可以看为是货币化的逐渐开展么?我们的答复是肯定的,但须把内容加以明确的区别。中国的商品货币关系,无疑是在逐渐展拓中,货币的要求,即农产品商品化的要求,当然会使实物地租变为主佃双方感到不便的纳租形态。但单是这样,并不能把那种形态改变过来。而且实物地租与货币地租,并不单纯是用实物与货币表达出来,往往提供实物的,反而是百分之百的货币地租,在美国及其他有些地方,就因为特殊需要,地租竟是用实物支付的,不过,它是以实物来折合价格;另一方面,提供货币的,又反而是百分之百的实物地租,我们的折租办法,实际就是如此,那是以货币来折合实物,设进一步加以分析,那种折租办法,不但在性质上不曾前进,倒反后退了。在百分之九十九的场合,折租是多为地主开一榨取的便门,或者是地主自动的开辟财源,因为我们的货币价值是多变动的,我们地主们,即不实行控制市价,亦较通晓市价,收实物有利的场合,便收实物,收货币有利的场合,就要

第三章 由商品货币关系发展限界上表现的绝对地租与差等地租的暗影

求折租,在时间及机会的控制上,他们都是立在有利的地位。所以,这种形态的货币化,是完全无改于地租的本质的。至若在东北及若干特种区域的货币化地租,即使程度方式不尽相同,这种"折租"的作用,是包含在内的,比如,在竹木的栽培区域,并不是因为竹木这种农产物,已经有一个可以接近其价值的市价可资依据,而多半是按照邻近地区最通行的谷物地租标准而规定的。

论到这里,我们已不难明了,中国地租的现代化,该是如何的受着落后的商品货币关系的拘束。但如把土地这种特殊商品加入考察,我们地租的特质,就更被暴露无遗了。

我们一再阐明了,中国的封建制,是以地主经济,从而,是以土地的"自由买卖"为其特质,土地能自由买卖,土地之自然的社会差异性,就得在价格上表现出来,因而,就得在以土地总价格与年租额相比的地租率上表现出来。这不能不说是我们封建制的进步的一面。

但我们土地自由买卖的"自由"涵义,与资本制的地租所要求的土地买卖的自由,是大有出入的。土地由分封,不由买卖,一般来说,取得贵族、僧侣、家臣、骑士等特殊身份的人,才能得到土地,而得到土地的人,同时就会附有上面无论那一种身份,那是领主经济对地主经济根本相异的特征;反过来说,地主经济下的土地买卖"自由",亦不过是在这种相对意义上,表示任何没有特殊身份的人,都可取得土地,保有土地,乃至变卖土地罢了,"自由"的限界即在此。至若现代自由买卖涵义上的,在何种条件下取得,在何种条件下变卖,即买卖双方是否真正立在平等的讲价还价地位上的那种土地买卖自由,恐怕我们直到现在是还不曾取得的。

在我们的社会,像前述各种形态的公有地,如官庄、学田、族产等等，一向就是不能由私人任意处分的。就是私人所有的田产，其出卖之始，需要取得亲族的同意，亲族不买，才可向外姓卖出；出卖之后，又还附有一种限制，即同一土地再卖时，原卖主有回赎的权利。此外，如永佃制下的田地，在地主虽有权卖底，却不能卖面，在佃户尽管有权对田面转让，却不许涉及田底。诸如此类的传统的习俗上的限制，到挽近，无疑有逐渐解除的趋向，而在大都市附近，这种趋势是更显然了。但我们所理解的中国土地买卖的不够自由，却宁是在它转移过程中，必然要遇到的更大的一些社会障碍，而上述诸点，倒反而显得次要了。比如，这把提及的限制，假若出卖者乃至购买者是一族之豪或一地之雄，他们就大可不受拘束了。反之，如其买者或卖者，是没有权力没有社会地位的人，他对于族中的地方的势力者，往往还有所贡纳，设不幸这交易竟是在地位势力极不相称的两种人间进行，则无论是买抑是卖，他们所成交的价格，一定会把田地本身自然条件社会条件（这意味着地位条件）以外的非经济的"强制"因素，加算在里面。事实上，最大多数直接生产者之离开土地，其土地价格，由偿债或还租的方式，预先被强制支付了，而购买者也往往是把借与租作为钓取土地的手段。试想，我们农村的土地购买者，主要的不是地主、高利贷者和商人官吏们么（虽然其间也有一小部分是最勤俭刻苦的农人）？其出卖者，主要不是被生活被债务被税租压迫的小农么（虽然其间也有一部分是大破落户）？他们之间的土地买卖，一定很不容易在土地的价格上，表现出它实在的自然丰度和地位，而其地租率的高低，也就不一定是自然丰度肥瘠或所在地位良否的凭证。依这种考察，我们传统的土地买卖上的自由，不但与资本制地租所要求的土地买卖自由，有极大的距离，甚且，前一种自由，还从以次两点上，阻止了

第三章 由商品货币关系发展限界上表现的绝对地租与差等地租的暗影

后一种自由的实现,即是,土地得自由在社会各阶层间移转,它在一方面把一般人对于封建制的反抗钝减了,分散了;同时,却又使商业高利贷等落后资本增加了它们对于地权的联系,由是,加强了封建制的强韧性或弹性。

要之,在资本制地租,必须是货币地租的限内,我们的上述商品货币发展关系,无论是就成立绝对地租言,抑是就成立相对地租言,都是颇嫌不够的。特平均利润法则,不曾在工农业资本间建立起来,更不曾在农业部门的诸资本间建立起来,那在表面上虽然是受着商品货币发展程度的拘束和妨碍,而在本质上,却毋宁是取决于工业与农业本身的生产条件。

第四章　土地所有形态与土地经营形态范围着的现代性地租的发展

　　由于我们土地买卖上的那种传统"自由",又加上现代货币资本关系的促进,现代私人的土地所有关系,至少在表面上像是确立起来了,但如我们在前面已经分析过的,土地的买卖过程,既不曾洗脱去中国传统的吞并方式,复又推行着欧美在近代初期的混取劫掠式的范围活动(这在新开发的荒地变为熟地区域,在淤积湖田区域,在种种色色公有地段,特别盛行),则在这种取得土地过程中形成的土地所有制,就必然会变态的表现着过渡阶段的特质。大土地所有制是它的主要形态了,但惟其它这种大土地所有制同时并不曾伴以大农经营,于是在大土地所有制一旁,还并存着一种与其说是同它相照应的,就宁可说是同它相补充的小土地所有制。

　　现在仅就它们在与地租发展相关的限内,展开说明,且为了说明的便利,先从这所谓小土地所有制起。

　　前面已指明,在中国的全部耕地中,租耕地占百分之六十左右,换言之,即自耕地占全面积的百分之四十左右。而在此自耕地中,属于小土地所有的,一定占有相当大的比例,因为过此以往的中农及富农,多半是会以地主资格登场的。从表面看来,这种土地所有,像与我们这里讨论的问题,没有多大关涉,因为在这种土地所有形态下,自耕农民同时是土地的自由所有者。土地表现为他的主要生产工具,表现为他的劳动与资本的不可缺乏的使用场所,他不但不付地租,他所生产的剩余价值也不表现为地租。但是这种小土地所有能当作一个社会的体制发生,它对于一般租地的地租,就不能不从多方面给予影响。我们如把中国小土地所有的种种条件加以分析,情形就更是如此了。

中国小土地所有的第一个特点,就是那种土地在品质上,多半是较劣等地,这无论就全国讲,抑是就全国各别地区讲,大体都是如此。在相对意义上,中国黄河流域土地,一般不若长江珠江流域土地肥沃而适于集约耕种,因之,在前一地区小所有土地所占比例,也较之后两地所占比例为大。而就每一个地域说,更是如此。大约不成片段的山地、砂砾地、低洼地、贫瘠地,一切容易为水旱侵害的地带,通是土地吞并混夺者比较不大注意的处所,而荒地一旦变为熟地,零碎角落地一旦形成整块地段,低洼之区一旦淤积成了肥美沃壤,小土地所有者立即便会感到,那种改变,很快就要变为他的不幸,自然,小土地所有者在获有较肥沃土地的场合,生产加多,境况变好,对于他的土地的执着,是会更形坚牢的。他是小农,说不定竟会由此变为中农乃至富农,这种例子在事实上不会没有,但它的限度,对于小土地所有者多半是保有不良土地的一般概念,断不致发生如何严重的影响。

小农土地的所在地,既属如此不利,而他所保有土地的数量,除了在边区畜牧地带而外,在南部水田区,每一农户耕作地,不过五亩到十亩,而在北部黄土区,则亦不过十亩至十五亩。

土地数量少,又加零碎贫瘠,在经营上的不利,已可想见。但因为他们是自由所有者,一切应摊的和必然转嫁的捐、税、役、各种苛杂负担,都会以极大压力,落到他们肩上。即无特别天灾人祸,通常的婚丧疾病,所需费用,亦决不是他们那小量收入可以支持的,他们几乎一般的要变成高利贷业者的债奴。在这种情形下,他们的生产,即使是单凭人力和自然力,也将变为不可能。一言以蔽之,他们是在极不利的条件下从事生产。但虽如此,他们通过捐、役、税,通过高利贷,更通过最不定规的最昂贵的零售商业,对于社会的贡献,即他们在自己最必需的生活资料以外,对社会所提供的剩余劳动生产物,并不算少,虽然这并不是他们更多生产的结果,而宁是他们更贫困,被更低压在普通生活水准以下的结果。

论到这里,我们已可说明小土地所有制对于新式地租的不利影响了。最普通的看法,当然是小土地所有,以一个社会的规模存在着,它在其存在的限内,根本就要阻止地租的产生,此其一。小土地所有,一般都表现为一个最有自给自足性能的体制,占小农消费最大部分的生产物,是他们由自己供给,他们并迫而需要兼营一切可能的手工副业,以弥补其经常的不够支出。在这里,作为现代地租产生前提条件的商品货币关系,相应的受到了妨阻,此其二。小土地所有的零散存在,必然会排斥劳动的社会形态,资本的社会累积……而这种种,又正好是资本制地租所直接要求的基本前提,此其三。

然而我们在这里所特别注意的,却宁在于(一)小土地所有的大量存在,始终为土地兼并混夺者,留下了一个"展望",为地租上的原始累积,不用以从事农业经营,却用以继续投资于土地,留下了一个"展望"。自然,在土地的吞并集中过程上,最好的对象,并不是小农贫农所保有的土地,而宁是中农小地主们所保有的土地,但小农终竟是抵抗力最弱的一环,如其中农小地主被剥削被竞取到了小土地所有者的地位,他们的土地又是比较优良的,那就更加使小土地所有制变为大土地所有制的一个补充了。(二)小土地所有的大量存在,对于佃农阶层是一个致命的威胁。小土地所有者始终是渴望获得较多土地的。他们在事实上,不但随时会变为佃农,并且许多已确实在兼为佃农,他们既如上面所说,能在极不利条件下,对社会提供相当的剩余劳动生产物,对于租给他们以较优良土地的地主,自然更肯提供较大量剩余劳动生产物,这就是说,他们的大量存在,他们所依据的这种土地制度的存在,无形中,把地租率提高到了卷去一切经营利润的程度,因为小土地所有经营,本来就是不为利润,且也是无从获有利润的。还有(三)小土地所有者,有机会租得三几亩土地,兼作佃农,当然是再好不过,但这种机会,并不是容易得到的。土地所有者对于土地使用者,照例是要考究他们的经营力或经营本钱的,因此,小土地所有者兼作佃农的可能性,就远不若其兼作雇农的可能性大。他们兼作佃农,会相应提高地租,因而使经营者的利润无着;他们兼作雇农,也就会因为他们已有了生活基础,得以比较一般农民更坏得多的条件工作,而使一般农业劳动工资压低到极不足齿数的程度。这就是说,他们以前一项"兼职"工作,农业利润不易实现,他们以后一项"兼职"工作,雇佣劳动的合理工资无法取得。地租中包括有全部利润再加一部分或一大部分工资了。最后(四)这种小土地所有的经营形态,为大土地所有制下的小经营,提供了一极好的"标本",分散的小经营能够提供多额的剩余劳动生产物,能够提供极高率地租,大经营的必要性,在土地所有者的主观上,就不存在了,反之,他们还会以小经营为较有利益。现实在照着他们的意象演变着。

在中国农村人口中,仅占百分之四的地主,却拥有全耕地面积百分之五十,仅占百分之六的富农,却拥有全耕地面积百分之一八,即合计百分之十的地主及富农,占有全耕地面积百分之六十八,另一方面,全农村人口中百分之九十的中小农,却仅占全耕地面积百分之三二(这是陶直夫在《中国现阶段土地问题》一文中,综合各方有关材料,而作成的统计数字,虽不尽可靠,但由此确认一般倾向,却是虽不中也不远的),从这简单数字中,大体已可想见中国土地集中的轮廓。虽然如我们上面指述过的,这种集中程度,还是与资本主义接触后,由买办商业把社会资金吸向都市,因而多少使农村地权集中现象,被缓和了的结果。当作土地集中结果看的大土地所有制,原是资本主义经营所要求的最重要的前提条件之一,大规模生产是资本主义生产的第一个口号,而作为那种生产之基地的土地所有面积,在私有制度之下,是需要每个所有者有足够推行大规模经营的限度的。但我们的大土地所有有一个明显的特征,即它仅是地权的集中,而非地段地块的集中。这有许多原因,前述小土地所有的普遍存在,当然多少有碍于那种片段的集中形态的形成,而租耕地最称发达的南部水田区,又有参差起伏的梯梗为之妨阻,但像这一类社会条件自然条件的阻碍作用,毕竟不难在其他更基本前提条件确立之下予以克服。但无奈中国地主阶层对于土地的购买或者混夺,其目的就不是为了准备拿来从事大经营,他们所直接经验到的小经营耕作对于他们的利益,使他们在购买土地之始,就已考虑到了那种土地所具备的分散经营分开租佃的条件。为了便于集中管理,为了表现出地权者无上的权威,购买整付整亩的大田庄(假使有这种集中性的连属性的大田庄存在的话),他们是乐得保有这种田产的。但经验告诉他们,大田庄的整买,固须一时备有大量资金,而这种田庄在异日的整卖,又须购买者一时备有大量的资金,而由买卖上感到困难,又不能由管业上所受到的利益得到补偿。承租大田庄的佃农,一般是比较有生活基础的,因之,他们对于业主,就比较不肯让其予取予求。虽然这里有包租制以济其穷,但如非土地购买者特别富有,特别需要集中管理,他们与其保有一个或数个极大的田庄,就宁不如保有多数的中小型的田庄,而中国传统的诸子平分遗产制,更加强了这一倾向。不过,中国土地所有者平分遗产,对于土地分散经营,虽然有了莫大的促进作用,但如其我们仔细体察农村一般耕作现象,就知道土地利用者平分遗产,那对于土地分散经营,实有更大的促进作用。往往,一个业主死了,他的儿子们别籍异财,他们还不妨共同收租,让原有的佃户照着原来的规模,继续耕作,但如其一个佃户死了,或者在他生前,他的诸子析产分居,那就非把原有经营规模零细分开不可,单在这种意义上,地权的过于分散,或不免在某种限度,妨碍着土地集中。但经营的过于细分,却又似无碍于土地集中。

　　本来,富者田连阡陌的大土地所有,原是中国的传统形态。到了近代,它是在某种限度变形了,它像更不是由特种身份取得,至多,不过是利用了某些政治的经济的特权而取得,但因为它的本质,还是被看作资本累积的主要手段,而不是被看作助成土地以外其他劳动条件发生机能作用的次要手段,地权集中与经营分散,或者大土地所有与小经营,便被当作一个特征现象表现出来。结局,在没有受到大经营压迫的情形之下,必然采行小经营方式的小土地所有形态,就在一方面取得了存在的可能,同时又反过来,当作大土地所有采行小经营方式的一个有力的诱因。在这种限度内,显然相互排斥的大土地所有与小土地所有,便在当前整个土地所有制中,当作两个并行不悖的内在相通的形态而存在着。照着一般的趋势,资本制的大土地所有,即为了便于大经营的大土地所有,如其不能对我们当前这种实行小经营的大土地所有形态,取得决定的代替地位,小土地所有制便有继续存在的可能。

在经济科学上,这种小土地所有形态,原是当作一个过渡形态而存在的,资本制的农业每向前发展一步,大经营的利益,愈加表现得清楚,小土地所有便要以它那种排斥资本劳动之社会发展的缺点,而逐渐归于淘汰。自然,富有保守性的农业,无论在那方面的变革,都是非常迟缓的,即至今日,小土地所有虽然是日就衰微了,但在先进各国,依然顽执的存在于资本主义生产的孔隙中。但它们那种小土地所有的存在,与我们恰好相反,我们的小土地所有,是在一般资本制经营不发达的条件下取得生存,而先进各国的小土地所有,虽然一方面在受着资本制经营利益的压迫,同时却反而在叨讨着资本主义生产关系一般发展的实惠,因为资本主义生产关系发展起来,一切损害着小农利益的落后特权,会逐渐趋于消失,农产品有一个市场价格,通行于农村的利率基准,也被相对的压低了,它们已比较低减了商业资本高利贷资本所加于它们的意外剥削;同时,最为小农诟病的课税制度,亦在资本主义秩序下,归于划一了,这原是大资本要求下实现的,但却辩证的有利于小农的生存。自然,把利害加以摒除,在大规模生产占着绝对优势的社会里,小土地所有,毕竟不外是过渡社会的产物,所以它在先进诸国,只是当作落后遗制而残存,而在没有受到资本主义秩序保护,但同时也没有大经营压迫的中国小土地所有制,却像还是有它的"千秋"的。

在这里,我们是不应忽视介在大土地所有与小土地所有之间的中农及中小地主这一阶层之俨然存在的。中农是拥有较多土地的自耕农,有许多兼作地主,中小地主,又有许多是兼作土地经营的人。他们的"品格"下面还有分析的机会。且不管他们保有土地的各别方式,如何不能构成一个中间所有形态,在一个过渡社会,一个失却了平衡的动荡社会,向两极发展的倾向,总是比较来得强烈的。

我们不能在土地所有制构成的诸条件上,去发现中国资本制地租的迹象,只好把论点转移到另一个视野了。

第五章　在农业资本构成与农业雇佣劳动上表现的地租特质

农业资本构成及农业雇佣劳动问题，原是与农业经营问题密切关联着的。小土地所有不必说，在大土地所有形态之下，一般既是采行分散的小经营方式，那亦显然替我们这里提出的问题，有了前提的说明。不过，中国土地所有者或地主阶层，一向原保持有古典的田园风味，这就是说，他们是可能留下一部分土地来"自己"从事耕作的，到了挽近，都市方面的繁华和农村中的不安，无疑会使他们中间一部分人的这种兴趣，为之减杀不少，但今日似还有不少地主，无论其所有土地多少，仍只租出其中一部分，而把其余的留作自己经营。不过，像这种人，一般只限于中小地主，大地主们是愈来愈不暇出此的。

虽然，一个土地所有者手中保留的土地，对他租出的比例，将决定他在农村的地位。他把最小部分土地租出了，他就是地主兼农业经营者，他把全部土地都留着自己经营，土地较多，他就是纯粹富农，土地较少，他就是纯粹中农。现在我们看到，农村中除了佃农小农而外，从事农业经营的，是中农富农及一部分兼作此种经营的地主了。而可能采行资本制经营的，似乎也只有他们。

我们知道，大经营或资本制经营的利益，是在它所需的诸般社会条件，已经大体齐备了，才能表现出来，而这些社会条件，又是体

第五章　在农业资本构成与农业雇佣劳动上表现的地租特质

现在它那种社会生产关系,已经取得了支配地位的转变中。即把都市方面的产业发展情形排开不讲,我们农村的大土地所有与小土地所有,既都在实行小经营形态,至少,便于大经营或资本制经营表现其利益或优越性的客观条件,是不曾造出的。这事实,已大可说明我们农村富农、中农及一部分兼营农业的地主们,可能而且必须采行的经营方式。

不错,在富农,在留下了充分土地供自己使用的地主,甚至在极少数租得有充分土地的佃农,他们既有足够大经营的土地,就自然而然不会把他们的经营分开来。但在这里,我们须得明了:现代意义的大经营,并不单是以一个经营单位的土地的广狭范围来确定的,如其说,一定面积的土地,是从事大经营的必不可少的前提条件,则在一定面积土地上使用的资本数量,就是决定那前提条件,是否确实被利用来从事大经营的最可靠标准。

现在是谈到中国农业资本构成的时候了。

在经济科学上,土地这个因素,是不被当作资本来处理的,从而,农业资本有机构成,就是指着包括机械、耕具、农业建筑、种子、肥料等项的不变资本,对于用以支付工资的可变资本的结合的比例。农业资本有机构成的高低,即其不变资本对可变资本比例的大小,就是农业上资本制经营究在何种程度被实现了的指标。

在中国,机械这个因素,差不多稀罕到要从农业资本概念中除去的程度;机械以外,其他诸种应被包括在生产成本项下的劳动条件,如农具、畜力、种子、肥料、灌溉沟垄等等,虽亦不妨勉强称之为资本,为不变资本,则具备了这些条件,且能不断使这些条件的消费损耗,经常得到补充与更新,那就算难能可贵了。也许只有兼作农业经营的地主,只有富农及一部分境况较好的中农乃至极少数佃农，能够维持这样的经营场面，下焉者，只要能于下耕时找到种子，能向人租赁到畜力，还能保持几件简陋残旧的农具，并能以极高利率的条件，在青黄不接时借到维持一家的口粮，也就万幸了。

然则富农及兼营农业的地主，还有极少数境况较好的佃农，为什么不设法改良他们的生产设备呢？也许有人会把农业机器输入的海关数字及江苏若干地区应用机器生产的实例，拿来作肯定的解答。但如其我们不是把极少数示范农场或农业试验所作为研究对象，而是把中国农村生产一般作为研究对象，则我们对于这个问题的说明，就宁可着重在以次诸种事实上。

首先，新式农业经营，或在农业上要应用机器生产，那并不是一件简单的，能够对一般社会发展状态孤立来进行的事，比如，在生产过程中不受任何政治社会惊扰的和平要求，其生产物贩卖市场的保证等等，那已经不算太广泛的问题了，而在技术条件本身，更还要求种种方面的配合，技术经营指导者是很不易养成的，经营者自身的企业精神，尤非大利益的展望和鼓舞，是不易使它培育起来的。

其次，就土地方面而论，在所需范围内，使其技术的连成一片，那在许多国家，是借着立法的程序，用一种称为土地拼换法来达成的。然而我们始终是把技术问题放在次位，在土地上应用新式经营，最先就得土地本身的价格，相对的不太高昂，而这种土地高价的倾向的造成，又是由于社会原始累积的资金，都相继投用来购买土地，经营者在土地方面所费太大，在其全部经营费用中，就只能有相应小的部分，当作正规的资本来使用。自然，对于自己保有土地的富农和地主，似乎土地是对他无所花费的，但他们如不是傻子，定会依照"购买年数"或一般地租率，来计算土地价格在其全部经营费中所占比例。无疑的,在已经租赁他人土地来耕的佃农,在手中积得相当资财,希望借此从事农业经营的新购土地者,他们是更容易感到土地费用对于不变资本和可变资本的压迫。

又其次,土地所费太大,对于农业资本所加的压力,是由农业资本有机构成的低度来表现的,即是以劳动在土地上的集约深度来表现的。土地经营愈不借助于机具,就愈要借助于劳力。所以,如其不妨称我们农村土地上投用的经营费用为资本,这种资本,差不多主要是由投在劳动方面的可变资本构成的。那些农业经营者,其所以不肯增大不变资本成分,去代替可变资本成分,就因为他们在上述诸点的限制下,同时又在土地高昂价格造成的劳动过剩劳力过廉的条件下,觉得多采用机具,就不若多使用劳力,在这里,劳动不但不为机械所驱逐,却反在驱逐机械压迫机械了。

而且,即使在特定场合,特别是在大都市附近的若干地区,劳力竟相对的昂腾到使他们感到多使用劳动不见得有利的场合,他们亦还有不少走得通的路:如其是兼地主,就索性变为纯粹地主;如其是富农,就变为地租收入者,横竖所在都有希望土地的人。他们认为直接使用劳动者有利,便从事土地经营,如认为间接使用劳动者有利,便成为坐食地租者,有时,如觉中途停止经营,会搁置若干农具,或者不易处理畜力,就采行同时租贷农具与畜力的分租方式。单在这一面讲,他们的抉择是自由的。

事实上,我们农村的这种演化变动,确已在非常活跃的实行着。但其中总多少可以看出这样的一种迹象:土地所有者的土地数量愈多,他就愈会脱离经营的活动,变为纯粹的地租收入者,如其他的所有土地愈少,他就愈有转化为土地经营者的可能与必要。因为前者是可以完全脱离生产过程,不但不需要自己劳动,且不需自己监督劳动的,而在后者,他不但需要监督他人的劳动,有时且须参加进自己的劳动的。

但不论是土地经营者,抑是地租收入者,他们有一个共通特点,就是,他们的利得,他们对于土地劳动剩余生产物的占有,不是以土地以外的劳动条件为主要手段,而是以土地为主要手段,或者主要不是通过土地上使用的资本,而是通过土地本身。

由上面的推论,我们不但可以由农业资本构成上,看出中国地租的落后特质,同时,那种资本构成下的劳动条件,更从农业雇佣关系上,把我们那种地租的落后特质曝露出来了。

现代性的劳动者,是由他脱离旧的生产手段——土地,转而依属于新的生产手段——机器,为他的特征。在工业领域是如此,在农业领域亦是如此。在这种转变中,一向是主要生产手段的土地,逐渐变为次要的了;在同一转变中,直接生产者已不是同土地所有者结成生产关系,却是同土地以外的其他生产手段,特别是机械的所有者或农业资本家结成生产关系。换一个方式来说,即剥削劳动者的,已经不是土地,而是其他生产手段。

由我们的农业资本构成的考察,我们明了了:在中国农村里面,不论从事农业经营者,是地主,是富农,是中小农,抑是佃农,通通是采行小经营,或大点规模的小经营方式。他们主要的或重要的生产手段,还是土地;有较多较大的土地,便算握有较有力的劳动剥削工具。富农及兼营土地的地主,乃至中小农,固然是以土地所有者的资格,与直接生产的劳动者对立,就是租赁他人土地的佃农,他们在临时的或较长期的雇佣劳动的场合,亦是以土地保有者土地使用者的资格,与那些既不能所有土地,又不能保有土地,因而不得不受雇于他们的直接生产者对立。

第五章 在农业资本构成与农业雇佣劳动上表现的地租特质

如其这是非常明白的,不可否认的事实,则于一般所统计的中国农村的一千五百万雇佣劳动者,就不是因为土地被剥夺去了,同时又没有获得土地以外的生产手段,而被雇用;而是因为土地被剥夺去了,同时又没有取得土地的使用机会而被雇用。就因此故,构成中国农村社会最低阶层的三个支柱,即小农、佃农、雇农三者之间,尽管在许多场合,是交流的兼任的,但分别当作一个范畴,一方面,小农是在极不得已的条件下,才肯放弃他所有的小块土地,同时,佃农亦是在极不得已之下,才肯放弃他保有的少量土地,另一方面,佃农要取得少许土地,固然极其困难,雇农要租得少许土地,也许还要困难。就这样,雇农就变成了农村社会最低层的不幸者了。

据前面的分析,我们农业经营者们的经营土地,其最后目的,即在获得更多的土地,一旦如愿以偿了,他们就不肯继续担当这种麻烦工作,而变为专讲消费的坐食地租者。这就是说,除了少数的富农而外,雇佣劳动的人,差不多是一些连必需简单农具都不齐备,生活一直在艰困中的中小农及佃农。他们并不是因为备了较好农具,备有得力牲口,才雇佣劳动,反之,却正因为是备不起这些劳动条件,才以劳动力来补充代替的。这说明,劳动力的价格,平均要低在畜力以下,低在农具备置费以下,才有被雇可能的;即非如是,亦是说,劳动力的价格,是不像畜力的价格,不像农具的价格,需要一次支付,而可以零碎支付,或到了一定雇佣期间终了,才开始支付的。

各种落后的离奇的雇佣关系,就因此产生出来。我们可以让读者自己去证示我们农村在实行着怎样的雇佣劳动条件。要列举其最基本的几种形态,首先似宜数到家长制的雇佣方式,在这种方式下，雇主不但可以在工作上，工作强度上，任意决定，就是对于被雇者的人格，亦有某种限度的权利。一般说来，小经营农作场的雇主，是比各种制作场的老板，还要能对其被雇者发挥拘束力量的，把一切其他方面的情形丢开不讲，农业上的较浓厚的传统封建关系，就很可赋予雇主以更大的家长的权力，大约在长年被雇的场合，特别是被雇者对雇佣者有宗族关系，且系年事较轻或居于晚辈的场合，他就不单纯是把雇主当作主人，且是把他当作自己的监护者。其次应数到帮佣的方式，在这种方式下，被雇者对于雇主，连上面那种雇佣关系都不曾结成，他可以是属于戚族帮忙性质的；可以是穷而无告，投靠无门，暂时作为雇主帮手的；还可以是为了换取畜力，为了偿还积债，在雇主需要场合，前来帮工的，大约这都限于短期的临时的雇用。此外，还有一种从役性的雇佣方式，在这种方式下，佃农对于地主，照租规，或者照习惯，须得在地主需要的场合，为地主提供劳动，这劳动不尽是关系生产的，如其地主非兼营农业的，就更是如此；这劳动，亦不尽是无报偿的，特其所得报偿，把支付的时期（多半在年终或节前结算），支付的手续，工作的强度，工作的场合（往往须把自己急于要做的工作放下），全盘计量，那比一般农业劳动者所得工资，是还要低贱许多的。

有不少的人，见到中国农村雇佣劳动的普遍存在，便欣然色喜，以为中国农业经济现代化了，进步了。尤其是看到各地方雇佣劳动工资，多半采行了货币支付形态，更觉那是劳动力商品化的根据。其实，劳动力是否真正商品化，其正面的，货币支付形态，其反面的，一般农村劳动者根本是膳宿在雇主家，而非膳宿在自己家，都不够成为有力的说明。其重要关键乃在那些劳动者，究是依属于土地工作抑是依属于资本工作。惟其如我们前面所分析的，他们不是因为缺少资本而被雇,宁是因为缺少土地而被雇,所以,一切掌握着土地在手的人,无论他是所有者,抑是租有保有者,都可能利用土地来剥削他人。我们农村的中小农佃农,就这样取得了剥削他人的资格——而这也正是雇佣劳动普遍存在的依据。

显然的,我们的佃农,一般都不会具有现代租地农业家的实质,他不是以资本力向地主讲话,而是以劳动力向地主讲话,因此之故,他就不免要因他对土地的依赖程度,而对地主结成相应的隶属关系或农奴关系。这是上述从役的雇佣方式所由形成的基本原因之一。可是,一般佃农尽管没有脱却农奴性质,那并不妨碍他对没有租得土地者发挥剥削的能事;反之,他也许更须借助他人的劳动,以成就其租有土地所需忍受的过重负担。

土地还是农村一切社会生产关系结成的枢纽;土地还不是把它拿来利用资本,而是把它拿来利用劳力;土地还是农业上累积资本的最主要手段,这一切事实,说明了我们的地租,还在应用一位未见到现代地租形态的初期经济学者培第(William Petty)的名言:"土地是财富(由地租来表现的剩余劳动生产物)之父,而劳动则为其母"。资本不过在极其有限的场合,表演着帮手的任务罢了。

第六章　地租的累积与转化

在产业不发达的落后社会,地租差不多是最基本的累积形态,或者,它是其他一切累积形态的基础。

在这种社会中,最有生产性的产业,不是工业却是农业,工业靠简单的工具劳动,农业亦靠简单的工具劳动,但农业更能有效利用自然,就因此故,农业劳动在维持劳动者简单生活以外所能提供的剩余生产物,就比之工业上的同量劳动所能提供的多得多了。更因农业生产物是最必需的都需要消费的生产物,从事工业及其他职业活动的人,靠着农业的较大生产性,使他们无须在自己生活必需品的获得上,费去较多的劳动时间,由是他们这些农业以外的生产者,也就比较能够在维持自己简单生活所需限度以外,还多少挣出一些剩余劳动生产的基础。这原则,到了劳动工具变得极其发达的社会,即应用机械来生产的社会,是还有其妥当性的;但其限界是农业利用自然生产的结果,仍然大有助于工业劳动者之必要劳动时间的缩减或剩余劳动时间的增加,却并不能说,农业是更有生产性的。劳动之社会生产力的充分无限发挥,就相对的减低了劳动之自然生产力的作用了。

要而言之,在落后社会,农业剩余劳动生产物,是其财富的基础。在农业所利用的自然——土地,概被私有独占的限内,那种剩余生产物,一定会通过地租方式,提供于土地所有者,所以,这种社会的财富的累积,就等于说是地租的累积。

我们的农村社会,照前面所说,一般还是靠土地来发挥劳动之自然生产力的。租耕土地对自耕土地之质与量的优势,已不难想见我们社会的剩余劳动生产物,该会有多大的限度,被囊括在地租这个名义之下,被吸收到地主的手中;设更进而考察地租率,即连利润及工资的一部分或大部分,都被吸收去了的高地租率,我们就明了,地租不但是表现着剩余生产物之剩余价值的一般的通例的形态,甚且被包括进了直接生产者最低生活所需的必要劳动生产物部分。不错,这是就租耕地范围讲的,在富农土地上的剩余劳动生产物,并不需要通过地租的方式,直接就为他们所有了。但前面讲过,富农与地主,同是以土地为吸收他人或剥削他人劳动的工具,在这种意义上,他们由此所得的收入,虽然不被称为地租,却显然具有地租的实质。他根本就是把一般高地租率,作为其经营土地所得的权衡,如其所得不若地租收入之大,乃至不多少超过可能获得的地租额以上,他就马上会把土地租出的。不但此也,我们农村的小农乃至一部分中农,多半为了补充其不够耕作的土地,是需要租入小量土地的,比之一无所有的贫农,他们又是较有资格租到土地的;但如万一租不到土地,他们又是需要被雇于人,为人直接间接创造剩余劳动生产物,创造地租的。所以,通体说来,地租上的累积,差不多是我们农村的累积一般。

不过,在中国经济史上,特别在现代地租的累积,并不是单独进行的,商业资本及高利贷资本,始终在当作它的两位保驾大臣,在左提左挈的扈卫着它向前进发。

本来,在一个进步社会里面,地租是可能逐渐因人口增加,因当作原料与食粮的土地生产物的需要增加而增加的,是可能因农业生产物发展为商品为价值的条件和其能够把价值实现的条件的发展,使土地所有权的权力增大,因而,使其能在于它毫无所费但却不断增大的价值中,加大其转化为地租的占有部分的。

　　但我们社会的地租累积的增加,在若干特定地区,也许已表现出了这种征候,表现出是由于土地生产物市场的开拓及其变为商品或价值的可能条件的逐渐发展,但即使是在这样的场合,那种累积增加,显然是不会完全抛弃高利贷商业活动及其他租税活动的作用的。这一列活动,在某些场合,也许不免与个别地主的利益相抵触,但当作一种社会规模的活动,那却直接间接会使地租率抬高起来。前面已讲到我们农村高地租率与高利息率的关系,同时又还述及了高利贷利息与商业利润的关系,它们任一方面的利得率的增高,立即就会吸引或影响到其他方面。自然它们相互吸引的增高,亦并不是没有限界的,特关于这点,我们需要在下一篇来说明,这里只须略略述及我们累积的地租,究是怎样被处分了的。

　　前面讲过,与现代资本主义接触后,中国农村社会逐渐对都市感到了浓厚的兴趣。都市是繁华的,都市亦是比较安定的。这两种诱惑,显然会驱使农村累积起来的财富,或其一般表现形态——地租,移转到都市方面去。那种移转,可能采取货币形态,亦可能采取实物形态,但把农村与都市对立起来说,这任何一个形态,都可称之为农村的资金逃避,逃避出去了,就很少流回的。采取货币形态逃避,也许更可促使实物地租的货币化,以折租方式卖给佃农,那比之需要收纳保管运输等费用,向市场卖出,是更多利益的。还有这里被流到都市的资金,除了胡乱消费外,只有地皮市场、金融市场、公债市场是适合脾胃的最简便的出路。资金一走到了这条道路,它就会愈来愈远离其发源地了。至若采取实物形态逃避的那一部分，它在开始，就可能是以囤积居奇的方式，使地租直接转化为商业资本，通过商业资本转移到都市去了。

我们在另一方面也应想到，坐食地租者的生活形态，固然把他们利用地租蓄积的用途决定了，他们断乎不会去从事他们所不熟习所不习惯的企业经营，特别是工业经营，而同一生活形态，也在限制着他们，使他们为了不动产，为了那不动产在农村所取得的安富尊荣，还为了封建的血族关系的羁绊，非有极大的财产，非有特殊的机会与必要，他们还是不愿意把蓄积所得，送到他们极感隔膜，甚或抱有反感与畏怯心情的都市的。留在农村的蓄积的用途，当然还是原来的传统的，不是用以购买土地，便是用以贷放（事实上，投在土地上的资本，就已经是生息资本，土地价格资本化，每年由那种价格所获得的地租额，就利息化了。所以在地租为已定时，土地价格便是由利息率来调节的），不过，在挽近，一部分有企业精神的地主，也还兼营着碾米、制糖、酿酒、榨油、织布一类与原主产物直接关联着的农村制造业，更多的当然是兼营农村市集的商店。不过，用在这些方面的地租蓄积，一定很快就会以更大得多的数量回流到土地上来。我们甚至可以说，这些农村企业经营的老板们，更可能是因那些企业上有些蓄积，再回过头来当地主的。

总之，我们的地租，大体是用传统的方式累积来，也大体还是以传统的方式使用去。资本的分散方式，是取决于其集中的累积的方式。累积集中的过程没有根本变革，其分散或转化，也是不能有多大的改变的。在地租上，我们又发现了这一个原则。我们诚然在特定的场合，例如，在战祸光临到了的农村，在有了土地，便极不易回避征实征兵一类格外负担的情形下，土地可能是不被大家注意的目标。据统计及经验所示，由战时到战后的长期通货膨胀过程中,一般被买被卖实物的高涨率,要算土地顶低了。然而这至多只能说是当作我们社会基本蓄积——地租的原来转化倾向,会暂时因此受到阻碍,即暂时会改变其分散途径,但在我们社会的一般生产方式或累积方式未根本变革以前,那种改变,至多不过是把它用在纯消费方面的比例特别加大,把它逗留在高利贷资本或商人资本形态上的时间特别延长罢了。

本篇问题研究

一、地租的研究,往往使最优秀的资产经济学者,发生极大的困难,而在现代初期,许多却把它看得非常容易,其故安在?

二、地租由实物形态变到货币形态时,它的本质起了怎样的变化?

三、资本制的绝对地租与差等地租,在中国的商品货币关系上,为什么不能表现出来?

四、大土地所有制与小土地所有制同时并存着,这将怎样予以说明?小土地所有,为什么会阻止现代性地租的产生?

五、中国社会的富农,很不易变为农业资本家,这有什么本质的原因存在?

六、"土地是财富之父,而劳动则为其母"的格言,在中国社会,仍可用以说明地租的形成,这是什么缘故?

七、中国社会以地租方式累积起来的财富,为什么特别不容易转化到产业上,却更容易转化为商业资本或高利贷资本或土地资本?

第八篇　中国经济恐慌形态

第一章 在两种典型的恐慌形态之间

当作历史的社会经济范畴来看,不论是封建制的抑是资本制的经济,都不免要在其全运动过程中或当作那种运动之必然结果,而发生危机或恐慌。这危机或恐慌,能被克服下来,就是那种社会形态的继续或扩展,否则就是那种社会形态的历史交代。

封建制经济是被它不能克服的内在恐慌所压倒的,那恐慌形态,虽在自然历史条件不尽相同的国家,并不表现出一样的内容,一样的颠覆那种经济制度的历程,但却有它当作一个范畴来看的共同特质。资本制经济下的恐慌亦是如此。

资本主义社会是蓄积了巨大财富的。这巨大财富的蓄积,虽然满含有原始累积的成分在里面,但愈到后来,它便愈不是以土地为主要的累积手段,而是以资本为主要的累积手段;而在资本中,它便愈是由机械设备构成其核心部分的不变资本的尽量扩张,即由劳动生产力的尽量增强,使购买劳动力的可变资本相对减缩。其结果,当作一个社会阶层的劳动者,虽因不变资本的不断增加,他以生产者的资格,为资本家创造出了更多量的商品,更多量的剩余价值,同时却因可变资本对不变资本比例的相对减缩,他对资本家提供到市场的商品,就不克以消费者的资格来购置,因而就不克为资本家实现其剩余价值了。这在劳动者一方面,是以他们对产业的人口过剩、失业、贫困、饥饿表现出来,而在资本家一方面,则是以他们商品的生产过剩,工厂停闭,信用破产,金融呆滞的险象表现出来。在资本主义社会,这方面的脱节现象,就在最繁荣时期,亦是个别的局部潜在着的,并且是当作繁荣与资本迅速集中的条件而潜在着的,但这种恐慌状态,一旦由个别的局部的变为普遍的显著现象,整个社会秩序,将更陷于混乱,并由是引起政治的社会的危机。那种政治的社会的危机,是否能演到倾覆资本制的程度,主要是取决于各该社会的资本生产关系,是否还有允许其劳动生产力发展的可能或弹性。在这种可能性或弹性还相当存在着的限内,生产停滞,信用破产,劳动者的失业、饥饿,便被当作经济赖以好转,再度繁荣赖以恢复的准备条件,由是资本制的经济恐慌,就一般的具有以次几个特点:

(一)它主要是发因于社会的经济制度本身,而非发因于自然的或政治的诸关系。虽然偶然的天灾或不愉快的政治搅扰,有时也有诱发或促成那种恐慌的可能,但资本主义经济本身,就比较是更不依赖自然的,资本主义社会的政治,早被当作资本制生产关系的一个有机关节,其安定或混乱,不过是把经济状态加以政治的表现罢了。

(二)它一般是通过市场,而显示为供给对有效需要过剩,显示为生产对有效消费过剩。资本制的商品生产,虽然在获取利润,获取更多利润的要求下,是预想到了需要消费的一定限度而进行的;但某一商品生产者的预想贩卖对象,同时也是其他商品生产者的预想贩卖对象,如何在产品上减低成本,压下价格,争取购买者,他们是打算得清楚的,但由减低成本,扩大生产量,扩大不变资本由是相对减少了可变资本,减少了社会购买力,他们却是计算不来的。所以,资本制愈向前发展,这种生产过剩现象,就愈成为非他们意志所能支配的必然无可避免的现象。

（三）它大体是很有规律的表现为周期的病态。在把经济恐慌当作资本主义经济诸法则连同作用之必然归趋的限内,资本制经济愈达到了成熟发展的境界,那些作用所蒙到的偶然的非经济的搅扰,也愈形减少;而其本身内在发生的病症的规律性,就更可显露出来。

但在封建制下的经济恐慌,却是另一个姿态。

典型的封建经济,本来就是以交通不发达,货币信用关系不发达的自然的自足的形态表现着的,农业生产差不多是这种社会最一般的生产形态,惟其如此,"靠天吃饭"就变成了他们共同晓喻的生活格言。自然条件在生产上始具有如此的决定性,而低下的社会生产力又如此的无法控制天灾水旱的灾难,所以这种社会的经济恐慌,就不但比较资本制经济恐慌,表现了更大的自然性,还必然表现了更大的偶然性。而这所谓偶然性,还不只是从无力控制自然的观点上说,且得从这种社会的政治权势,具有较大的左右经济的力量上说,比如,封君们的任意浪费,和任意因黩武掠地建功所造成的"杀人盈野","杀人盈城"的战争,随即就会由劳动力的缺乏,引起像天灾一样的经济危机。而其危机的症结,几乎全是表现在生产不足,许多人得不到衣食的事实上。

在直接生产者挨饿一点上,封建制经济恐慌与资本制经济恐慌,原是相同的。封君们"庖有肥肉","厩有肥马"和资本家们无法脱售而不得不囤在仓库发霉腐烂的大量生产品,也不无近似之点,但一般的讲,封建性的经济恐慌,终是由于一般农奴的食粮生产不足;平素是自给自足,一遇荒乱,就无以为生了,而且,他们平素所生产的物品,并不是要拿去交换,至少,最大一部分不是拿去交换，所以，这种性质的恐慌，就不是通过市场表现出来的。不仅此也，在自然的自足的经济状况下，社会全般经济，决没有密切的有机关联，亦就因此之故，某一地方的天灾人祸，并不一定会在全盘上发生严重的影响，全面性的大恐慌，一般是不存在的。这是许多封建社会能不时遭受恐慌的侵袭，却仍能维持得相当长久的原因之一。此外，还得指明一点，即封建社会的恐慌，尽管不时猝发，但因其形成过程中的外在偶发的原因在发生莫大作用，以致其表现的时期间隔，亦无法显示出确定的周期的规律性来。

以上是分别就典型的封建制恐慌与资本制恐慌立论，而我们这里所注意的，宁是由封建制过渡到资本制的经济状况下所发生的恐慌形态及其特质。那两种典型恐慌形态的论述，正好是为了说明这第三种性质的恐慌的便利准备。

自然，一个过渡社会的恐慌，无疑具有封建的与资本制的两重性质，但它那种二重性的源源本本的说明，却并不是机械的，一方面指出其封建性的恐慌因素，另一方面指出其资本制的恐慌因素，就能了事的。

我们如其不妨把中国现代的经济恐慌当作这种恐慌形态的标本来分析，则有关我们前面所论述的一切经济形态，乃至它们所由形成的前在历史因缘的说明，都将变为这里立论的张本。因为需要这样，我们所论及的中国经济恐慌，才能当作全般经济运动的总归趋而表现出来，我们的恐慌论，才能当作中国经济全般理论的结论而表现出来。

第二章 中国传统的经济恐慌的特点

把中国传统的经济恐慌,当作封建制下的恐慌形态来理解,那是会显示出一些异乎寻常的特点的,这原因须得就中国封建制本身所具有的特质来加以说明。

首先,在地主经济基础之上,中国在秦汉以后,便形成了中央集权的封建体制。而规定着这种封建体制的基本事实,就是在最高主权者以下的全国地方首脑者,不论是封君抑是疆吏,都被剥夺去了"食茅胙土"的权利,他们所管辖范围内的土地,并不直接对他们贡纳租税,租税是输供最高主权者,然后再由最高主权者以俸禄的名义给养他们。地方的经济独立性被禁阻了,分权的离心的封建形态,便比较不容易建立起来。然而我们在这里所注意的,宁是当作落后社会劳动生产物一般的农产品,既须有一部分要贡纳于中枢,即使这所贡纳的,是采取实物形态,或者这所贡纳的,往往还可就地转作俸禄,但其中离开了直接生产者手中,而又不直接给养当地封君疆吏的一部分,即构成中央财政支出之基础那一部分,就不免要通过市场,转化为货币。以前许多朝代,曾借着均输市易诸措施,来处理这方面的农产物,但愈到后来,农民的输纳固然逐渐货币化,其实物征收所得,亦多半委之于市场。在统一市场下的广大的农产物市场,是中国商业所由发达的基本原因之一。

其次,借着集权的封建政治,不仅全国交通条件允许下的广大领域,都变成了商业活动范围,而统一政权的诸种直接间接有关经济的全国性或全面性的设施,可在货币度量衡及税制诸方面所采行的比较划一的标准,实不啻对那种落后经济,赋予了一些可资贯通联系的脉络。

不仅如此,地主经济的特征之一,即是土地的所有,并不与一定社会身份发生关联。不论是那种人,只要他拥有取得土地的货币,他就能为土地的所有者。尽管在若干王朝的极短期内,曾禁止商人取得土地,而在所谓均田制度之下,还有一个相当长的期间,只允许在极窄狭的范围内自由买卖土地,而且这在法律上,得自由买卖土地的场合,又还不免遭受传统的习惯的限制,更不免有封建特权的强制作用存乎其间,但全般看去,中国土地的转移,究是比较自由的。最有固着性的土地,最普遍存在的土地,能在社会各阶层内,个人间当作买卖对象而相当自由的移转,已不但把这种封建社会的阶级硬性与凝固性松弛了,且使它的全般经济细胞具有较大较多的有机活力。而伴随着土地自由移转所发生的劳动自由移动情形,更使我们封建经济的这种较大广袤性,较大流动性,较大有机性的特点,益发表现得明白。

也许正因为如此,中国封建社会的盛极而衰,有破斯复的历史旋律,就像有节奏有规律的,从它历代王朝之兴亡继绝的交替关系上,一次复一次的表演出来。就在这当中,经济的循环性,依然被当作了这种政治上的王朝兴亡继绝的现实基础。一切王朝,都是在经济上达到了无可挽回的危局中,颠覆下去的。

每个王朝在大丧乱之余的兴起,其开国的君主,殆莫不为了巩固其王朝赖以依存的现实经济基础,极力讲求节约,并把它全部的注意,集中在奖励农业上。水利的推广,农业技术的改进,乃至省刑罚,薄税敛,努力使耕者都能有就耕的机会,差不多是新王朝有为君主的最必要课题。在这诸般努力下,农业生产物的增加,就意味着国家租税的增加,同时也就是商业活动对象物的增加。消费在增加,租税范围在不断扩张,朝廷开始"由俭入奢"了。大兴土木,观兵耀武,四征弗庭,都可从讲排场的消费欲望上加以理解,对消费上的讲求多增加一分,对生产上的注意,就减少一分。在以前,还是因倾重消费,减少了分散了对于生产的努力,到后来,竟逐渐由沉于消费,无暇顾及生产,以至演成为了继续维持消费规模,不得不牺牲生产了。结局,薄税敛的俭约,一变而为繁其聚敛的苛政。在这种朝政演变过程中,商人阶级受到多重利益了,他们利用朝廷扩大消费的机会,增加了一切适用品、享乐品、奢侈品的交易,他们还利用朝廷繁其聚敛的机会,增加了农民当作租税提供出来的农产物的交易。而且,除此经济利益之外,他们并还由其获致经济利益过程中,与朝廷与官场发生了较密切的联系,取得了不少的政治权利;原来用以抑制商人的国家专卖,反而叫他们出面来包办了,在都市方面的商业基尔特对工业基尔特的支配,亦渐由此确立起来,使都市变成了官商合组的消费场所了,"吏道益杂不选,而多贾人",很快就要招致"国家之败,由官邪也"的结局。农事不修,赋敛不时所造成的农民穷困,正是高利贷业者活动的好机会,他们自己可以是商人,可以是官人,可以是士人,但最后殊致同归的是兼并土地。这种颓势一经形成,尽管有抑商重农及阻止土地兼并的政令,都将变成具文,而由吏治不修,水利废弛的必然招致的自然灾患,在事先无所备,事后无从救的情势下,一定会以万钧的压力,加重原来的倾向。"老弱转乎沟壑,壮者散之四方",以至盗贼蜂起,枭雄乘之,而造成四分五裂的混乱局面,社会生产力被无情的破坏,朝廷租税无着,货币失效,交易全般停滞,整个经济麻痹支离到自然状态的程度,王朝乃在此种危局下颠覆下去,商人高利贷资本亦大体同归于尽。由有人无土地耕种,弄到有土地无人耕种的境地,土地才又在丧乱之余,经过一度编配,然而这是新王朝的第一要政。经济的恢复,正是从此开始的。

中国历史上每个王朝的兴废,殆无一不是依照着这种经济循环变动关系产生的,在这里,对于这种经济循环,究是不变的,抑是不绝发展的,我们且不忙解释,姑先考察它所表现的诸特征。

第一个明显的特征,就是与任何其他封建社会所发生的经济危机比较起来,它具有较大的全面性,这一点,当然与中国封建经济在中央集权体制下,被形成为一个大单元的条件,有密切关系,但仔细分析起来,单是在名义上统于一尊,还是不够的,我们前面讲过的,它的内部的较大流动性和有机性,才是它在极广大范围内,能爆发出较有全面性恐慌的更根本原因。

第二个明显的特征,就是与任何其他封建社会所发生的经济危机比较起来,它具有较大的社会性,这所谓社会性,是和自然性相对待而言的。亦即是说,恐慌的形成,与其说是由于自然的灾难——旱灾、水灾、虫灾、疫疠——就毋宁说是由于人事,由于社会对于那些灾难的事前预防和事后救治是否努力,能否努力。中国历史家惯把天灾变异看为德业不修所遭的天谴,事实上,天灾是并不选择什么朝代的。"明朝盛世"的水旱灾厄,并不一定就比浊乱之世,更见轻微。不过,所谓"明朝盛世"的最明确内容,往往是由"讲求水利","省刑罚,薄税敛"以及"先天下之忧而忧"的各种"仁政"表现出来,而这种种"仁政",就是减轻灾难,"化险为夷"的"仁术"。有时局部的特定地方的极可怕天灾,还能由其他地区的农作好况,予以补救,移民实边,移民就食,是中国传统的救灾办法,这一点,就与前述中国恐慌的广袤性有关,大封建国内部经济组织的流动性与弹性,使它非因政治上的倒行逆施,以致造出了不可挽救的危局,它对于一个广大疆域内,必然会因气候、土壤及其他自然条件,限制住了为害范围的自然灾难,总不难想到办法应付。就因此故,中国过去经济上发生的危机,就相对的减少了自然性质,虽然封建经济恐慌一般总是带有自然性质的。

  第三个明显的特征,就是与其他封建社会所发生的经济危机比较起来,它具有较大的必然性。这是紧随着它的较大的社会性来的。在经济危机中,如其天灾或突发的战乱,起着决定的作用,那就主要会是偶发的,是从外面偶然附加上的。但中国旧时经济恐慌中的自然作用,即如前面所说,比较不怎么严重,而同时一切有危险性的有决定破坏性的战争,又与其说是"国家升平日久","武备不修"的结果,而宁是国家已臻富庶,因而扩大消费,因而"农事不修",因而繁其聚敛,土地集中,农民大批变为社会秩序扰乱者的结果。不错,战争在耀武扬威,"四征弗庭"的场合,是往往成为经济支绌的原因的,但那种战争,通例是在"仓廪满,御厩肥"的情形下诱发起来的,它可能成为盛世封建经济走向下坡的一个诱因,但王朝末期的战乱,却一般是当作经济恐慌无法收拾的结局而表现着的。战乱和天灾,都从社会意义上去解释,都被包摄在社会经济必然发展的历程中,那同样是我们封建经济组织内涵的广泛性及其比较缺乏定着性的特点,作为前提的。

  中国传统的经济恐慌,是把中国典型的集权封建经济作为现实基础。而此集权封建经济又是把特殊的地主经济形态作为其本质的规定者。

第三章　传统经济恐慌与经济现代化

可是,从地主经济出发,我们历史上的经济变动,尽管在其较大的全面性,较大的社会性,较大的必然性上,显出了任何其他封建社会所无法表现的旋律或节奏,但毕竟因为它是当作封建的经济范畴,是为更有综合性的封建经济法则所范围着,一使其比照着现代型的经济恐慌,立即就会发现出它那地方的、局部的、自然的、偶发的诸性格。而它依王朝兴废所显现的周期变动迹象,也在时间的久暂与变动的轮廓上显得颇不明确,颇不规则。

然而我们所当特别留意的,还不是上述这诸方面表象上的参差,而宁是它最后的最本质的产生原因以及其一次一次循环可能演变转化的结果。封建经济的全结构,是建立在土地上,以土地为基键所结成的社会生产关系,是否允许土地发挥其自然生产力,或在土地上耕作的直接生产者,是否被允许发挥其社会生产力,那是封建社会,能否自给,或荣枯所系的大问题。所以,封建社会经济恐慌的表象,总是以土地生产物不够消费,直接生产者不能得到最不可少的生活资料的事实体现出来。自然,个别直接生产者或农民,有时是会因税租苛重,高利贷商业过分榨取,致使他们自己最低生活所需的消费资料,无法保留;但就全体来说,生产不够消费,却是那恐慌的核心问题,恐慌的严重程度,差不多是由此来测定的。在交换关系不发达的社会,并不曾显出本质的何等差异。我

第三章 传统经济恐慌与经济现代化

们如其要由此分辨出其真正差异所在,也许可以说,西欧封建制下的恐慌,就范围讲,固然不会表现出中国社会的那么大的规模,就程度讲,也不会表现得像中国社会的那样深刻,或其破坏的那样彻底。这原因,仍当由中国封建的特质去说明。

我们已讲过,中国社会的工业,是从多方面受到了地主经济基础上的专制政治的阻害的。与工业密切关联的对外贸易,一向在遭受国家的统制,一切当作手工业发展进路的协业或较大规模的企业,大都采取了官业形态,而商业基尔特在都市方面依种种特权所造成的对于工业基尔特的支配,更加使工业的发展,工业上的资本累积,陷在极其式微的程度。而在商业方面,它无疑是不只一次表现了繁荣,表现了庞大蓄积规模的。但它的发展,不仅受到了工业式微的限制,受到了向土地上转化的倾向的限制,并还因为它在本质上与王朝的兴废结了不解之缘,在每度王朝颠覆的过程中,所有商业上的全部蓄积,都将遭遇到"牛死虱死"的"同归于尽"的命运。这和欧洲社会是大不相同的。欧洲封建社会的商业,一般是与封建领主对立在相反的地位。僧侣贵族们争权夺利的交讧与混战,一方面虽亦使商工业受到摧毁,但商工业却同时正好是利用它们原有蓄积,在这些贵族领主们的崩溃过程中或其灭亡废墟上发展起来。而在商工业本身来讲,由于欧洲封建社会的商业,一般没有取得像在中国社会那样的地位和特权,所以,除了当作例外的二三都市像威尼斯,曾经建立起过商人政权外,其余所有都市上的工人基尔特的势力,都不但不可轻侮,甚且有驾乎商人基尔特以上的。这一来,它们都市的性质,就不是偏于消费性的政治性的,而宁是生产性的了。

中国封建社会的商工业,与欧洲封建局面下的商工业,有了这些本质上的差异,那就不但要影响到它们各别经济恐慌的性质,而尤其要影响到我们这里所须提论到的,在恐慌中在旧社会崩溃过程中的新经济力量的成育。欧洲经济能先中国而现代化,或先走上资本主义的旅程,我们不难从这里得到最确切的解答。

中国在汉末,在唐末、宋末乃至明末,都曾在极度的经济恐慌中,引起广泛的彻底破坏的战乱。王朝没落,商人阶级也随着没落,农业摧毁,商工业及其蓄积,也随着摧毁,这种演变方式,显然不曾或不易在旧的社会生产关系破坏过程中,孕育起可以促使那种生产关系得到代替的新生产力量。结局,破坏到疲弱不堪的旧生产力,只好让适应它的旧生产关系,慢慢自发的恢复过来,慢慢再给予它以再生的机会。所谓永劫不变的中国社会(许多有名的欧洲学者,如亚丹·斯密、黑格尔等,都曾如此强调过),或即中国封建王朝的不绝再生产,差不多都是从新的生产力,不能在旧生产关系破坏下得到保育成长的关键上,取得其存在依据的。

然而,我们在这里不应忽视一件事实,就是,不管上述诸朝代末期的经济恐慌程度,是否一个比一个严重,也不管它们分别由恐慌引起的战乱与破坏程度,是否一个比一个彻底,但从较长期的历史演变过程看去,终不能不承认,作为资本主义生产方法的诸前提条件或其诸潜在因素,一般是在发展着的,如国内市场的推广,商业组织,商业累积的加多,具有制造业雏形的手工业作坊的增设,以及土地买卖之更减少传统束缚等等。这可以说是不变中的变动,停滞中的发展。

我们要理解这正反两方面的症结,才能明了我们现代的经济及其恐慌,不是纯粹自发的自己成育起来的,也不是突然从外国搬家进来的,传统的特定的社会因缘关系,一直在从中作用着。

第四章　市场关系的扩大与现代经济恐慌的诸表现

与现代资本主义接触后,中国传统的经济形态,或急或徐的发生了变化,相应着,传统的经济恐慌形态,亦改变了原有的内容和姿态。但依照着我们现代经济的全面分析,资本主义恐慌的必然性,规律性及其一般性,仍不可能从中国经济组织内部发展呈现出来,同时,以前当作封建经济恐慌范畴,在中国特殊表现的较大的广袤性,较有节奏的必然性和循环性,却反而在市场关系日形扩大的情形下,被支离歪曲或痉挛起来了。市场关系的扩大,不但不能使它这诸般特有的性格更进一步发挥,竟引起相反的结果,那是需要从长讨论的。且先把中国现代经济恐慌的诸表象,画出一个轮廓。

首先要指出的现象,就是在整个现代化过程中,依天灾、战乱、农民大批离村以及失业、破坏、饥饿等事态来表现的经济恐慌,似乎就不曾离开过我们。一种慢性的经常化了的病症,使我们习惯了,好像那不是生理的反常,而是原来就不健全的孱弱体态。尽管我们是所谓"以农立国",但作为这种"立国"基地看的耕地,由一八七三年到一九三四年的六十年间,中央农业实验所曾在一九三五年的《申报》上,发表其所增面积仅及百分之一;而在此六十年间的后半期(由一九○三年到一九三四年),且没有增加。可是在另一方面，耕地变为荒地的面积增加率，以一九一四年为一〇〇，一九三〇年就已达到了三二三的境地。"垦荒与保熟"，实已不是在战时才应提出的口号。也许仅从耕地面积的增减上，还不一定能看出慢性恐慌的真面目。我们前面提论到的，农业经营的逐渐零碎化，一般农民所使用的简单农具，亦不易更新补充，以及愈到挽近，尽管天灾战乱在大量减缩人口，而米、麦粉面等食料品，却在大量进口的事实，说明了我们农业社会的生产力，是在如何经常化的减退。然而，这种带有原始性的恐慌现象，很容易为其他更明确表现在市场的现代型恐慌所掩蔽。许多人甚且以为后面这一种恐慌，一旦被阻止了，解救了，经济就在好转，就在复兴，这显然是一种错觉。

其次要指出的现象，就是愈到挽近，我们的经济恐慌，就愈表现出一种二重性：它一方面尽管像在不顾资本主义世界的经济变动而一直在为它自己内在的灾难所困厄着，同时，却又愈把它的恐慌，当作国际市场或资本主义世界的经济大恐慌中的一个部分，而有机的发生成长起来。显然的，资本主义世界的繁荣或所谓产业复兴，不仅对中国经济的健康发展，无所益助，往往且是以牺牲中国经济来作为其营养，可是，它们的经济恐慌，却又会在转嫁意义上，加重中国已有的经济危机和困厄。本来当作原料生产地及商品和资本销纳地的中国，由于国际资本作用下商业活动的结果，某些部门或区域的农产物，特别是那些已经作为输出对象而专业化了，或单一栽培了的农产物，愈加对于国际市场，对于需用它的国外产业，发生了密切的依属关系。一旦国外产业不况，由是引起了作为其原料品市场的疲滞现象，在这些从事专业化，单一栽培化了的农产物，特别是丝、茶、桐、大豆、落花生、棉花、烟叶等等种植的农民大众间,立即就会由输出的激减,而诱发出广泛的失业破产危机。而同时,在货币与关税白热战的场面下,我们几乎要从多方面忍受牺牲。我们原来可输出的,受到妨阻了,而国外大量堆积着霉烂损耗的过剩品,却很轻易的从中国无力保护的沿海关口泛滥进来了。不但如此,它们在国内找不到用途的过剩资本,更趁着商品泛滥进来的机会,把"投货"同时转形为"投资",借以利用中国更多失业者的低廉劳动,更可能压下价格的低廉原料品,乃至在政府财政日益困厄下,更便利取得的种种商工业特权了。就因此故,在中国大都市方面表现得颇为深刻的经济恐慌中,同时并不难发现一些像是反常的繁荣景象,我们可以由是联想到中国经济恐慌的另一种性格了。

最后要指出的现象,就是我们的经济恐慌,因为有上述那二重性在交互作用着,它的表象,就格外显得是参差的,多面的,颇不明确的。在依存于国际市场的情形下,依然表现了极浓厚的地方色彩,依然不能忽视自然因素的重要性;特别是表识着过去社会经济恐慌的生产不足,和表识着现代恐慌的生产过剩现象,居然同时在我们同一国度的同一生产部门经常的存在着。比如,在战前的数年间。"长江一带的农民,因谷物下落,弄得非常贫困:就在一九三二年各省米价下跌百分之三十,一般都称说这是'丰作饥馑',但在广东方面,因年年食粮缺乏,每年由九龙、汕头等地输进外米达一千四百四十万担。又华北小麦的囤积很多,那里各铁道沿线所堆积着,就不下一千万担,而上海方面的,每年都输进大量的外麦。"(见《中国经济》三卷十一期《中国农村恐慌及农村状况》一文中的引句)还有,我们的茶已因世界市场的不况,生产过剩了,市面甚至输入有锡兰、印度、爪哇的货色。生丝生产过剩了,日本、印度的丝及丝织品,却源源大量的进口,广东、江西各地已苦于蔗糖生产过剩了,南洋、日本等地的同一产品,却在全中国泛滥着。这许多生产的不断的输入,应该理解为国内生产的不足,却竟因此造出了国内生产过剩的结果,设把视线集注到工业品领域,此种先景,还显得错综而离奇,中国人的产业在停闭破产,外人同部门产业,却显得扩大而繁荣。恐慌的多面性,使它在时间的间隔上,在表现的内容上,几乎不易给予吾人以明确的"究竟是怎么一回事"的印象。

上面所述及的这几种恐慌表象,以及可以由此引起,但却为我们所不曾触到的其他诸般事体,从表面看来,似把我们传统的恐慌形态,改变得非常彻底了。但试一探询这种改变所由造成的原因,大家很容易把市场的扩大和变革,提供我们以很有力的说明。事实上,我们上面述及的恐慌诸表象,处处都关联到了市场关系,无怪许多从这种流通过程着眼,说中国的恐慌,主要是资本主义的商业的技术性的了。

我们诚然不能忽视这一观察方法的重要性,但同时也可借此究明这种观察方法,究竟能否探索出中国经济恐慌的基因来。

主要从技术的商业的观点来看中国经济恐慌的人,当然是把他们立论之键,放在有关流通过程的一列事实上。不能统一调节市场,是他们的出发点,他们并还在这种前提认识下,把不能执行保护关税,不能展拓合理交通,乃至不能统一货币,也算作诱发经济恐慌的有力原因。我们原不否认这些都是中国经济恐慌所由形成的直接间接因素,但问题是看我们在怎样的关系上,去理解去辨认它们可能作用的范围及其限界。

从流通的观点出发,我们的市场关系,确是显出了一种异样的无政府状态。前面述到的中国恐慌中表现的多面性,一面供应国际市场的单一栽培化的农产品,发生过剩,一面作为国内主要必需品的食粮产量不足,已经是够支离了,但就在食粮上,某一地域的过剩产品,竟不能供应国内其他地域的不足,而使其由国外得到供应,这看起来是非常滑稽的。设仔细分析一下中国的市场关系,却又应当视为是极其自然的。

严格的现代型的国内市场,根本就不曾在中国存在过。事实上,中国邻接外人的边区地带,它们各别与邻接国所结成的市场关系,就比较它们与内地乃至与彼此相互间所结成的市场关系,真不知密切多少。比如,东北及山东、福建等省之对于日本,外蒙、新疆之对于俄国,西藏、广东之对于英国,云南、广西之对于法国,或者东南滨海各省区之对于南洋,荷属东印度,美属菲律宾,日占台湾,英占香港、马来亚,其来往交易之频繁而容易,却非它们对内的市场关系所可企及。慢说边区边省,就是内地各省间的相互联系,亦无法构成一个可以作为物品集散流通的中心市场。原来市场集中关系所由形成的脉络,最关重要的是交通,其次可以数列货币。中国陆上水上的新式交通,差不多都是外国资本建筑的,自然都不免是为外国资本服务的。上述诸边省几乎各别建筑与邻接国相连的铁路,由滇缅铁路,而滇越铁路,而广九铁道,而安奉铁路及以前的中东铁路,都是这样建筑起来,也都在这样作用着。其他内地仅有的几条铁路,殆无一不是作为那些在中国境内的外国铁路的延长。而沿海及内河的轮运,则又大体可视为它们陆路交通的联系或补充。因此,我们的这种性质的交通愈发展,我们的市场关系就愈支离。但国际资本分别控制中国市场,支解中国市场,除了交通工具以外,还使用货币这个手段。在它们控制下的铁道沿线地带,都各别在行使他们的货币。但关于这点,我们只要回顾一下前面述及的中国货币的诸表象就行了。货币权及交通权被把握在它们手中,它们自然很方便依照它们的需要,来调节进出口贸易,而不能依我们的需要来调节进出口贸易了。这是长江各省过剩的米,不能用以阻止安南、暹罗、台湾地区各地之米的输入,华北各省过剩的麦,不能阻止美国小麦面粉输入的原因。至若国际资本除了在中国各边境地区分别控制中国各地市场之外,它们还在上海、广州、天津、汉口等同一大都市中,用它们各别攫取的种种经济权,按照它们各别对于制造品及原料品的需给程度,在贸易上,乃至在其他如金融汇兑等市场上,尽量发挥其操纵的能事。这一来,中国就不但无法调节自己国内的需要供给,且也不能由任何一个资本主义国家单独依照它的需求,来予以调节。市场关系愈错杂愈分歧,而由是导来的恐慌,当然也会显出极其参差的多面性。

不过,交通货币以及其他经济手段的被控制,是要关税权被控制,才能有效的发挥其对于商品运动,从而,对于市场关系的操纵作用的。中国的关税权,一直就不曾完全自主过,极低的最高关税率的限制是被取消了,但国际资本在中国的债权,主要是把关税及交通作为担保,而同时关税收入,又差不多是中国战前财政支出的最重要来源。这种错杂的财政资本关系,就使国际资本对中国关税政策,保有极大的发言权。亦就因此之故,它们相互从事关税战,因而相互无法推销的过剩制品乃至原料品,就行所无事的向中国市场泛滥了。许多人认定:产业没有保护,是中国经济恐慌所由造成的最明显原因,在这一理论逻辑上,是不为无见的。

但如其反问,外国有了关税壁垒,为何也发生恐慌?(事实上,资本主义各国的关税壁垒,已经是当作恐慌的结果表现着,虽然那同时又被看作是恐慌促进的原因之一)那不是说明:关税能否切实采行保护政策,与恐慌能否根本防止,并无重大联系? 不错,这样追问,是还有极大的躲闪余地,而最科学的论辩,也许就是中国型的恐慌,原本就和现代型的外国恐慌,是不同的种类,具有不同的性质,所以不能一概而论。

这正好是我们所期望引出的论点。

第五章 从全般经济法则联同作用下体现出的恐慌基因及其后果

在上面,我们郑重的提论到了中国当代恐慌的二重性,即它一方面在不管环境绕着它的世界经济如何变动,一直在为一种慢性经常化了的痼疾所困厄着,同时,也许因为被长期困厄磨折了的孱弱病体,格外经不起外感,一遇到资本主义世界市场动摇,立即就像很有感应性似的,把它的老病加重起来。如其说,这种恐慌的二重性,不能"彼疆此理"的二元的来解释;同时,我们前面那种从流通过程看出的症结,虽然很像能说明我们恐慌为世界经济危机所影响,但用以说明经常化了的慢性危机的那一面,却是颇嫌不够的。

我们实在需要把考察的视野,由流通过程移到生产过程。那里将使我们把恐慌的二重性,归结为一元的理解。

对于中国经济恐慌之基因的问题的探究,第一步应不忙问到什么是我们恐慌的基因,而应问到什么是我们恐慌的正体。它是由其二重性展示了诸种正相背离的表象的。即一方面是都市的,同时又是农村的;一面是生产过剩的,同时又是生产不足的;一面关联着国际经济变动,像是有周期性的,同时又是经常的持续的,这诸般正相对立的表象,如须从中国经济内部,从中国全经济运动过程中,了解其统一的关联,我们将有理由相信,我们的恐慌,确实

第五章　从全般经济法则联同作用下体现出的恐慌基因及其后果

可由农村的、生产不足的、经常的持续的诸实质，来涵盖它的全内容，如果这个论点能够成立，则在其他一极的都市的、生产过剩的、周期间发的现象，就很可看为是在我们那种"本格"恐慌的基础上发生着作用的。我们显然不能把命题反过来，说后者是由前者派生的结果。

在本书以上各篇中，我已把中国经济的正体，分别从其各个构成的形态，加以较详细的剖析，在把经济恐慌看作是整个经济运动之必然归结的限内，这里是需要将那些个别的经济构成形态，放在全体中来予以全面考察的。

商品的价值形态，是全体经济的机轴。我原是从那个机轴开始，现在，我亦不妨从那个机轴开始，看中国全体经济，是怎样在它的总再生产过程上运动。

我曾讲到，中国经济已大体脱出了自然经济的范畴。它的生产物，尽管有最大一部分是当作使用价值而生产，非当作交换价值而生产，但一般的趋势，已经在以极大的压力，推动生产物商品化的运动向前拓展。

特生产物的商品化，是需要具备许多客观的前提条件的，我们很容易想到市场、货币、交通诸方面。事实上，我们已就这些方面，说明过了中国生产物商品化的障碍，但生产物能否变为商品，能在何种程度变为商品，能变为何种性质的商品，并不是在它已经生产出来之后，才在移向交换过程中，碰到这些障碍的，而是它在生产过程中，就被生产它的条件或生产方式所规定了的。我们的商品化的生产物，一般是在小商品生产条件下生产的。这在本质上，已不仅限定了它的市场范围，还限定了它本身的属性和种类。小商品生产，是只允许农产品和手工业制品作为其生产对象的。

在小商品生产成为一般商品生产形态的社会,作为其再生产基础或社会蓄积来源的剩余价值,一般是出自土地方面,因为在这种社会,农业与包括有手工业乃至制造业的工业比较,因其更能利用自然,所以更有生产性。而且,在大多数场合,工业还是当作副业,依属于农业的,也许正因此故,作为农业上剩余价值而体现着的一般形态,就不可能是利润,而必须是地租(虽然地租并不产生在非租耕地上,但非租耕地上的劳动剩余,亦不妨如此理解)。——我们社会正是把土地上的地租蓄积,当作一般社会蓄积的最后来源,再生产扩大的可能性,亦是存在这里。

不过,这只是大体如此的看法。其实,每年从土地上产生的生产物,究竟在量上,是否一年多过一年,即是否真正有剩余可资蓄积,那不能单从转化为地租的农产物数量来看,却须同时从农民生活条件与生产条件来看。尽管地租能维持原状或者有所增加,如其农民生活条件更苦,生产条件更坏,社会蓄积不但不曾增加,甚且可能是减少了;反之,地租即使因某种理由被减低下去,如其农民的生活条件变好了,那不但不能遽认为是社会蓄积的减少,却竟可能是在增加。在市场关系没有健全确立,农业生产物没有一般商品化的我们的社会,农业劳动剩余生产物,宁是一个不定数,一定的劳动生产物量,可因直接生产者的生活条件压低而加多,亦可因他们的条件的提高而减少,但不论如何,社会一般蓄积是否真正增加,所增加的蓄积,是否用以扩大农业再生产,大体是可因农业直接生产者的生活条件与生产条件而测知的。现在且不忙回顾前面述及的我们农民大众在以如何条件而生活,特别是以如何的条件而生产,最好是先看我们社会的一般经济运动情形,能允许他们以如何的条件而生活,特别是以如何的条件而生产。

第五章 从全般经济法则联同作用下体现出的恐慌基因及其后果

我们曾讲过,资本的分散或使用的方式,是为它的累积与集中的方式所决定;又讲过,这法则同样可以应用到地租的蓄积及其使用上。换一个说法,即作为我们社会蓄积之基础的地租,一般是使用在或分散在地租收得与所由取得土地的诸种原始蓄积活动上,这正如作为资本主义社会蓄积基础的利润,一般是使用在或分散在资本家所由取得资本的诸种蓄积因素的购买上一样。

商业是这些原始蓄积活动中最凸出的一个部门。在商品生产形态下,一切当作生产条件的诸物,都要通过买卖,商业就是把这些通过买卖的商品的运动,作为它的内容,作为它的化身,它被规定在生产过程中了。小商品生产下的商业,却是立在生产过程外部,主动的促使生产物成为商品,结局,就造成了商业支配产业,商业利润规制产业或农业利润的趋势,产业或农业利润就遭受商业利润的规制。它同时就无法建立起对利息的支配,却反而被利息所规制了。恰好在这场合,高利贷者的债权乃至国家的赋税,不但在农业剩余生产物的分割上,与商业采取了一致的行动,它们并且在要索赋税及债务的支付上,为商业促使更多的生产物变为商品。在对外贸易日益扩展的过程中,那生产物不但变为国内市场的商品,且变为国际市场的商品,而且由国家及个人消费扩大所输入的外货愈多,我们由这种生产物变作商品,去平衡对外支付的数量,也相应增多了。不等价交换的条件,就是在用农产物输出去抵偿工业制造品输入的过程中形成起来的。而这不等价交换的条件本身,便成了永续入超的一个重大原因。结局,当作我们社会逐年蓄积之基础的剩余劳动农产物或其价值,就有可观的部分,这样的通过买办商业,被集中到外国去了,或者作为国际资本,被投用到中国沿海大都市的各种偏于商业性的企业上了。

由输入加繁加多所造成的都市荣华,以及相应要求的现代国家场面,都直接间接在依各种原始累积方式,如商业、高利贷及赋税(当作中国经济的原论,我在本书中,对于赋税一项,不曾作着正面而深入的分析。但在一个落后国家,赋税这个成为原始蓄积的因素,确在全般经济上发生了不可忽视的影响。中国赋税所加于一般直接生产者的生活条件生产条件的破坏作用,真是太大了。而它最坏的特征之一,就是不确定。每年要被征去多少,在直接生产者固没有把握知道,即在作为征收赋税的主体,它亦没有把握知道。英国一位著作家估计,中国地方官吏所征收的,要比他解交中央政府的超过五倍,而另一位英国专家则又说超过三倍——见拉狄克著《中国历史之理论的分析》中译本二三五页——这样的税制,与其他各种落后的原始蓄积手段,如高率地租、高利贷及商业资本连同作用起来,其破坏影响是不难想见的),乃至地租等等,不绝加重社会主要的最后的蓄积来源的农村的负担,把农村可能挤出的资财,吸进都市,再注到国际资本的大蓄水池中,而与上面那种集中运动衔接起来。

不错,这样一种社会资财集中运动,并不是,且不能是"一次过了"就完事的,它一直在赓续着。正因此故,农村终不能不留下一些继续原始蓄积活动的资本,在这里,与买办商业相区别的国粹商业,与都市银行钱业相区别的高利贷业,便像在分工的意义上,承担起了最基层的累积活动。又因为它们这种活动,是在最落后的、最可予取予求的、最便于各种特权行使的农村社会进行,其利润率利息率之高,就最足以影响直接由土地上取得的地租的蓄积程度及其使用方式,而这又反过来,在商业者眼光中,把土地看为特别有利的商品,在高利贷者眼光中,把地租看为变相的高率利息了。

由是，农村可能或者必须截留下的农业剩余生产物或其价值，就必然是在这三种用途上浮荡着流通着。

这一来，土地上可能积得的资财，即使经常有一部分，留在农村，甚至是使用在土地上，但因那不是用以充作资本，而是用以购买土地，农民由高率商业利润、高率利息，以及其他非经济强制活动连同影响所须为土地费去的代价愈大，他们在总收入中，能挣下来当作改良生产维持生活用的部分就愈少。他们愈贫困，愈需要依靠土地，土地所需支付的代价就愈大，无资力无机会取得土地的贫农，就愈能以最低生活条件以下的报酬工作，劳动驱逐机具的形势便被形成了。土地劳动生产力便逐渐减退了。以食粮为主的农产物产量，便逐渐缩减了。

因此，我们的农业的、生产不足的、慢性的经常化的经济恐慌，便是在上述这一列经济运动——小商品生产，商业使生产物变为商品，商业支配产业，商业利润高过产业利润，利润受规制于利息、各种不等价交换，资本向都市向外国集中，农村各种原始资本形态的相互作用为资本在它们之间的流转，劳动驱逐机具，甚至驱逐畜力——所联同体现出的诸种法则作用下产生的。在这种恐慌实体中，当然还能看出一些古典形态的阴影，但我们却很容易把世界经济大恐慌在国内诱发的更恶劣的经济危机，看作我们真正的经济恐慌形态。所以，一旦世界恐慌在周期圈上走到了好转或复兴的上环，我们也就安然的觉得自己经济也步入好境了。这种错觉，被以次的皮相观察所加强，那就是，认定租与税的保持原状或增加，就是社会蓄积，就是农业剩余劳动生产物能保持原额或有所增加。其实，特别像在我们这种社会，租与税的增加，不但与社会劳动生产力的减退，是可以相并存在的现象，甚且可以直接当作因果关系而必然同时呈现的现象。试想,在战时乃至在战后长期动乱和破坏的过程中,尽管新旧大小工业在崩解线上挣扎,尽管农村经济残破,早成为一般公认的事实,但在长期恶性通货膨胀磨折下,通过租税,通过徭役,通过商营,通过高利贷以及其他更原始勒索方式、加在一般生产人民身上的负担,宁是加强加重了。不论人们在怎样称扬中国生产人民大众的"勤苦"美德,如其他们在生活资料上,经常需要用草根,树皮,观音土代替杂粮;在生产手段上,经常需要用人力代替工具,代替畜力,那就不但租税,商业,高利贷迟早要经验到它们榨取的尽头,就是各种各式的徭役罢,也将发现那些形容枯槁,精疲力竭的"壮丁",是什么任务也无法达成的。中国历史上像是颇有规律的战祸与动乱,是作为我们那种古典恐慌的后果而表现出来的。而在目前,恐慌的内容与实质,是有些改变了,当作恐慌的结果而表现着的战乱,也掺杂了一些新的因素;但这些"改变"和"新的因素",由前面述及的我们的恐慌的二重性,由我们整个经济之半封建的次殖民地的性格,是可以得到说明的。

恐慌是现代中国经济内部诸关系相互作用的结果。战乱在某种限度内,是恐慌直接间接造成的结果。不管战争是对外的还是对内的,也不管是胜利还是失败,如其我们社会的原有生产关系,不曾由战争予以本质的改变,生产人民大众的社会地位,不曾由生产方式的变革而一般的改善和提高,则我们上面分析研究的诸般经济原理和法则,便会继续作用着,继续使我们陷在慢性的愈来愈益深沉的恐慌困厄中。

本篇问题研究

一、封建制恐慌与资本制恐慌,有那些基本不同的特征?

二、中国传统的经济恐慌形态,对一般封建制下的经济恐慌,表示了那些不同的特征?

三、中国现代的经济恐慌,具有二重性,此点将如何说明?

四、中国的经济恐慌,应理解为全般经济运动法则联同作用的必然结果。试就上述商品价值,货币,资本,利润,利息,工资,地租诸方面分别表现的运动法则或倾向,作一综合的说明。

附 论

附论一　中国商业资本论

一　全文的集注点

凡属关心中国当前经济问题的人,即使再有客观的平静的心,也会叹息致恨于商业资本的猖獗活动,事实上,我们即使把今日中国整个经济问题的症结,单从商业资本这个视野来求得说明,纵会不是最本质的,最根本的,但却无疑要涉及最本质的最根本的问题上去。

当作一个社会经济形态而表演着的商业资本,在一般人的主观上,尽管它的活动像是越出了常轨,超过了一般社会的需求,且更进而成为全社会经济系列上的反对物,但在商业资本自身,它对自己的任何活动,是"行乎其所不得不行",它的动态,不但不能照着一般人希望它的活动限度作去,且也不能照着它的主体即商人们的意志作去。商人们对于他们所控有的商业资本,在某些场合,虽然做着主持人或支配人的事,在另一些场合,却是在跟着他们的资本所必然趋向的途径走,这好比拖着马车的马,在上坡的时候,马车无疑是被拖在马后,惟马首是瞻,一旦到下坡的境界,马却不像是拖着车走,倒反而是被车赶着走,其中的原委,就因为是,各个人的资本,既被汇合成为社会规模或社会形态的商业资本,各商人的资本的活动,就不能自个别资本决定各自的动向,而必然是取决于全体商业资本,依照一定社会经济法则而采取其动向的。

在这种认识下,我们骂商业,痛斥商业资本,虽然再露骨,再不留情,也只能使自己多一些精神搅乱上的痛苦,于整个商业资本或它的化身,商人乃至商人阶层,丝毫无损,更自然于整个经济问题,无何裨助。不但如此,从全社会演变的视野来看,商人并不一定是凝固在那里,一直都是商人,那正如同他的资本并不一定是一直凝固在那里,一直都是商业资本。一个社会的法律观念,道德观念,一个人在他已经在从事商业活动,已经是商人的场合,虽然格外被争利的强烈要求冲淡了,但由他将从事商业活动,将变为商人的场合,我们并不能用一个凝固的商人的观点来范围他,而且,特别在今日中国的情形下,一个商人并不单纯是商人,他可能是为一己利益而活动的商人,同时又是为大家利益而活动的别种人,当他在前一种人格下,我们可以指摘他忽视社会的法律与道德,在后一种人格下,却又似乎不能不默许他是法律与道德的支持者。一人之身既可备有这两重人格,我们就很难把商人看作是特别不顾道德法律的人了。

自然,我在这里作如此的推论并不是想为发国难财的商人或商业资本解脱责任,我只是要表明:法律与道德是社会的产物,是要在一定的社会条件之下,才能发生作用。要限制商人或是商业资本,单把注意集注到现象上,或者,只凭感情来造出严峻法令,并动员一切道德压力,恐都不易收到预期的效果。

商业资本活动,既然是离个别商人意志而独立,既然是对商人,对一切"准商人",乃至对商人预备队伍,都表现为一种不易抵制的必然趋势,我们即使要借道德与法律的力量来加以阻止,也须辨认出那种必然趋势所由形成的社会经济的因果法则,但环绕着商业资本而作用着的诸般法则,要把握它,差不多非动员整个的经济学,甚至非动员别于现代狭义经济学的广义经济学不可。商业资本是原始社会以后的一切社会都存在着的经济形态。它的全部历史,充分显出了它的活动所依据的全部法则。

二　商业资本在中国社会经济发展史上的兴衰继绝关键

中国历史上是有着许许多多的朝代变革的,朝代变革的原因,可以从各种观点去考察,当然也不妨就商业资本的演变来予以说明。事实上,中国历史上每个王朝的兴废,差不多都是伴随着商业资本的兴废,这王朝的兴废的密切关联,会给我们这样的印象:王朝是把商业资本作为它的兴废存亡的前提条件,但揆诸实际,都是商业资本借着每个王朝的兴起,而得到再生的机会,等到它扩大起来了,随即就对它借以再生的王朝,无情的侵蚀其存在的物质基础。

中国商业资本在殷周王朝已经有其端绪,但在中国社会经济发展史上,殷周王朝是被位置在初期封建阶段,而在这以后的二千余年间,差不多滞留在中国的典型中央集权的封建体制的阶段上。中央集权的封建体制,是商业资本活动的温床,因为,商业资本在它消极的意义上,它是需要社会落后的,但太落后或还逗留在前封建的状态下,它没有开展的可能;同时,在积极的意义上,它是需要社会的前进的,但太前进或是跨上了资本制的历史,它又没有握着支配地位的可能。(资本主义的社会的商业,一般是隶属于产业的——此点后面还要说明）惟其封建体制对于商业资本特别有生存攸关的联系，在中国社会经济史上，商业资本就像一直在为了使中国经济滞留在封建阶段而活动，它像是不止一次的宁愿以身殉王朝，与王朝同归于尽，而不想使产业资本代它取得社会支配的地位——这是中国产业不发达，中国很久不曾走上资本主义旅程的一个重大的原因。

自然，我们这种说明，是考察中国商业资本历史的结果，是对商业资本客观表现加以评判的结果，而在历代的商业资本活动者主观上，不但不曾意识到这些，他们当时的知识基础，也不允他们意识到这些。

论到这里，我们可以进而解说中国商业资本所据以演变的必然法则了。

中国历史上每个王朝的兴起，差不多都是在社会生产力大遭破坏的丧乱之余，自秦以后的几个重要的王朝，如汉、晋、唐、宋、元、明、清都是如此。如其视社会生产力的彻底破坏，是一个王朝覆亡的基本原因，则新的王朝组基之始，便必然会尽一切可能的方法，促使社会生产力的恢复或再生，一切封建社会是把农业生产作为它的物质存在基础，所以每一个王朝的明君贤臣，都是以便农利农为其要政，讲求水利，改进农业生产技术，薄税敛，设置劝农力田官吏等，差不多千篇一律的被各王朝开国之君臣们相率实行起来。

在封建的贵族、领主、官吏是靠农业剩余生产物维持的限度内，重视农业生产，无疑有其生存上的必要。对于商业，在理论上，他们是要敌视的，而在实际，他们确也不绝采行了敌视的钳制的步骤，因为商业的活动，是不免要分润一部分农业剩余生产物的。商业活动愈形扩大，所分享去的农业剩余生产物必愈多。所以封建社会的整个经济政策,总是把重农抑商作为它的骨干。

但历代王朝的重农抑商的政策,却似乎只从反面告诉了我们的一件事实,就是"农"其所以要特别的去"重",无非是因为前此把它看轻了,"商"其所以要特别去"抑",也无非是因为前此把它太放纵了。汉朝一位政论家曾大声疾呼的说明了此种事实:"法律贱商人,商人已富厚矣,尊农夫,农夫已贫贱矣,"各封建王朝在本质上实践上,都走着劝农力桑的路,但却为商人大开富厚之门,那不是因为它们没有远见,而是因为它们不明事实的必然逻辑啊。

商业的发展,是把治安与交通作为它的外在条件,把交换媒介的确定,交换对象的增殖,作为它的内在条件。每一个新王朝的统一的局面,和由它在统一局面下必然要做到的休养生息,"田野辟,道路治",以及凡百改善民生的庶政,其主旨虽在增进更多的农业余剩生产物,更生农民,但结果大大的促成了商业的繁昌。商业通有于无的机能,在一定场合和一定限界之下,无疑大有助于农业生产物的增殖与扩展,但商业发达到一定限度,却把它原来可以助成农业的作用,转化为破坏农业了,至少,是它愈来愈烈的破坏作用,早把它原有的助成作用掩盖了。

封建社会的工业生产,只是当作农业上的副业,全部商业的交换对象,差不多都是限于农产物,而且主要还是限于那些以地租赋税名义,由农民提供封建领主贵族官吏们的农产物,商业愈向前发展,各地通有于无的作用愈增大,被消费的对象愈繁多,结果,封建上层社会的消费欲望,就愈加会受到刺激,而农民用地租赋税名义提供到他们的农业剩余生产部分,就愈加要对他们的农业必要生产部分,增大其比重。换言之,就是农民为了维持自己能继续劳动,并为了维持能继续生产所需的那一部分必要生产物,都将因此减少。租税不论是侵蚀到了农民的生活费,抑是侵蚀到了他们的生产费,再生产规模是会相应受到拘束或缩减的,一旦再生产不能维持,租税所自出的经济基础,就定会发生动摇。在这场合,封建上层社会要继续维持不生产的消费性的浪费,就只有两个途径可循:其一是加重对农民的剥削,而进一步破坏其寄生的经济基础;其一是用借债等方式,多方张罗其浪费所需的资金。但无论选定那一个途径,结果都会是土地向着商人豪民手上集中,农民则相率离开生产过程。

商业资本向着土地方面的进出,无疑得到了曾由它转化成的高利贷资本的协助,但资金由商业同高利贷业移到地产上去,那并不是商业资本活动的中心,而是它进一步的扩大,因为土地上乃至高利贷业上的收入,还可继续更番的变为商业活动的本钱。有人说,商业资本、高利贷资本和土地资本是"三位一体",那是颇为允当的,它们在任何一个落后社会,都会依照不同的方式,表现为一个整体的三种作用。

然则商人地租收入者,高利贷业者豪民们,为什么不肯把他们的资金使用在工农产业上,而必须向着这些方面兜圈子呢?这并不是因为他们有一种远见,以为把资金使用到生产事业上,生产事业或产业发达起来,就是对于他们自己已有的地位与利益的否定,而是因为封建社会种种的传统法规及传统意识,妨碍生产活动,使他们权衡利害,更容易为当前的厚利和伴着厚利而可能取得的社会地位所吸引。

事实上,商业资本的活动,还不只停留在社会经济的领域,它的化身或商人,不仅"丰财役贫",不仅使"封君皆低首仰给",不仅"因其富厚,交通王侯",且还能借其通神的财力,借其对于实际经营的经验,相率利用各王朝财政空乏的机缘,直接担任起理财的政务,"吏道益杂不选,而多贾人"了。在这种场合下,封建社会传统的抑商政策,便被暂时搁置起来,而采取一种为商贾豪民所能接受的妥协方案了。其实,在现物地租成为商品交换基础的限内,在社会生产力的恢复与发展,必然附有富之蓄积与豪商发达的条件的限内,商人由抑商政策所受到的损失,最后必然要取偿于农民,农民在多方诛求之下,只好把他们赖以维持生存的仅有土地,以更恶劣的条件,贡献于豪商地主。

封建主义到了需要迁就豪商地主,需要对商业资本妥协,并需要由豪商参加政权,决定经济国策等方式,使自己商业化的阶段,这必然会把一切对农业生产有利的措施,如治水,如改良农业设备等等,放在一边,同时更由浪费与不生产支出的增大,和租税收入因农民大批离村及豪商官吏多方规避的减少,而不得不对勉强留在农村挣扎的农民,采行更无情的剥削。到了这样一个阶段,天灾水祸及各种形态的瘟疫,必然一再侵迫着饥饿的农民,使他们不能不到处流亡,不能不由流亡转徙丧失去一切封建意识所加于他们的安分守己的束缚,而选择"挺而走险"的末路。由是到处发生战乱,社会生产力遂根本遭受破坏,现物地租及商品货币关系的基础,均连带丧失无余,不仅是贵族领主,就连豪商滑吏也对这一代的集权封建体制殉葬了。

商业资本走上这样的末路,当然不是商人阶层始料所及的,但在中国社会经济发展过程上,他们确实有无数次陷在这种不能自拔的命运中,汉末、唐末、宋末、明末,他们都曾在一度盛极之后,接着就踏上其前一王朝终结时的商人阶层的覆辙。一度一度的血腥故事,好像总教不乖他们。这事实,我们是不能单用商人"利令智昏"的考语来解释的。就是那些像把商贾之利,看得卑不足道的历代明君和贤士大夫,也都不曾意识到他们的王朝所寄托的封建政权,何以终于不能避免的要走上分崩离析之路。

一个社会的本质不曾改变过来,那些意识着这个社会,使这个社会取得历史存在的一切法则,便会不顾人们的志愿,而铁一般的贯彻其作用。商业资本运动法则,是封建主义经济运动法则的一个重要部门。上述中国历代商业资本兴衰存亡的演变关键,只有从中国封建社会的发展法则的作用才能得到说明,而这一法则,却还是挽近广义经济学研究的成果。

三 鸦片战役以后的商业资本

把鸦片战役作为中国社会的现代化过程推移的一个转折点,那大体是为一般人所公认的,在这以后,中国传统的封建社会组织,已逐渐趋于解体,同时,附于这个逐渐解体的封建社会的商业资本,也相对的,扩大了它的活动范围,改变了它的姿态。

不过一个旧社会组织的解体过程,是要到它胎内孕育着的新体制蛹脱出来,才宣告完结的。直到抗战发生时为止,中国现代化的新社会体制的难产,就使封建残余在各地或多或少的保留下来。这种保留的成分,如其必然是关系于最广范围的,最有保守性的,最基础的农村社会生产组织方面,从而,其解体的成分,如其必然是关系于较窄狭范围的,较有变易性的,较为上层的都市经济方面,则我们社会的姿态虽然是改变了,它的本质当不能有根本的变革。结果,依存于我们这种社会的商业资本,尽管把它活动范围加大了,把活动方式改换了,在大体上,仍不能丢开它一向依以作用的运动法则。

自然,我们这个古旧帝国的门户,自被先进各国的大炮轰开以后,舶来的各种形态的制造品,使用种种方式,推销进中国来,同时,中国之种种土地的生产物,则被先进国吸收去。对外贸易关系之拓展,确实为中国商业资本开辟了一个新的纪元,或者说,已在它原来的新陈代谢的细胞中注入了新的血液。

自然,中国的对外贸易,并不自当时始,远在西汉时代,我们已同西域诸国有了贸易上的往还,因为那时我们输出的主要是生丝,西方不通"世故"的学者(见沙哈诺夫所著《中国社会发展史》),还给我们以"生丝帝国主义"的考语。此后中国西北多数由阿剌伯人作介绍的中西贸易,乃倾重于海道,使中国东南如交州、广州、明州、扬州等地,成为对外通商港口,市舶司之设,"蕃坊"之设,均为当时国外贸易日有拓展之明证。迄大元帝国成立,中国与中亚细亚西域各地之陆地交通,虽一度开拓,然大元帝国崩溃,此路遂不通。至于明代,又因倭寇肆虐,国人海外航行禁止,以致海外贸易完全阻绝。然在这当中,冒险航海事业在欧洲勃然大盛,葡萄牙人,意大利人,先后发现东西航路,欧洲人争先恐后奔来亚洲,葡萄牙人在明武宗正德十二年(西元一五一七年),西班牙人在明神宗万历三年(西元一五七五年)即已来中国互市,于是因倭寇阻绝的中国海外贸易,至明末清初又复逐渐恢复过来。——由上面这一段中国对外贸易关系的简略的说明,我们就可晓然于中国以往商业资本的活动,并不尽是局限于国内市场,亦又不完全是以土地原生产物交易为对象,不过,当时那种时断时续的对外贸易,论其范围和规模,固已不够改变或有多大影响于中国商业资本运动历史定向或必然法则,何况它的性质,又是那样由国家予以限制。唐代对于外国输入货物,征取关税十分之三,宋代则须抽征其总额十分之一乃之十分之四,而且后者对于外来货物,都令其先出卖于市舶司,再由市舶司或官方出卖于民间,官方在买卖价格差额上,获有莫大利益。所以,对于"初与蕃人贸易者,计直满百钱以上者论罪,十五贯以上黥流海岛,过此送关下"。迄乎元代,世祖忽必烈奠定江南,即规定凡邻海诸郡与蕃国往返,互易舶货者,其货十分取一,粗者十五分取一。其后,官方且自备船只,专运蕃人贸易诸货,其所获之利,似十分为率,官取其一,交易者得其三,为了保障国家对外贸易利润的独占,即令权势之家,亦不许其用已钱入蕃为贾,犯者罪之,且没收其家产之半。由此可知宋元诸朝的对外贸易,大抵都由国家行使独占,商业资本的活动,当然是大大的受到了妨阻。至当时输入的商品,主要为达官贵人之奢侈品,如香药、象牙、珊瑚、琥珀等,而其输出品,则为金银、铜铁、铅锡、丝绢之属,交易对象既局限在这些奢侈性的(就中金属的流出,确曾紊乱当时币制)商品方面,对于社会的经济基础,即使听令商业资本自由活动,亦似不能发生决定的影响。

然而五口通商以后的中国对外贸易,在上述无论那一方面,却有了极大的改变,与其说是由于我们国家抛弃了对外贸易的传统态度或政策,宁不如说是由于我们的贸易对于国家,不允许我们采行传统的对外贸易的态度和政策。

商品生产是现代经济上的一个最显著特征。现代经济每进一步发展,就是生产物商品化的程度和范围的加强加大,到了十九世纪中叶前后,所有先进后进的资本主义国家,差不多都把它们的商品生产,发展到了这样的限度,不仅它们生产出来的物品,都当作商品投向市场,它们用以生产的物品,亦是作为商品购自市场。其结果,市场的扩大要求,就成了商品生产的先决条件。国内市场是有界限的,向外扩展或制造市场,简直变成了资本主义国家的最基本而重要的国策。在此种国策指导下,它们对于其贸易对手国,或者说,对于我们这里所论及的中国,就不是像过去那样,仅输出一些带有奢侈玩意性质的东西,如香料、象牙、琥珀之类,所有日常需用的必需品便利品乃至新奇名贵的奢侈品,都是它们要向中国输入的,它们并且用威胁利诱的方法,把所有这些商品,尽可能大量的,向着中国的每个角落去找销路,它们像是在商品制造上,为中国社会服务,变为中国的工厂。而与它们这种要求配合起来,双管齐下的,就是因为它们自己的生产商品化,工业化,它们国内对工业化所能提供的原料,就相对的、绝对的都愈来愈不够供给了;同时,在为它们的商品所泛滥的中国,却因制造有人代庖,连旧式手工业,也日就趋于式微,它的农产品,特别是当作原料而生产出来的农产品,就恰像上帝妥为安排好了的一样,都成为缺乏原料的工业国的最好补充,这在世界经济分工上,俨然是"各尽所能","各取所需"。结果,中国的经济特征,就可用上海一个大百货公司的广告联来标识它,那就是"广搜各地土产,统办全球货物"。

但中国这种经济特征的形成,并不是不曾受到传统的政治经济诸条件乃至一般社会意识民族意识的障碍。为便于突破这些方面的障碍,多次的战役和一列不平等条约被连续制造出来。有了这些,中国经济的那种特征,就更加得到了保障。无疑的,在资本主义生产方法,以它自己的模型制造世界,并多方破坏旧有的封建生产方法的过程中,中国也像矛盾而不调和的逐渐成长了相当程度的新式制造业和工厂工业,虽然这些现代型的企业,至少一半以上,是各资本主义先进国家,为了最低廉最简便的利用中国原料与劳力,凭其在中国取得的工业特权而直接经营的,但由于它们这种经营,上述中国的那种经济特征,就像涂上了使人眩惑的不明朗的彩色。

在这里,我们似乎用了较多的篇幅来绘描中国经济形成的过程和特征,但如其说,中国的商业经济或商业资本形态,是中国整个经济形态的一个分支,或是它的重要部门之一,则我们的说明,就很有其必要了。在具有上述这种特征经济条件之下,中国的商业资本的活动,从以次几个方面,和过去表现了不同的分野。

首先,商业活动的对象是增多增大了。舶来的国内的各种样式的大量工业制造品,被投进流通过程中了,这和过去仅把农产品作为惟一活动对象的商业,已有了极大的不同,而且在过去的农产品中,大体上只是当作地租移交土地所有者(不论是国家或官府或私人)的那一部分农业剩余生产物,会投到市场,而农民留以自给的部分,则不曾或无须转化为商品,但在这时候,由某些农产品生产的专业化,以致它们的全部生成物,无论是剩余的,抑是最终会作为必要的,都得通过市场,就是都得变为商业的对象。除此以外,各种票据、有价证券、外汇,交易所里面最架空的,但都是最大规模的交换物,以及较有确实性的地产,通是商业阶级在新时代找到的高兴舞蹈的乐园。至于人(苦力或娼妓)被购买被招雇,或被质押来"外运"或"内销",虽然是"古已有之"的一个不小的商业部门,到这时,都扩大了规模,改变了形态。

其次,商业活动的范围是大大扩展了。这原和它的活动对象有着密切的关系,中国农产品向世界每个资本主义角落的进出,虽然在国门以外,不一定是甚至全都不是中国商业资本活动的结果,但在国内,却连在穷乡僻壤的地带,亦逐渐依新的交通工具,依新的金融与交换组织的发展,而直接间接嗅到了商业资本的气味,而且,就是在都市方面,由上面述及的各种交易所,也真不知为商业资本开拓了多少新途径和新天地。

第三,商业活动的性质,是有重大的改变了。在现代国外资本未侵入中国以前,中国的商业资本是独立的,差不多是在中国社会经济实况所允许的限内,照着它的必然途径展开的。但在这以后,它的活动,便愿意地或不愿意地被卷入国际资本的漩涡,而且愈来愈成为后者的尾巴,对于无论采取那种侵入方式的国际资本,它的活动,虽都不外是为他们推销制造品和采购原料,但这个任务,还不是直接以所谓民族的商业资本来担当,在一九三〇年,其总数已达八千多个之多的大大小小的外商洋行,差不多是以主人或监督者的资格,利用一切可资利用的特权,来推动中国整个流通界的活动。事实上,由这些洋行配合着中国买办们所进行的商业活动,已早越出了流通过程,即侵入生产过程了,即是说,它们不仅是只推销制造品,采购原料,同时,还借着政治的金融的力量,把制造品和生产原料的控制权也把握住了。在大城市及其附近的准资本主义的家内工业,乃至专为某种用途而生产出来的农产品,几乎都是由商人所支配。

把上面几种事实加以考虑,中国的商业资本,在一方面,不仅是改变了姿态,改变了内容,且还改变了原来的性质;可是在另一方面,它的性质的改变,仍不曾达到一个使它被剥夺去对产业资本行使支配的阶段,恰恰相反,商业资本在某些场合,在大都市若干新式工厂工业上面,虽然已像具有先进国家商业对产业处于隶役地位的外观,但即使把它的本质形态存而不论,它在这方面以隶属者资格活动的范围,对它在整个产业方面,特别在广大农村方面,以支配者资格而活动的范围,是不可拟的窄小的。

而且先进资本主义国家对中国经济侵略的方策,愈到挽近,便愈不能允许他们卵翼下的中国商业资本,向着积极的进步的路上走去,即向着产业资本转化,或对产业资本隶属的路上走去。原料供给地,和商品推销场所的保存和扩大,是买办型商业资本成立和发展的前提。虽然在帝国主义阶段的资本输出要求,即在落后地域从事产业活动的要求,保有使买办商业资本活动势焰减弱的趋势,但即使资本的输出,有一部分是为了利用落后地域的资源与人力,从而,在相适应的程度内,有一部分原料无须输出,有一部分制品无须运进,但在国内的这一部分原料和制成的商品,依旧是要靠商业资本来集散的。而况事实上,帝国主义阶段竞夺商品市场与原料供给地的要求愈烈,它所输出的资本,就愈加会以较大比例用在政治性质的投资上,而以较小比例用在经济的开展上,而由前一投资成本,通过金融市场、公债证券所造出的商业资本,其作用是要比由后一投资成分所造出来的产业资本作用大得多,多得多的。

总之,由鸦片战争到此次抗战的这一长期间,中国的商业资本,是在它附有隶属的买办性的特质,而加深扩大了它在国内的活动,改变了它的传统姿态,但正惟其它是买办的,是国际资本的附庸,它就始终只有逗留在国际资本或帝国主义政策,可能允许或要求中国整个经济"变革"的限内,有了一些无碍其原有本质的变革。

四　抗战发生以后的商业资本

要更根本的理解上述中国现代化过程中的商业资本，对鸦片战争以前的商业资本的变革的限度，最好是看抗战以后的商业资本，在怎样的范围和程度上，在怎样的变形和变质的限界下，归复到了鸦片战争以前的历史形态。

前面已经说过，中国的商业资本，照例，或者更妥切的说，照着它活动的作用着的历史轨道，是与高利贷资本、土地资本，发生密切的"三位一体"的联系。商人赚了钱，便借着高利贷的活动，用更有利的条件，取得土地，兼为地主，地主在土地上的收入，除了在窄狭范围内的个人消费外，或者是用以购买土地，或者是放款取息，或者是经营商业，或者是同时兼作这三方面的活动。问题是看当前的实利（或他主观上所能理解的实利）在怎样给他们以指导。他自己也是可能成为自耕农场或工作坊的主人。

外国资本侵入以后，在开始，中国的商业资本仍还执拗的维持着传统的活动途径，但愈到后来，因为它活动范围的逐渐加大，和活动对象的不绝增多，它的注意力，它的兴趣，被众多的诱惑物所分散了，同时，国际资本又运用千钧的压力，使它不能不被迫或被敦促到新的"伊壁鸠鲁主义"的乐利世界。

不但此也，由帝国主义各种侵略方式所造成的中国整个农村的贫困，不安与动乱，在以往尽管是商业和高利贷及土地集中的结果，同时又是它的原因，但到这时，"十里洋场"的新兴都市，都当作避难、享乐、致富的"三部曲"的理想天堂，而把中国一向特别会流向土地上的大量商业游资,都吸收到那里。

　　自然,在广大的农村乃至离都市较远的城市集镇里面,仍多的是商贾高利贷者和土豪。在全国上层社会、买办阶级及洋大人们的消费,大体是把农村剩余劳动生产物作为基础的限内,当作基层劳动者之剥削者的豪商们,却毋宁有在广大农村加强其活动的必要,但毕竟因为洋商互贾,大地产者以及新发展起来的金融家们,直接间接把农村多少可能利用的资金,都累积搜括去了,农村土地集中的现象,虽然不曾中止,在靠近都市边缘的地带,甚且还变本加厉了,可是衡以过去各王朝在末朝的土地集中速率及其规模,更衡以当时商业及高利贷活动的窄狭范围,在抗战发生前的数十年间,中国农村土地集中趋势,在相当程度内,被上述大量游资集中的大都市的事实所缓和了。无疑的,农村的不绝动乱,已影响商贾豪强们对土地的兴趣了,而尤其要紧的,却是土地这种在过去能令商贾们抬高地位,并借以接近官场,踏上官阶的财产,到了这个新的时代,即使在农村方面做一个有权势的人,还有利用它的必要,但要在大的场面下做一个闻人或什么要人,他定然会感到土地并不是很必要的条件了。

　　据以上所说,中国商业资本,到了现代就似乎不只加多加大了它的活动的对象和范围,连它的蓄积所得也改变了,或者说是歪曲了传统的转化途径,亦就因此之故,中国传统的商业资本运动法则,遂不可避免的在应用上受到了相当程度的修正。然而在当前,这伟大的时代的抗战,却对于我们的商业资本至少在外观上,是嘲讽式戏剧式的发生了扭转历史行程,使它们仍回向旧路去的影响。

　　中国商业由于国际资本侵入所造成的新场面和新动态,是以整个中国经济对国际资本的关联性和依存性作为前提,而此对外关联性或依存性的保持，又是以中国能借各大沿海港口及在那些大港口的贸易金融和产业，为其联系的枢纽。在抗战的前期，由渤海到整个的南太平洋方面的诸港口，即由天津到厦门一带的对外联络口岸，多半被敌人阻隔住或占领去了。其间，上海虽曾因为它的特殊性，还对香港，甚至通过一些曲折途径，直接对内地保持着若断若续的关系，使中国的商业资本，还很活跃了一些时候，甚且在外汇、标金及出入口贸易方面，有了空前未有的活动。然自一九四一年十二月英美对日宣战起，不到半年工夫，由香港到仰光这一列对外交通的口岸，都相继被敌人占领去了。这一来，对外出入口贸易，几乎全部遭受阻滞，同时，随着上海、香港这些港口的沦陷，过去在外汇、证券、土产上面活动的所谓"游资"，都无用武之地了，由是，商业资本活动的对象和范围，都大为减缩。对外的关联的割断，对外的依存性或者是隶属性，也在某些方面相应的解脱下来。即商业资本，除了通过沦陷区的非法活动外，也就像取得了独立的或更古典的传统的姿态。

在这种场面下，如其中国产业建设已有了基础，或者说，如其中国已有的产业基础，足够使商业资本寄托在它上面，而受它的支配，则由对外关系断绝，由一切投机活动停滞，即直接间接从流通过程腾出的大量商业游资，就可能自择有利途径，转用在产业方面，但不幸中国的仅有产业，就连那些用外资经营的部分，差不多百分之九十以上，是建设在目前已沦陷的区域，相率被敌人掠夺和破坏了。抗战以来，政府虽多方抢救或迁徙产业到后方，并在后方各地鼓励工业生产，但其成果，仍远不够支撑住商业对产业所加的压力。商业资本是横行无忌了。

在目前，商业资本简直像倒转过来了历史的车轮，在找寻它的旧路去发展，以前由国际资本带来的一切商业活动的新对象，新领域，既都相继丧失，同时，国内有限的工业，又无法对商业提供何等重要的活动门径，结果商业遂又"旧调重弹"的把土地及土地生产物作为它最可能和最有利的投机对象了，俨然是不可避免的趋势，确又受到了以次诸种偶合事件的鼓励和敦促。

比如第一，由政府在役政、路政以及战时各种要政方面的需求，各级地方行政机构加强了，党政军机关不但加多了，同时却又更向内地分散了，结果，战时的大后方，那怕是较远僻的地带，也表现了多年未有的安稳状态，就因此之故，大后方各地的土地，就格外显得稳固，显得对游资有吸引了①。

第二，物价的暴涨，日益火上添油的刺激换物运动，但战时需要的加大，由外来供给断绝及交通条件不够所引起的必然缺乏，由换物运动本身造成的大囤小积，造成的人为缺乏，对于游资或特殊利得的拥有者，就不能不转移其视线于所在都有的土地上面了。

第三，市场上一般物品的大囤小积，对于敌机轰炸的危险，是颇堪重视的，自然，物资和人口，是在不绝向较僻远地区的都市附近的乡村疏散。但由此引起的一般市民或官吏对于农村的兴趣，正好是土地变为投资对象的重要诱因，这一来，商业资本和土地资本的结合，就更加变得容易了。

第四，高利贷资本在它的社会作用上，一向是当作商业资本和土地资本之间的中介的形态或辅助的形态，土地和商业活动对象

———————————

① 由实物征收征借时起，到广大农村卷入内战动乱中的目前止，土地重又变成不能过于引人注意的目标了。此点可参考前面《中国地租形态》论末节——一九四七年六月补注。

的土地生产物,都较为实在,较有着落,高利贷即使借着抵押方式进行,亦尚不易把所有权确定起来,所以,它的所得到,结局不是用以发展商业,就是用以购买更多的土地。战时物价的剧烈变动,照理,应当最不利于贷借资本,因为,一定的货币额,经过的时间愈长,不但会相应减少其对实物的相对价值,且会妨碍其周转,但如其所采方式是在较短期内,以货币贷出,实物收进,或实物贷出,实物收进,那就可以避免这些缺憾了,事实上,这正好是当前贷借的最普遍形态。这种形态,显然更有助于商业游资在土地上的集中,然而最关重要的,还是:

第五,土地投资即使在周转性上不如商业的迅速而活跃,但它有三种利益,可以吸引高利贷的商业资本,其一是,土地的价格,在随物价的高涨,而迅速增高;其次,土地的生产物,亦在不断的涨价;最后由土地所得地租额,可利用种种理由,或利用中国租佃关系的落后性和不合理性,借租率抬高而增大。

商业资本向着土地上的转化,是随着商业活动对象的缩减,和物价的飞跃增涨,而益形厉害的,自然,在这种转向过程中,我们不能忽视土地重又变成重要财产形态,在社会政治上所发生的有利于土地集中的各种影响。土地原是最有定着性或执拗性的东西,它的转移,如其不是有经济以外的各种强制作用存乎其间,它就很难得顺利的投合商贾强豪们的贪馋的胃口。

而且,我们还须注意的是:商业资本尽管逐渐的把土地及土地生产物作为其活动的主要对象,或者说,逐渐向着土地方面集中,那并不能理解为商业资本结局都全转化为土地资本,或者土地资本化的结果,即地租积蓄所得,不会再转化为商业资本,事实上,地租蓄积所得,不但随时可增大商业活动资力,且可间接由商业的扩充,再回过头来加强土地的集中。可是,问题的关键,并不在商业资本究会在何种程度,转化为土地资本,使土地资本化、集中化,而是在商业资本,是否必然无其他更有利途径可循的要转化到土地上。要握住这个关键,我们就可明了当前商业资本危害的程度,及当前统制商业资本诸方策的有限效用了。

五 当前商业资本所造出的危害及其所受到的限制

我们现正为商业资本所造出的种种危害而苦恼。

但如把一般人对商业资本猖狂妄行所加的感情的乃至理性的评论,加以分析,似乎商业资本所得的罪,还不是它应得的罪,它被评定的危害比之它实际所造成的危害,大有距离,这就是说,如其商业资本对当前的社会经济难局负有破坏性的责任,论者似还不曾把它的真正责任指明出来。

在当前,物价暴涨,成了全社会不可终日的问题,同时,也成了政府财政上不可终日的问题。由于克服这种困难问题所感到的切身痛苦,自然容易使举朝上下叹息痛恨于所谓操纵物价的豪商大贾等之缺乏人的与民族的良心。把物价暴涨的原因,诿诸商业资本之不合理的非法活动,当然不会有人为商业资本叫屈,但最可虑的是,商人或拟商人的商业资本,如在这方面承担了过大的表面的罪名,就很可能忽视它在其他方面的更本质的破坏作用。时至今日,尽管商业资本的那种破坏作用,已经从各方面表现得非常显明,丝毫没有令人致疑的余地,但一般社会人士,却仍不肯明显的把事实照着它的本质揭露出来。

"操纵""囤积",是最一般的加担在商人身上的罪名,把这个罪名再加重些,也不过是阻滞了一般流通过程,使原本可以迅速提供到市场的物品停滞一个时候,以便在由此引起供不应求,引起缺乏的限内,把价格抬高起来。但责难如其止于这个限度,我们马上就需要把商人区别为正当商人和不正当商人,不正当商人,定可找到许多的口实,来使它的行为合理化合法化,事实上,就个别商人来讲,他是否真正"囤积""操纵",并不一定是取决于他对那种行为所具的伦理观念如何,倒是取决于他对那种行为所具备的必需条件如何。我们很可以说,商人,在他是全体商人之一的限内,在他的资本是全部商业资本之一的限内,他个人的意向,其实就是他用以经商的资本的意向,而他这个别资本,又是随全体商业资本的总动向为转移。所以,重责或严惩若干商人最露骨的不法行为,而放纵了整个商业资本的破坏作用,结果,就会像我们以前把若干的凶悍的日本军人,当作日本帝国主义来打倒,把若干顽固的北洋军阀,当作全体军阀来打倒一样。即使他们这些希望打倒的对象,都"手起刀落","应声而倒",对于日本帝国主义和军阀本身,仍不能发生何等决定的影响,若干特等商人之于整个商业资本,亦是如此。

如其说,若干特定商人,是在某些特定场合,作了阻滞流通,抬高物价的非法活动,而他这种活动,事实上,就不仅只是由整个商业资本,在流通过程所赋予的,且还是由整个商业资本在生产过程的破坏作用所成全的,商业资本在流通过程所表现的罪戾,正是它在生产过程所已经造成的罪戾作为前提。我们业已知道,中国的商业,一直在对产业行使支配,在束缚产业使它不易有发展的余地。照一般因果论的看法,产业不发达,商业是不会发达的,由此大可得出：商业资本一定也希望产业资本发达起来的结论，谁能反对有更多的生产品，然后始更能有生意做的事实逻辑呢？但只要我们了解商业在前资本主义社会是做着产业的主人，在资本主义社会是做着产业的佣仆的事实，那就不论我们主观上怎么想法，怎么对商业资本表示希望，而商业资本在它自身，却是以产业资本的不发展，作为它自己发展的历史前提条件，这例子在世界任何一个社会或国家，都不难指证出来。

中国产业落后，当然有其更基本的，更包延的原因存在，但传统的国际资本作用下的商业资本的作祟，却显然是无可忽视的。不过，我们已在前面暗示过了，在五口通商以后的商业资本，和在这以前的商业资本，是用不同的方式在生产过程上发生破坏的作用，即前者是附属于国际资本，一方面为国际商工业资本充当仆役，为他们推销制造品，并搜括其原料，一方面则充当民族的诸般产业的主人，而后者则是采取比较独立的形态，更直接更集中的使国内诸产业受它的劫持和操纵。这两种破坏产业的方式，在本质上原没有了不得的差别，但在认识上，前者比较容易为人所察觉，后者却像是特别能翳障人们的直感，所以，商业资本在流通过程的弊害，尽管一个稍有经济常识的人，都能谈得振振有词，而商业资本在生产过程的弊害，就连一个诩然以经济学专家自命的学者也颇费力了解似的，也许就因此故，在姿态上恢复了过去传统的当前商业资本，它就只有在流通过程表示的罪行被人指摘出来，而它这罪行所以能在流通过程造成的，应当探索到生产过程的基因，却一般地被忽略了。

商业资本对产业资本或生产事业的控制，本来是它传统的古典作风，但到战争的场合，它这种控制机能，却因利乘便地扩展到空前未有的程度了,它在工业生产领域里面活动,实质上简直把新式旧式各种形态的工业生产生机窒息打杀无余了。一般私人的新式工厂经营,如果照着常规做去,一定只有归于破灭,否则就是局部的巧妙的转变其性质,买好原料来存积着,而不把它制造出来。国营省营的企业是逐渐增加了,但一分析其内容,它的存在繁荣,一定要看它的商业性质部门对它的生产性质部门,占有如何的比重,在这种场合,商业资本吞蚀工业资本的实质,却反表现了救援工业资本的外观。同时,政府通过银行,一批一批的提出来救助私营工业的贷款,又在种种曲折的手法上,在工业商业化的技术上,变为商业资本的附庸。

在农业生产领域里面,商业资本的破坏作用,似采取了较迂回的行径,土地及土地生产物成了商业活动的主要对象,它是会促使死静的农村,随在都受到搅扰和震动的。土地转变的频繁,土地价格的暴涨,将直接间接造出抬高地租的后果。一般自耕农或佃农在土地本身上的费用增大了,他们用在土地以外的生产费,如种子、农具、肥料、畜力、人力乃至灌溉方面的支出,就相应减少,甚至全无着落了,结果,农业上的再生产规模,一定会随着商业资本逐渐展开的活动,而逐次的趋于缩小,在这种破坏影响下,政府即使再热心支持自耕农,再扩大农村的贷款,事实上,农贷已经同工贷一样,通过一些曲折的手法,一部分或者全部转化为商业资本了。

商业资本在工业生产上的这些破坏作用,恰好造出了它在流通上大囤小积活动的前提,社会每年的再生产规模愈形缩减,供需愈不相应,商业上的囤积居奇活动,就愈加会发挥无限的威力了。自然,囤积居奇对于抬高物价,是有莫大影响,而由此抬高物价所加于生产事业的压力,亦非常显然,但我们不能即此就倒果为因,强调它在流通过程所造出的危害，而忽视它在生产过程所造出的危害。生产比之流通是本质得多，根本得多的，商业资本如其不是在生产过程窒息着阻抑着生产活动，它在流通过程的猖狂妄行，就会大大受到限制。

论到这里，我们似应把乱人视听的通货膨胀关系引到论题上来，照一般人的看法，商业资本这种具有破坏性的大船，似乎是有随着通货膨胀的浪潮而不自主的簸动，把通货膨胀促使物价腾贵，把物价腾贵，引起商业资本活跃的现象一加考虑，商人阶级定有理由可借，诅咒通货膨胀，而昌言自己可告无罪于天下的。但这种说法，也只可淆惑常识，而不够蒙蔽真理。我们仍请历史来做证人吧。中国历代王朝在中期以后，由商业资本造成的经济残破支离局面，并不一定是分别由各该时期通货膨胀的促成。反过来，倒是因为商业资本的猖狂活动，由它造成的消费范围对象与程度之加大加深，同时，由它引起的农业剩余生产物的缩减，以致使社会的生产与消费脱离，使消费破坏生产，破坏租税基础，而导来币制的混乱。自然，币制混乱了，可能大大助成商业资本的势焰，使它更能浑水摸鱼，但我们不能把因果倒转过来，说商业资本，原本就是由于通货膨胀。

在目前我们已经用不着讳言通货已有了相当程度的膨胀，但试一回顾抗战以来的通货发行演变史，即使再执着于现象因果论的人，把根本的生产方面的问题抛在一边不顾，亦会明了商业资本活动，该在那种演化过程中，发生过如何推波助澜的破坏影响。也许说，我们此次的抗战，在历史上没有前例，其范围之大，消费之多，本质上就不是中国现有的生产条件生产规模所能适应，也就是说，本质上，就不能避免生产不够供应消费的和政府收入不够抵偿支出的困难,从而,在这种要求下所增发的通货,商业资本似不能负责任。然而,这也是似是而非的诡辩。在这场合,一般社会的消费,和战争直接所需的消费,理应分辨出它们各别的范畴,和其正相矛盾的实质,我们如其把前后方的消费情形,作一全面的比较的观察,一定会发现战时不合理的消费,该在如何防阻有关争取胜利的战争上的和生产上的合理消费,然则,一切不合理的消费的制造和演出,商人及他们所运用的资本,还不应担负责任么?

商业资本活动之破坏生产,自昔已然,若要究明当前与过去有怎样的不同,与其说是它利用了战争局面下的特殊情势,如战争破坏作用,对物资及通货膨胀等紧急需要,宁不如说它利用了中国现代化的金融组织,利用了社会地位和社会关系,因对外的经济政治联系,而益加特殊,此外,并还利用了货币经济关系日益向农村的扩大和深入。从这几方面看,商业资本在当前表现空前的猖獗,就不是偶然的了,如听其自然的顺利发展下去,其破坏的作用也许不难造出过去各王朝在中期以后所形成的危局。但论到这里,我们似还不能忽视近年政府在流通过程方面钳制商业资本活动所生的影响。

大约自抗战挨近第三个年度以来,物价问题的重压,已迫着中央及各地方政府不能不全般或分别的采行一些平抑物价限制商业资本的方策,如防阻物品在省际县际间之流通,如各级平价机关之设定,如由中央物资局,由战区经济委员会(不久取消,其任务改由经济作战处进行),由各省企业公司等各级收购物资的机构的成立,如各种专卖事业的推进,如新税制体系的建立,以及交通运输统制及金融统制之厉行,所有这些方策,几无一不是想对物价抬高现象,能发生一些补救防压的作用,事实上,如单就好的方面说,我们自己目前的经济状况，其所以没有演变到完全不易维持的境地，未始不可说是这诸般方策，已有了若干实际效用，但我们在承认其效用之余，仍不能不指出其效用之可能限界，特别是它们在运用过程中，可能发生的反作用。

在前面，我曾表明一个商人的个别资本活动，是随着整个商业资本的全般动态转移，零碎的枝节的防止，不但无补于全局，却反而会使整个商业资本，因某些个别商人，某些地域或某些部门上的商业活动受到妨害，而益形加大其凶焰，比如省际县际的统制障碍，在直接受其管制的商业或商人，也许暂时要感到一些损失和不便，但其结果却正好加大了流通的困难，发生了囤积一样的影响，官方搜购物资，即使立意想平压物价，借此削除商人中间的垄断，借此调剂社会供需状况的盈虚，但对于那种措施，政府不仅限于资金，缺乏健全的采办保藏和取给的机构，且往往因为附有补救财政急需目的，致无法避免助长商业活动之结果。至今日为止，专卖与各种新的税制，目的诚在抑商，结果不过是使商人抬高物价，有了更充分理由的口实；比较差强人意的，有抗战第四个年度以来始渐加强了的金融管制，但这种管制即使在消极的意义上讲，亦似乎不曾完全发挥其可能发挥的钳制作用。要之，像以上所说的这些管制商业资本的方策和方式，在一方面，显然是以中国落后的经济基础作为其出发点，各级政治的单位，各别经济部门，各个地域分途进行，统制本身所要求的严密组织，确定程序和划分权责诸条件就无法做到，而在中国要做到这一点，又显然不能像专从技术的改善上求得解决。因为我们即使再勉强的做去，终不能对一个生理组织未发育完全的少年人，硬使他担当起成人的作业。现代的统制经济，是现代资本主义经济发展到了高度组织了的阶段才产生的，我们的经济基础,虽然还有允许我们那种管制方式改进的余地,但极其限,也像只有允许那种形态的不相统率的管制方式成立的可能。

而且在同一落后的经济基础之上,商业资本就不仅只容易在上述那种不易彻底不易严密化的管制的孔隙中滋生起来,凭了它在本质上对于产业或生产事业的多方控制机能,它还能进一步把那诸般管制,利用来加强对于各种生产事业的束缚。比如,保育下之许多生产事业,例如农业方面的植桐植茶地带,矿工业方面的各种必需用品及钨、锑、煤、铁、金、银诸生产领域,都有商业资本在那里假手于管制以从事垄断。

所有这些事实足够暗示我们以次两点:

第一,中国的商业资本与先进资本主义国家的商业资本,本质不同,作用不同,从而对它的管制方策,亦不能一样,纵令有讲求技术条件之必要,单从技术着眼,决不能有根本的补救,纵令有在流通过程努力的必要,专从流通过程着手,更无从求得根本的解决。

第二,任何管制办法,在它本身不能抽象地抽出绝对有效或绝对无效的结论,问题是看它见诸实行的诸前提条件充备到了那种程度,同时,还要看它在同一时期和它相并施行的其他办法,究能在何种程度给予它的奥援。前述专卖制度,交通金融管制等等,通是钳制商业资本的有力武器,但这些武器的发挥威力,是不能单凭挥舞者一时的兴趣的。

六 商业资本活动的限界及其转向产业资本之可能途径

中国的商业资本,就是把它从中国社会取得的特质,取得的特殊有利的历史条件,作为其活动的根据。那么,对于它的限制,就不能不从这些方面来下手。

事实上,在最近的阶段,商业资本已像表现了强弩之末的趋势,这趋势,必然会给吾人以两种不十分明确的观感:其一,以为是统制确实收到了效果的如实说明,如其依照着目前的作法,把管制加强加严,一定能使商业资本压伏下来;其一则以为商业资本如走到了下坡,即使让它活动下去,也定然会应验一句"多行不义,必自毙"的老话。我们且不忙分辨这两者的正确性,姑先把商业资本在当前已走向下坡的事实揭露出来。商业资本照着它自己的运动规律,它会如我们前面已经讲过的,使社会的生产规模,日渐趋于缩减,生产规模缩减,将从两方面来施反作用于商业资本本身,那就是商业资本活动的对象减少了,一般社会的购买力就降低了。我们不论走到那个闹着变态繁荣的大都会或大市镇,只要稍加凝视,就会发现那里被商业资本周转着的工业品,都在不绝的缩减中,而充斥街头巷口的拍卖铺店,显然不是买卖着刚被生产的物资,而是把旧有的东西,拿来适应购买力低减的市场。稍微昂贵一点的物品,已逐渐不易找到买主,除了特殊有钱有势者在即时消费的饮食享乐方面,还维持着相当豪阔的场面而外,包括了生产者、公务人员、士兵等等广大社会群,已在不绝降低生活水准,不绝缩小需要圈。自然,商业资本的利益,不已指导它把活动的目标,移向农村的原生产物,转向原生产物所自出的土地么?但它的利益所在,就是它的破坏作用所在。愈到后来,它要维持并扩大它自身的利益,它对社会一般生产的利益,就愈会加深加大其破坏性,在它的利益是由牺牲社会一般利益破坏社会生产来成全的限内,最后它将发觉:社会一般生产利益牺牲到了无可挽回的程度,它的利益,它的生存,亦会宣告中绝,这所谓"牛死虱死"的惨事,历史上是用"社会生机破灭,商业关系从根归于瓦解"的文句描写下来的。

也许说,在商业资本运动已经走向下坡的阶段,对它采行种种强制干涉方策,当然可能收到些效果,但商业资本按统制干涉所受的损害,如其还能取偿于社会,那末,在商业资本上增加一分压力,就会以同一的或更大的程度,使全社会生产利益增受破坏。事实上,我们当前从交通、专卖、金融管制等方面限制商业资本活动所生的结果,已在说明这是千真万确的逻辑。

论究到这里,似乎我们已导出了一种非常悲观的结论:商业资本听其自生自灭是太危险了,曲加干涉,也同样的或更快的会促使它走到毁灭之路,它的毁灭既然如我们前面所说,一定会导来整个社会经济的崩毁,那不是我们当前的社会经济结构,命定了要弄到所谓"其何能淑,载胥及溺"的境地么?

但上面这种悲观历史事实的逻辑,却正好从另一方面指示了我们一个处理商业资本的合理途径。

商业资本既是把一定社会条件为其存在在与活动的依据,在它,无论是自行覆灭,抑是以大压力促其覆灭,都是社会本身的不幸。而且我们翻阅一部中国历史,虽然觉得商业资本对于中国整个经济的发展,是不只一次的演着破坏的作用,但近世欧美各国的商业资本,却增大有造于其产业资本的育成,可见商业资本活动,并不能笼统地视为大逆不道的事。我们取缔商业资本,即使只限于非法的不合理的部分,但要求其见效,求其不致"玉石俱焚",亦当依据现代经济科学所指示我们的途径,看商业资本运动本身,被体现出的法则,在怎样发生作用,然后再因势予以利导,"干涉"、"管制"乃至"压迫",只有在一定条件下,在一定的历史条件已经作成的前提下,始能把商业资本由不合理的不合法的活动范围,转为导向有利于一般经济发展的范围。而这所谓历史前提条件,就是商业资本向着土地方面,从而,向着高利贷业方面转化之可能性的削除。

历史教训我们:商业资本对过去农业生产事业的破坏,是从土地方面下手,农民大众在地价地租上支出了过大生产费用所造成的困境,恰好为高利贷业开出了罪孽的乐园。近年商业范围和商业对象的缩减,土地及土地生产物已经成了商业资本打破沉滞局面的可能有利出口,而都市方面各种管制方策的执行,和一般舆论对资本所有者所表示的憎恶,遂"为渊驱鱼"似的使大后方都市附近乃至僻远地带,都有逃罪与逐利的豪商们的频繁踪迹。"压力是向着抵抗力弱的所在发展",加强管制,竟在土地方面网开一面,驯见管制愈趋严密,农村生产方面所受到的破坏影响,就愈不可忽视。

因此,我认定,在战争过程中要管制商业,不发生危及全般经济的影响,是需要认清中国社会经济法则,把商业资本和土地资本化的关系割断,如何割断这种关系,那是言之话长的,但无论如何,总是应当做到非生产者不得购买土地,不得拥有一定限量以上的土地;生产者不得丧失土地,不得保有一定限量以下的土地的地步才行的。能这样,商业资本的蓄积,就不会形成加速促使农村破坏的危局,而商业资本所有者在土地生产物上的活动,亦将因此大大受到限制。这种把握住中国商业资本运动法则,对它采行根本治疗的办法,一经见诸施行,然后再从交通、金融、专卖、赋税诸方面对商业资本所加的一切管制,就不但不致在基本的生产事业上间接的发生破坏的作用,却可反过来,促使商业资本的蓄积,转向社会有利的用途上去,即转向产业资本上去。到了那场合,各种奖励产业的方式和方策,就格外容易收效了。

要之,从社会全般发展的观点考察起来,商业资本并非一定要滞留在流通领域内的资本,商人也并非一定不能改变他的生活形态的人,而且在一定历史前提已经造成了的情形下,商业资本就不仅不是可诅咒的资本,商人就不仅不是可诅咒的人,它或他,甚且不会发生次于产业资本次于产业家的社会功能。

在近代,商业资本曾在各先进国家成就了促进产业发展的作用,当商业资本所有者发觉他们不能继续用贱买贵卖的欺骗方式和劫掠方式维持其利益的时候,他们中间至少有一部份人,就很快由流通过程移向生产过程,使自己变为生产者,变为生产事业资本家。亦就是在这种情势下,产业资本渐渐取得了对商业资本的支配地位,而这种的商业资本,就相应改变了它的社会机能,它已不复是产业或生产事业的破坏者,而是它的成全者了。

诚然,商业资本向着产业资本的转化,也正如同产业资本的商业化一样,并不是由各别资本所有者,自发地去成就的,一定的社会历史条件,会造成一种形式,使它不得不向着有利的场合流转,商业资本生产化或生产资本化,是一个包括着社会历史变革的大问题,当然不是一件简单的事,但在它成就这历史任务所需要的许多条件之中,一个最基本的最有决定性的条件,就是有关土地所有关系与使用关系的改革。一切近代国家，差不多没有例外地是先完成土地变革，然后再在变革了的土地关系上，踏上产业革命的过程。土地关系变革的内容与程序，各国因其自然条件与历史条件不同而未能一致，但使农民由封建束缚下解放出来，使土地上的租佃关系建立在合理的法定基础之上，使土地所有形态不致根本妨碍土地的使用，那差不多是各国相同的。今日中国的农民，表面上也许不像西欧各国及日本土地变革当时的农民那样，很严厉地被束缚在土地之上，但由土地所有形态和租佃关系所造成的客观情势，却使他们对于土地的依附，不下于被纯封建规制所纽结住的束缚，他们愈是离开土地而不能有其他更广阔的生路，土地就愈加变成了蓄积财富再好不过的手段，变成了商业资本扩大活动的地盘。

近年来，朝野人士鉴于财政经济问题的日益严重化，鉴于前此的一切经济认识与经济方案，需要再考虑再计划，于是注意渐从流通过程移向生产过程，渐从技术性质的观点移向社会性质的观点，渐渐看透了商业问题同土地问题的内在关联。我这里所提起的中国商业资本运动法则问题，也许是大家已经设想到了而不曾把它系统化的问题，至多，也不过是为大家讲了想讲的话。孙中山先生在民生主义经济中，特别把土地问题和资本问题提出来作为金融经济国策的骨干，他是充分理解到了中国在现代化过程中的一切经济问题，是不能不顾及中国社会的本质，和中国各种经济形态所分别具有的特殊运动法则的。

附论二　中国商业资本与工业资本间的流通问题

一　问题的症结

在当前的经济问题中,商业资本与工业资本间的流通问题,算是最本质最基本的一个。这个问题的现实理解,其重点,当然是存在于工商业间之不平衡的发展上,也就是存在于工业资本过于微弱,商业资本过于膨大的变态事实上。本文的目的,虽在研究商业资本如何始能转化为工业资本,但其穷源究委的说明,却不能不涉及商工业资本之本质的相互关联。

人们因为过于耽心当前经济上的一般情势,遂把他们一向忽略了的商业资本过于膨大的问题,很感觉性的或直观的提论出来,仿佛这个问题,是到了战时,特别是到了抗战过程中的近两三年,才开始发生似的。自然,商业游泳在日益增涨的水槽中,是容易惹人注意的,但只要我们把问题的客观性仔细端详一下,一定会明了,伴随这个问题而发生的一切情势,在中国现代社会里面,与其说是变态的,毋宁说是常态的,与其说是严重化的开端,毋宁说是严重化的发展或继续。

自从中国开始现代化的程序以来,这个问题,一直就在客观上取得了异常重要的地位。但这个问题之被把握,被浮现在极少数人的脑海中，却还是近十数年来的事。人们是惯于把他们没有想到的问题，当作客观上不曾存在的问题。因此，我们今日来讨论这个问题，就不期而然的充溢了历史的兴趣。事实上，一个取得了社会史姿态的大问题，是很不易横断的孤立的去说明的。

二　有关资本流通问题的几个基本认识

把商业资本与工业资本对立起来加以理解，那中间横跨着一个社会的分水岭。在一个产业发展，工业已取得了社会的支配的优势的社会，商业在不断为产业或工业所革命，直到它的本质，变更到能适应配合工业对它的要求。在这场合，商人所扮演的，是为工业资本家分劳的任务；商业的流通过程，被包容在总生产过程中。商业上的利得或商业利润，是由总产业利润或工业利润派分出来。商业活动不能超越出产业资本所允许的活动的限度，后者亦敦促它不要太不及这个限度。而其间的调节器，就是利润平均化的法则。假若产业或工业资本利润，低在商业资本利润之下，社会上的资本，就会由工业上向商业上流转，使商业资本的利润，对一般利润水准，降落下来；反之，假如工业资本对商业资本发生过剩现象，同一的利润法则，亦会强制它倒流过来。资本的流转，在这种社会，可以说是不容易发生问题。即使在某特定情形之下，发生问题，那所发生的问题的本质，也与我们现在所讨论的中国商工业资本间的流通问题，完全两样。

在产业不发达的社会，即在前资本主义的社会中，商业同产业的关系，就呈现出了一种异样的姿态。商业不但不曾被吸收到社会总生产过程中,而社会一般零碎的,独立的,大体还滞留在落后的自然状态中的产业,根本就不易形成一种有机的社会生产过程,形成一种足够左右商业的社会优势,而同时商业却还可利用其较为适中的,并且在事实上控制着生产物买卖价格的地位,反过来,在社会生产过程的外部,对社会全般的产业,行使支配。商业对产业支配的可能性愈大,它就愈能发挥它的贱买贵卖的欺骗与敲诈的机能,在这场合,如其说产业上还有利润(那其实大体是劳动工资的转形物)可言,还不妨用利润这种名色来称谓生产者的利得,则那种利润或利得,就显然会倒流似的表现是由商业利润分派出来。因此之故,在广义经济学上,就提示了我们这样一个法则:在资本主义社会,是产业利润规制着商业利润,而在前资本主义社会,则是商业利润规制着产业利润。资本主义的利润法则,不能在前资本主义社会建立起来。于是在前资本主义社会的商工业资本间的流通问题,就无法依照自由竞争的原则来理解和处理。

然而,对于我们所要讨论的问题,还须有更进一步的前提认识。当一个社会由前资本主义形态移向资本主义形态的过程中,从资本流通的这一个角度去观察,一定会发现一些撩乱吾人视听的不易截然辨识的经济现象。产业或工业,对于商业,从而工业资本对于商业资本,工业资本利润对于商业资本利润,在某些场合,可能建立起了现代化的外观,但却不曾把它的过去本质,改变过来;在另一些场合,也可能改变它的若干过去的本质,但那种改变,还不够使现代性的一切关系确立起来。在这种场合,我们对于资本问题的处理,尤其需要运用科学的分析,透过问题的现象,去把握它的本质。

三 在古典形态下予以新装的中国商业资本

在开始现代化程序以前，中国的商业资本，一向就赋有一种与生产资本疏隔的特质，这种特质，大体是由中国地主经济型的封建制上取得其存在基础的。在这里，我们无暇说明我们的封建制，为什么没有发挥其领主经济的基本因素，却愈到后来，愈益发展其地主经济的基本因素，我们只能说，在地主经济形态下，商业资本对于地权的关系，就和在领主经济下，截然两样。如像在西欧各国，商人和领主，即商业资本和地权，一直是采取对立的形态，土地由分封由世袭取得，又有断分制与长子继承制作为侧面的保障，对于没有贵族血统身份以外的平民，特别是对于商人，就是封锁的。亦就因此之故，商人在商业上蓄积的资本，乃有较大的转用作生产资本的可能。反之，在地主经济形态中的中国商业资本，却因以次几种事实，竟与地权发生了密切的关联。那几种事实是：（一）商人可以自由买卖土地（只有极少数的王朝，在较短期内，作过限制），由是在商业资本与地权之间，建立起了一个通路。（二）当作商人活动对象的物品，一大部分是人民要以赋税形态贡纳于朝廷的土地生产物，而这些土地生产物，一般都是通过流通过程，才以货币形态，输纳到国库的。这又不啻在商业与地权之间，建立起了一条稍微迂回一点的便桥。（三）商人可以自由取得土地，可以把土地作为接近官场登上仕途的跳板，仕商在社会生产关系中，发生了"通家"的联系，商业资本与地权的关系，就由是得到了有力的支持。自然，我们不能否认中国历代采行重农抑商政策的事实，正如同我们无法否认西欧各国商人在近代初期也曾大量购买土地的事实,但上述的基本命题,却并不会因此受到破坏,反之,且还可由此从反面来予以确证,只可惜我们限于篇幅,不能在这里加以较详尽的说明。

中国商业与地权的密切联系,在事实上,并不只商业上蓄积的资本,不易直接用到工业上或产业上,且还因为地权上吸收了过多的社会资金,致令商业的活动,不能拓展到对外贸易上,这在一方面,固然是由于商人冒险图利的活力,被地权吸住了,同时也因为商业在政治上的权力,由其分化为地权而分散,致令它没有左右国家对外贸易政策的力量。两方面互为影响,就造成了中国对外贸易不发达,从而产业不发达的根本的原因,从这里也可约略窥见中国一般经济史学者,用地理因素来说明中国对外贸易不发达,从而,产业不发达的究竟,该是如何的失之皮相与疏忽。

当中国的商业,仍被束缚在地主经济的基础上,伴随着历代王朝的兴废,而一再重复其无可奈何的历史形态的当中,西欧各国的商业资本,已因在地权方面的遭受排斥而向外发展,已因对外贸易的不断蓄积,逐渐分解了破坏了封建的领主经济的基础,在那种过程中,新的生产方法被建立起来,相应着,一种新的对外扩展贸易的方式,被建立起来。结局,中国不能自动的发展的对外贸易,却迫而被动的发展了。

在五口通商前后,中国商业像木乃伊接触了空气似的变质了。但因为那种改变,不是由于社会经济基础根本变革的结果,而是由于社会对外关系发生变动的结果,所以对外贸易尽管把商业资本对地权的兴趣冲淡了,甚至转变了,但商业上所有的蓄积,第一因为不是得自外国,却是通过买办性对外贸易关系,以更不利或更酷刻条件,得自本国;第二因为外国为要保证那种买办性商业,把中国工业发展所需要具备的一切条件,都分别用各种不平等条约的方式予以破坏或支解;第三因为原有的社会经济组织,在若干买办性商业及与其相应的买办性企业活动的沿海大都市乃至有新式交通工具联系的内地若干城市及其附近地区,尽管已改换了原形,且还附以资本主义的外观,但广大的农村,却不过在手工业与农业的自然联系上,遭受破坏,其余作为封建生产关系之基本部分的土地所有形态与使用形态,依旧执拗的顽存着,所以,在日益增加并扩大的新的商品货币关系中,土地的重要性虽然减少了,土地的诱惑性,虽然为新的营利事业所代替了,但最有变动性的商业资本,或商业可能挣到的蓄积,仍不易甚至不能转用到工业上。不错,我们曾利用国际帝国主义间的矛盾冲突,在它们压力松弛的空隙中,有了一点工业上的成就,但那不但不够用以改变商业对工业的社会优势,且在不旋踵间,就因那种压力的再加紧,而全部崩溃下来。

  由是,我们知道,在近百年中,中国商业资本无疑在古典形态上,附着起了新装。但它这新装,毋宁说是一种伪装。它并不曾同工业建立起现代的关系。它不为中国工业服务,却在牺牲本国工业的条件下,为外国工业服务。在这种情形下,当然不能希望我们商工业间的资本,有正常的流通。

四 战时商业资本的工业资本化与工业资本的商业资本化

  抗战发生以后,情形有些改变了。沿海对外大商场的丧失,对外贸易的阻断,中国商业资本已不得不暂时脱去了它的新装或伪装,它不能为外国工业服务,理应为本国工业服务了。而同时,由对外贸易关系阻断所造成的一般日用品与军需品的缺乏,反给予民族工业以大的刺激。而况一向束缚中国工业的各种不平等条约,也于此时无形取消了,而政府为了抗战与建国任务的达成,更多方予工业以便利与扶助,在这诸般情势下,如其我们还发生工业资本问题,那就是由于社会全般资金的缺乏,而不应是由于商业资本工业资本间的不平衡发展。但揆诸一般实际情况,却出乎意外的,正好是因为商业资本过于膨大,以致引起工业资本的特别困蹶。

在抗战过程中,商业利用物资缺乏,物价步步增高的机会,在通货日益膨胀的条件下,蓄积了大量的货币财产。但货币财产尽管蓄积,商人却仍不肯像现代初期西欧各国商业经营者一样,使自己变为工厂老板,使自己的资本,变成工业资本,他们的资财,无论是货币,是待售的商品,抑是商业设备上的生产,一直是停留在流通过程上。他们甚至把商业活动的对象,扩大到土地上,这在一方面似恢复了商业过去对于地权的联系,但在商品货币关系相当发达的今日,自然更带有商业投机性。这就是说,商业上蓄积的资本,不论是直接投在道地的商业上,抑是间接通过土地再绕到商业上,都在力求自身的膨大,而造成了当前商业游资过剩的现象。

然则商业上过剩的游资,为什么不转向工业方面呢?大家容易想到的阻碍,当然是由于工业利润比之商业利润太低了,仿佛就因此故,不仅商业资本不易工业资本化,甚至政府苦心孤诣多方扶助的一点工业,且有商业化的趋势。据报章所载,许多公私经营的工厂,在把它们的厂址,当作地皮经营,把它们的机具或原料,当作囤积品来处理。

商工业资本间这种反乎一般期待的逆流,很容易给予我们以这样的印象，仿佛中国的社会经济，已经造出了前述平均利润法则作用的条件，即是说，它已资本主义化了。它已在照应着资本主义的运动法则，使它的社会资金，向着利得较高的部门流转，由是，许多人，就照此推论，以为我们如能运用金融政策，多方限制商业资本利润，同时并多方抬高工业利润，商业上的资本，就自然会流用到工业上去。其实问题是不能这么简单的。

商业资本不肯转化为工业资本，却相反的使工业资本商业化，如系按照资本运动的法则进行，那么，当资本纷向商业移转的当中，工业上就应当由资本短绌，事业缩减，生产品减少，供给额降低而提高其利润；反之，商业上就应当因其资本对被周转的货品之绝对的相对的增多，而减低其利润。但我们当前的现实却并非如此，好像资本愈挤到或被吸收到商业上，商业利润反更形增高似的。不错，我们需要照一般人乃至一般经济学者所惯常的解释，说我们是在战时，一切不免有些变态，但战时的影响即再扩大，亦不够说明那种变态。那至多只能算是中国社会在战时的"变态"。我们试想，现在该有多少国家在参加战斗，但任何一个国家，却不曾使它的商工业间的资本问题，具有我们这样的内容。当理论被展开到了这样程度，我们的经济学者们，即强调用资本主义的金融政策来解决当前资本问题的经济学者们，都反过来用"中国经济落后"这个笼统的论调，使他们从自己理论的缺口逃脱出来。可是当他们一脱出了这个缺口，又毫不觉得矛盾的把"中国经济落后"的命题，暂时储放在下意识中，再回头来用资本主义的各种标签，来表识中国战时经济及由此引出的各种经济问题的性质。

事实上，中国当前商业资本的这种"变态"的发展，恰好是在证示广义经济学上的一个法则，那就是，商业资本愈脱出总生产过程而独立发展,产业资本或工业资本将愈不发展,即前者的发展与后者的发展成反比例。这个法则,是在前资本主义社会的经济条件下发生作用的。我们当然不能否认中国经济中的资本主义因素的存在,但那种存在,在规模和比重上,显然还没有达到阻止那个法则发生作用的程度。当我们论究中国商工业资本间的流通问题时,应当随时不要忘记这个基本论点,我们在一方面固然不妨把商业上的高率利润,看作其吸收资本的扩大活动规模的原因,但同时应理解:这所谓高率商业利润,并不是资本主义涵义的东西,也并不是孤立的形成的东西,它有取得其存在的全社会经济基础。

五 解决工业资本问题的前提条件

在近半年来,政府为了国营并奖助私人新兴工业,确曾尽了最大的努力。一方面鼓励商业资本工业化,一方面又得阻止工业资本商业化。迄乎今日,困难仍是有加无已。这原因最容易说明的,是商业还能保持住高率利润。但政府不是在从税制上,从金融上,从一切管制物价方案上,限制商业,打击商业么?但问题症结就在这里。一个国家的工商业间,已建立起了现代的关系,工业本身就具有节制商业资本的机能,虽然有时为了这种机能的发挥,还不能不借助于资本政策或金融政策的援助。如像中国的工业,一向就因为它自身没有建立起足以钳制商业的基础,一向就是做着商业的附庸,同时更因为与此种事实相适应相关联的落后的社会生产关系的存在,就使政府的诸般限制商业的法令,不容易顺利推行,结局,许多抑商政策的节目,倒反而变成了商人借以增进其过分利得的口实。政策本身是好的，但却被应用政策的客观社会条件歪曲了。

不仅如此，把社会经济看成一个总体，它的各部分在本质上已是相互包含的。中国商工业资本间的这种不平衡关系的发展，我们是理应效法各现代国家所执行的金融政策来予以调整的。事实上，我们确也如此做了。但其间有一个值得注意的问题，就是我们的金融资本，在社会构成上，已经是对于我们的商工业资本形态的一个配合。甚至可以说，商工业资本间的那种畸形发展，还大大的受了我们的金融资本或银行资本的促成。在资本主义国家中，所谓银行资本，原本就是因应工业通融资金的便利而产生，银行与工业结了不解之缘，若在落后国家，它只有侵蚀生产的高利贷金融业，而不能有扶助工业的银行资本。如其在名义上有了银行资本，这种银行资本，就很容易保有高利贷的特质，结局，很容易对商业发生较密切的联系，甚且很容易由结托商业，而变形为商业本体。要通过这种性质的银行资本，来执行扶工仰商的资本政策，就似乎很难收到预期的效果。在这一关键上，我们如何运用银行资本来收缩商业资本或增益工业资本的问题，就引起了如何使银行资本本身变质的问题。

一切有关商工业资本流通问题的措施，如果采取这种推论的方式，最后均将达到一个结论，就是：我们要抗战，同时确实需要建国，需要改良中国社会，使中国社会本身，不允许当前资本问题乃至其他问题上的不合理的现象的存在。

在这种前提认识下，我特别要强调民生主义所明确提示我们的土地政策。土地政策所由提出的现实社会生产关系，是一切落后经济关系的基础，亦是我们这里所讨论的商工业资本流通问题所由发生的最基本原因。我在其他场合(参见拙著《中国经济论丛》第二篇《当前经济问题总分析》及《中国商业资本论》诸文),曾分别指出当前商业资本活动与土地投资的联系,我并指明,商业资本上的蓄积,得自由投用在土地上,可以从多方面增大商业的声势:那第一、会使土地商品化,借以扩大商业活动的范围,战前在大都市中作地皮投机,战时却对后方各大城市附近乃至较荒僻的地域,表现了极炽烈的购买土地的兴趣;第二、土地商品化,不啻为商业在土地生产物囤积居奇上,得到了捷径,那同时又是商业资本逃避统制的一个方便之门;第三、利用土地方面的落后所有关系与使用关系所获得的高额地租,一转手间,又可用以充实商业资本。但除此以外,还有一项更本质的影响,最好在这里补充说明,那就是:商业同地权的关系愈形密切,它就可能腐蚀一般落后的社会生产关系,使其不易执行任何打击商业的任务。因此,我认定,在一切不彻底的限制商业资本活动的政策中,阻止商业资本向土地的进出,还不失为一个有效的法门。自然,商业资本转向土地的活动受到了妨阻,并不一定就会把它转用到工业方面。社会资本由商业移向工业,无疑还要具备一些历史前提,但如其我们不把阻止土地任意买卖的政策,孤立的来理解,定然会知道,那种政策上执行上所需要配合的其他革命步骤,将大有助于当前商工业资本流通问题所形成之社会经济基础的变革。

六　四个结论

论到这里,我们似可把上述诸般意见,综括为以次四个结论:

第一、中国商工业资本间的不平衡发展问题,并不始自今日,在此次抗战发生以前,这个问题就曾严重的存在,不过直到战时,才因现实的迫切需要,而把这一向不大引起我们注意的问题,开始在脑中唤起而已。在这种意义上,抗战对于中国社会史的研究,确实提供了极可宝贵的社会测验。

第二、不管在过去,抑是现在,中国商工业资本流通问题的形成,是把中国整个社会经济形态作为它的基础。像这种问题的解决,和其他主要关系技术性质的问题,不能一样简单,建造几条铁路,几只轮船,几个水渠,政府诚能在财力及技术许可限度内,不牵涉到全般社会经济基础,而努力有所成就,但如我们在这里讨论的资本问题以及与资本密切关联着的土地问题,却不能单从技术上的努力得到解决。

第三、要使商业资本依照平均利润法则来调节其流通,固须具备一定的社会经济条件,但在这种根本条件未造出之前,我们并不能呆然无所作为的听任商业资本把一切生产资本无情的吃尽。租税政策、金融政策、限价政策,以及其他对商业寓有抑制作用同时对工业寓有扶助作用的诸般设施,假如能曲尽人事,亦许不难收到相当效果,但我们首先应知道:在落后的社会生产关系里面,租税、金融及物价等等本身,就分别是那种社会生产关系所由表现的因素,使它们健全的可能性是有限界的;运用它们来调节资本流通问题的效用性,更是有限界的。

第四、当前商业资本不绝的膨大,对于全般社会,特别是对于工业,固然在逐渐增大其不利的暗影,但对于商业本身,其不利的程度,亦并不难想见。商业为求独立的发展,工业上的不发展,固然是它的前提,但商业所周转的生产物,如每况愈下的减少,那就不但商业活动的对象和范围,会相应缩小,商业活动需要的消费者,也将因生产渐形萎缩而丧失其购买力。在目前,个别特殊的商业者,也许还在陶醉于他们由货币数量测度出来的利得,但就全体商业或商人阶级来讲,他们一定不难发现:在社会生产规模日益缩小,社会财富日益减少的情形下,他们手中由货币测度的资本,不过是虚资本,是空中楼阁飘浮的烟云,只要经过一阵大风,就会吹得毫无踪影的。所以,为他们打算,他们尤需要改弦更张,设法改变他们的资本用途。然而,各别商人的资本,已经被结成一种商业资本的形态,特定的商业资本形态,已经是在一定社会经济条件下发生作用,其结果,个别商人,固不易拘束他手中的资金,只好随全体商业资本的动态为转移,而同时,整个商业资本的动态,亦并不是全由商人阶级全体所拘束。大家试一考虑商人们动辄发出的"我们也无办法"的呼声,就知道以民主主义的土地资本政策,扭转一般的趋势,在今日不仅为工业家的要求,亦应为商业家所期待。

附论三 中国公经济研究

一 引言

我先得指明,这里作为研究对象的中国公经济,主要是指着由中央地方政府所经营的,有关经济的国营省营事业。这种公经济的利弊如何?经营方针如何?它与一般私经济的关系如何?读者可以从经济论坛上,去听取专家们的说明。而我准备在这里从长讨论的,是一般专家都不大十分留意,而在实际上却是有关这方面最重要的诸基本问题。

把公经济当作一个社会事业的范畴来讨论,首先须得改变或纠正一般对于这类事业的许多不健全的考察方法。

比如第一、凡属经济的经营,惯常是就那种经营在货币数字上的盈亏或利得的大小,来决定其失败或成功程度的准则。这种狭隘的利得观念,如应用到公营事业方面,那不但忽略了公经济的立场,且会歪曲公经济的真正社会作用。公经济的真正利得,不是就这种经济本身的货币价值的大小来衡量,而宁是就它在全般社会经济中所发生的积极的促进的作用来衡量。依此判断,一种公家经营,如其由它的活动,在全般社会经济中造出了不良的影响,或有害的作用,它在其资本的货币价值上,即使大有增加,那并不意味着这种经营的成功,而宁可说是这种经营的失败。反之,如其这种经营,在适应社会紧急需要上,在成就其他公私经济活动的任务上,确实收到了莫大的效果,则它的资本货币价值,即使无所增殖,甚至有所亏折,亦不妨说是成功的事业。——我们对公经济或公营事业,如其不采取这种公的社会的观点,势必驱使那些从事公营事业的活动者,走歪路,急近功,图小利,根本失去其所以要建树公经济的立场。

第二、社会一般人对于公经济的看法,从事公经济活动者自己对于公经济的看法,固然会影响公经济的前途,但至足限制公经济前途的,却宁是公经济所由建树的历史的社会的条件。公经济差不多是在一切历史时代都有过的,但任一历史时代的公经济,与其他任一历史时代的公经济,差不多在内容、范围和性质上都不相同。我们处在多重过渡转形的大时代,很容易看到各种形态的公经济,而忘怀其社会历史基础,以为公经济的建树,全是技术问题,是人的问题,可以随意创建出自己理想的模样。一般常拿技术条件,人的条件,来评定公经济的成败关键,就是一个显明例证。我们原极重视技术条件与人的条件,在一切公私经营上的重要性,但即使是这些条件,亦当从社会的立场去说明,技术的高下,人的健全或不长进,都不是偶然的。

以上两点,前一点是就公经济活动的社会价值立论,后一点是就公经济本身存在的社会前提立论。能把握这两个认识的关键,我们对于当前国营省营一类公经济的评价,乃不致流于枝节,偏颇;而对于公经济的强调,也不致太超出现实许可的范围。但是提出这个认识基点,虽不算怎样困难,要把它们,特别是要把后者加以科学的说明,而由是结论出中国公经济可能的展望,却就很不简单了。我希望本文能在某种限度达成这种任务。

二 现代公经济发展的历程

今日中国已有的和将待创建的公经济，显然对现代先进诸国家的公有经济形态，作了某种限度的模拟或仿行，或者至少受了它们那种公有经济形态的影响。所以要本质的理解我们的公经济的现实及其发展限界，把它们的具有经济形态的发展动态加以解析，是有其必要的。

所谓现代经济，一般是指着资本主义的个人经济或国民经济。由十八世纪末至十九世纪末这一个世纪间，资本主义的经济活动，差不多有意无意的是把亚丹·斯密定立的经济原则作为定则。依照那种原则，国家或政府对于社会经济活动，只有三件事情可做：其一是保障经济活动的国防工作；其二是维持经济秩序的司法工作；其三是便利经济设施的交通、教育及其他社会工作。过此以往，则完全听人民自动。这就是所谓个人主义的自由放任政策。而在这种政策作用下发展起来的经济，显然是属于私经济的范畴。

但这种私经济发展到十九世纪最后四分之一世纪的期间，由于它本身表露的缺陷，必然走上修正或渐逐否定那种经济形态的路，结局，前此被限制在极窄狭范围的公经济，乃有在全体国民经济当中，逐渐增大其比重的可能。但那种可能，不是由于谁的天才设计，而是由于客观经济现实必然发展的结果。现代的公经济，大体是把以次这几种私经济社会的实际，作为其逐渐拓展的前提：

首先，即自由经济的统制经济化。

自由经济是个人主义经济的别称。由各别个人自利打算造成的无政府状态,每个经济主体自然会感到自由竞争对于自己的不利结果。由是,缓和或化除内部竞争的各种组合经济形态出现了。卡特尔、托辣斯、辛狄克一类企业形态之勃兴,尽管在一方面讲,是加强了每个竞争单位的规模和实力,即把零碎的散漫的竞争,转化成集结的组织的竞争,但在另一方面讲,通过了这诸般化零为整的组织和结合,毕竟在其组织或结合以内,消除了竞争。而且,由于这种种结合经济形态的产生,遂使政府在许多场合,得到了干涉统制个人自由经济的口实与便利:其一、此类纵横结合型的新企业出现以后,那些未参加,或不便参加新结合的企业,便处在极其不利地位,而演出破产失业的悲剧;其二、新结合企业的内部组织化,资本构成高度化,必然使有关方面的劳动就业机会相对减少下来,这诸般制造社会经济危机的因素,增大了政府出面来救济来保护的要求;而其三、各种企业各自分门别类的结合起来,那又无异为政府安排了便于干涉统制的基础。事实上,就在这种自由经济的统制经济化过程中,我们又还看到:

其次,产业支配经济的金融支配经济化。

照着资本主义内在的发展法则,现代企业组织的规模是愈来愈集中扩大的,那种集中和扩大,并不仅是如上面所说,会招来政府的统制和干涉,同时也因其在集中扩大过程中,其资本有机构成的高度化,不但所需资本量愈来愈大,同时,也因资本中可变部分愈来相对愈小,不变部分愈来相对愈大,资本转移其全价值的时间也愈来愈长。这一来,任何一个有雄厚资产的产业家,都不能不逐渐加深其对于银行资本的依赖:其业务上资金的周转,要靠银行;其为适应扩大的规模,而采行普遍募集的股份公司方式,亦须通过银行。银行既把握有产业的金融命脉,并与产业发生了休戚与共的关系,自不得不进一步设法监督并干预产业的活动。银行资本与产业资本结合的结果,原来在国民经济上的产业支配形态,遂逐渐移转为金融支配形态。这种转变,更进一步加强加大了各种企业间的结合,而由是奠定了所谓金融寡头支配的基础。就产业支配经济向着金融支配经济移转过程中,我们又必然会看到另一种变化,即:

再其次,国民经济的国防经济化。

原来所谓国民经济,与国防经济对待来说,就是指着平时的经常的经济体系,国防经济则是指着非常的应变的经济体系。一国国民经济,如其一方面需要政府来参加干涉统制,同时金融的寡头支配,又使那种干涉统制更有强化的可能,于是,每个国民经济单位,不管其内部还存在着如何的矛盾和不调和的现象,其对外关系上,显然逐渐变成了一个大托辣斯的形态。即每个国民经济体系与其他国民经济体系之间,变成了正面对敌的竞争主体。各种形式的保护关税,各种姿态的货币斗争,对于各自殖民地的加强控制,对于次殖民地带的拼命争取,奥太基经济形态与布洛克经济形态的分别形成,都促使一国与他国间之对敌关系。由经济方面引延到政治方面,更反过来由国际政治关系的恶化,而益形加深各国之间的,从而加深各国国内的经济情形的恶化。在这当中,每个为国内经济恐慌,从而,为社会危机所苦恼的国家,都需要(一)把国内失业劳动大众的视线,由国内转移到国外;(二)把不能充分利用的产业机构和产业预备军,转用到军需品的生产上。这两种趋势,这两种要来,本来是在每个资本主义国家都存在的,不过因它们各别产业基础的强弱程度不同,愈形脆弱者愈先迫切要求采取备战化或国防化的程序。但等到某些国家或明或暗的采取了这种程序,其他国家又非步其后尘不可,结局,国民经济的国防经济化,便成为一般的现象了。

在现代经济发展上的这几种趋势,即自由经济的统制经济化,产业支配经济的金融支配经济化,国民经济的国防经济化:一方面在显示私有制的强化,但在这种性质的强化过程中,却又同时辩证的造出了私经济社会化或公有化的后果。政府对私人经济活动,既出面干涉统制,它已经可以由救济、补助、参加资本或增建公共事业等方式,扩大公有的范围,而为了建立国防经济体系,为了适应紧急的需要,它更不得不把许多有关军需军运的重工业交通业,加以进一步的控制,或者如芒克(Munk)所谓保留其所有权,而暂时取得其使用权。(参看徐宗士译《武力经济学》)这一切,是现代私经济社会化或公经济化的必然过程。在一切资本主义国家中,不管这种公经济成分,在整个国民经济中占有如何的比重,并且与国家社会主义下的公经济比较起来,它具有如何不纯的特殊的或暂时的性质,但却显然表示了以次诸特征:

(一) 它是高度发达的私经济的转化物。

(二) 它是建树在私经济之社会的技术的基础上。

(三) 它是向着更有组织的经济发展之过渡的或前哨的形态。

三 中国传统经济形态中之公经济的性质

这里所谓中国传统经济,实意味着中国传统的封建经济。

一般的封建经济,原是以孤立的,各领地各庄园自给的形态为其特征。但在中国典型的封建体制下,却不但一般的破除了那种孤立,并且很特别的很早就产生了各种形式的公经济。远在西汉时代,除了铸币的铸造,已统于三官,表示这一"官钱局"连同"造币厂"的公有经营,达到了相当规模(到了汉平帝之世,五铢钱的铸造,计达二百八十亿万余枚)外,还有以次这一些公营事业:

(1) 兴盐铁——"山海天地之藏,皆宜属少府……愿募民自给费,因官器作煮盐,官与牢盆……敢私铸铁器煮盐者,釱左趾,没入其器物,郡不出铁者,置小铁官,便属所在县"。(《史记·平准书》)

(2) 设均输平准——"……设大农部丞数十人,分部主郡国,各往置均输盐铁官,令各远方各其物,如异时商贾所转贩者,为赋而相灌输,置平准于京师,都受天下委输。召工官治车诸器,都仰给大农。大农诸官,尽笼天下之货物,贵则卖之,贱则买之。……故抑天下之物,名曰平准"。

(3) 设常平仓——"令边郡皆筑仓,以物贱时增其贾而籴,以利农;贵时减贾而粜,名曰常平仓"。

汉武之世,除以上设施外,还有酒榷之设。降及王莽时期,更设六筦五均制,不仅由国家独占主要制造业部门,统制市场,并开赊贷,即"民欲祭丧纪而无用者,钱府以所入工商之贡,但赊之。……民或欲贷以治产业者,均受之,除其费,计所得,岁毋过什一"。(《汉书·食货志》)

对于以上诸种公营事业,往后各朝代,大率相沿,但有损益,而经营对外贸易一项,则系降及宋、明始正式成为国家一大收入源泉。关于中国这类公经济形态,外人是这样看法:

"中国官僚制度,不仅和地主联系着,而且它已是地主的化身。它不仅和商业资本联系着,而且它自己已成为最大商人,把铁的丝的贸易垄断着,并控制盐铁经营,直至最近时期,在帝国主义侵入以前,更保持着对外贸易的垄断,和支配粮食市场。……这个官僚制度,不仅和借贷资本联系着,而且本身是一个最大的高利贷者;利用着仓库制度、土著的银行(钱庄)制度、和典当制度,使商业、手工业、运输业、与其他一切经济活动皆服从它自己"。(见马扎尔Madjar 著、彭陈译《中国农业经济研究》第七〇——七一页)

这段话虽然可利用来说明过去中国政府经营经济事业的本质,但却十分不够。中国封建体制其所以能产生这类公经济形态,基本的是由于它的经济基础,是地主经济,而不是领主经济;惟其在地主经济基础上,天下之赋,皆集中到中央政府,各地方的官吏,皆仰给于中央,故中央集权的官僚主义的封建体制能够建立起来;惟其政府手中,以赋税贡纳的方式,取得有大量的农工业生产品,又因为它有支配全国的力量,它就能从事各种大规模的公营事业;更又因为任何形态的封建体制,对于农业,对于土地有密切的依存关系,所以,中国这种封建官僚政府,一方面尽管与商业高利贷业发生联系;在另一方面,却宁是由于它怕商业高利贷业剧烈活动,危及其所依存的农业的土地经济的基础,至少想在主观上,借政府的直接经济活动,来缓和那种趋势,但在客观上,由于这种公经济方式的活动,却进一步加强了官商的联系,加深了对于直接生产者的榨取,而使每一个朝代,都必然踏袭其前一朝代没落之路。总之,中国传统的公经济,为我们显示了以次诸特质:

(一)它是作为中央集权封建制下的特产物而出现的。

(二)它因其是作为中央集权封建制下的特产物,故它显示为全国性的国家经济形态。

(三)它与官僚制度有密切联系,往往是官僚假公济私的一个

"政治副业"。

（四）它和近代初期各国君主专制局面下所采行的限制经济措施，有某种程度的类似，但后者是作为走向现在个人主义经济的过渡形态，而前者则是附丽在中国特殊封建制上的"正常设施"。

四　在现代过程中的中国公经济活动的成果

一般的讲，在中国产业现代化过程中，曾被理解有一个国营或官办阶段，大体是指着由一八九五年中日战争以前，返数到一八六二年太平天国变乱结束以后的几十年间。就在一八六二年，曾国藩、李鸿章看到攻打太平军期中的新式武器的效果，便开始在安庆、上海等地创建有关机器修理及制造的工业。江南造船厂和福建马尾造船厂是此后相继设立的。一八七二年，有名的招商局创立。最大规模的汉冶萍公司虽然是在一九〇八年正式成立，但其筹办，却是于一八九〇年着手，在同年，李鸿章又在上海创办机器织布局及纺纱新局。越三年，张之洞于武昌创办机器织布局。——上面这一切新式国营或省营事业，就是在中国产业现代化过程中，被分划出这个官办阶段的具体内容。

其实，自中日战争以后，一直至此次战争发动以前，中国的国营省营事业，并不是没有继续兴办的，但与这一阶段比较起来，民营的比重，愈来愈较官营的为大；这原因，一部分也许可以说是马关条约丧失工业权以后，外人在中国开设工厂的越来越多，给予了中国民营一大刺激，但我们同时也不应忽视公营或官办事业的毫无结果。

上述官办事业,有的是关于机械制造的,有的是关于纺织的,有的是关于矿冶的,有的是关于运输的,其部门尽管各异,而失败则彼此相同。我们这里没有详细分析其失败原因的余裕,但为了便于说明我们这种公营事业或公经济的性质起见,且就吴景超先生分析汉冶萍公司失败的几个理由(见所著《中国经济建设之路》第一五页以下),借悉其梗概。

第一个理由,他以为是计划不周:张之洞在两广总督任内,为了创办铁厂,向国外订购机炉,迨机炉由外国运到,彼已调督两湖,后任不肯接受,乃将机炉运至湖北汉阳,为了原料,才觅到大冶铁矿;为了燃料,才又找到萍乡煤矿,于是将就凑合,开始已极草率之能事。后来盛宣怀接办,其奏章中有谓:"盖东亚创局,素未经见。而由煤炼焦,由焦炼铁,由铁炼钢,机炉名目繁多,工夫层累曲折,如盲觅针,茫无头绪,及至事已入手,欲罢不能"。

第二个理由,他以为是用人不当:"公司中人,率皆闲散官绅,夤缘张之洞、盛宣怀而来,希图一己之分肥,与公司无利害之关系"。"职员技师,类无学识经验,暗中摸索。即实力经营已不免多所贻误。况再加以有心矇混,任意开销,其流弊故不可胜纪"。

第三个理由,他以为是管理不善:其中有两点值得注意:一是人事管理茫无头绪,一是账目一塌糊涂。"公司亏损之数,已逾千万,问诸股东,无一知者"。"而就其账略、通收、支存三项计之,往往有盈无绌"。

第四个理由,他以为是环境不良:湘、赣、鄂三省历次军事,皆使公司在交通、劳工、供应种种方面,遭受损失。交通部订购铁轨,不肯给价,而地方政府复多方掣肘,并要索捐款。

这四种失败的理由,明如观火,恐为中国一切公营事业共有的缺陷，不独汉冶萍公司为然。但我们如其要由此进一步去了解其基本性质，就知道我们这种公经济形态，显然表现了以次两个特征：

（一）形式上模仿先进国家在资本主义后期所采行的统制的或直接国营的方式。

（二）实质上仍沿袭中国数千年来进行公营事业的传统的办法。

这就是说：用落后的官僚政府，去经营那些需要运用更高度科学技术的公营事业。未曾经历过自由经济，而遽然施行统制经济；未曾经历过商品经济，而遽然施行配给经济；未曾经历过发达的私经济，而遽然施行公经济，自然是一切毫无基础，毫无凭借。主其事者，既坦白自承"如盲觅针，茫无头绪"，而"类无学识经验"的"职员技师"，又复"暗中摸索"，无怪大家"有心矇混，任意开销"，把公司看作位置"闲散官绅"的"衙门"了。一位把中国国营事业失败，归咎于政治传统的经济研究者曾这样告诉我们："汉代以后，工矿事业的国营与管制，所以没有能促进生产事业与组织的进步，原因固在政府目的重在征敛，尤在于主持者任意诛求，营私舞弊。……以至于到了现在，有严密的稽察簿记制度，专卖事业与关卡征收，一般仍认为是肥差美缺，风气习染如此，到了头绪较繁职责较重的国营事业，便弊端更多，以至于不可收拾。清末李鸿章、张之洞的洋务运动其所以失败，招商局、纺织新局、汉冶萍公司之所以亏累，固与整个朝政不无关系，主要是受这种积重难返的传统政治习惯的影响"。（见陈振汉：《中国政治传统与经济建设政策》，《东方杂志》第三十九卷第十三号）

从传统政治习惯，来说明中国公营事业的失败，与前面吴景超先生所提的四个理由比较,算是更进一层,但却不宜就此完事。任何政治传统,都是要在社会上生根的。所以我们得把问题作更深入的探讨。

五 在战时公经济措施上显出的诸般特质

前面讲过,由第一次中日战争以后,到此次中日战争以前,是中国公营事业的停顿期,而到了"七七"战争爆发以后,由于适应战争的紧迫需要,公营事业的活动,又勃兴起来。国营省营金融事业的过分"繁昌",是不在话下的。其在工业方面,至三十一年度止,"仅以经济部所属资源委员会而论,就占七十八个单位,在资本上几二倍于现有民营工业。省营事业近两年中发展得最快,如贵州企业公司、川康兴业公司、滇西企业公司、广西企业公司、湖北企业公司、江西兴业公司、皖南实业公司、福建企业公司、陕西企业公司、甘肃水利林牧公司等,几无省无之。而且这些公司的组织,都包含有'公司之公司'的性质,在其母公司之下,复包括有若干子公司,贵州企业公司就是一个最典型的例子"。(见《大公报》资料室辑:《我国战时工业鸟瞰》)在金融、工业方面如此,至关于农业、运输业,特别是商业,统制化或直接由国营或省营的机构,几乎月有设立,俨然表示我们在向着否定私经济的旅途迈进。

战时勃兴起来的这些国营省营事业,就量上讲,固然是比过去多得多,并且也普遍得多,即就质上讲,亦比之于前述的国营或官办阶段,有不少的改进,不过,这改进,与其说是具有社会的性质,不如说是只具有技术的性质,技术性质上的改进,自然是近几十年来科学技术水准相当提高的结果,但更本质的,却应说是近几十年来民营事业略有一点基础,略有一点发展的结果。但惟其那种改进,是属于技术性,而不是属于社会性的,它的改进程度,显然就要受到社会条件的限制。在近年的报章杂志上,大家对于公营或半公营的统制部门,听到了以次这一类批评。

先从半公营的统制部门看下去:

"由于政治上,我们始终未能肃清贪污及其他不良的作风,致令一切平价的办法,都落了空,而一切的统制,反而变成了贪官污吏发国难财的机会"!(见《泛论战时经济财政政策》,《建设研究》五卷三期)

而作为这种议论的注脚的事实,则是四川煤炭及盐受统制,湖南桐油受统制所引起的弊端。就前者言:"自流井的盐水及燃料受统制的结果,煮盐者买水买煤亦不得自由,久大精盐公司不得不缩减其产量,……又有开煤矿的,因燃料统制局不卖煤给他们,甚至到处托人情,行贿赂"。(同上)

又"湖南桐油自统制后,贸易委员会之附设公司与省贸易局争夺省内收购权,互相牵制,致商运半年时可外销十五万担之桐油,现仅运出七千担。如津市一带,旧历年关,贸易局停不收油,商人自运,到处碰壁,油行以资本有限,无力收买。桐农以年关需款,迫以极廉之价售与囤积居奇者,于是相率传话各桐农,将桐树砍掉,改植其他树木"。(见三十二年六月十二日《大公报》)

事实上,这里所指出的弊端正是存在于一切统制部门的。

次就公营工业方面来说:

"国营工业如果存在着官僚主义,则这些企业无法办得好,不容讳言,当前有不少的人以做官的态度去办理国营工业的。纯洁一点的人,则因为不娴熟企业,不针对客观需要而任意提出办法:今天下命令,限令某部门在一定时期之内,完成某项工作;明天又下命令,限令在一定时期之内,拆迁或结束。举棋莫定,使厂中的工作人员,疲于奔命而无所成。这样,便使一个工厂创立二、三年而尚未完成;一个镕炼钢铁的锅炉,树立了二、三年而尚未树好。……黑暗一点的人,则利用企业为一己发财的捷径,扣回佣,造假账,他们是无微不入的,这么一来,工厂尚未出品的时候,主事者早已'腰缠万贯'了"。

"在中国特殊情形之下,经营国营工业的人,每每充满着官僚习气;常有贪赃枉法,舞弊营私,排除异己,盗名欺世等恶习,以这种中古时代的人来控制现代的企业,没有不失败的"。(见《当代评论》第三卷第十五、六期合刊)

以上这段话是樊弘先生讲的,但更概括,更没有火气的徐柏园先生在《财政评论》(七卷二期)的评论,则是说:"国营和规模较大的公营事业,多不免成本高,效率低,人事繁杂,工作弛懈等毛病"。

再次,且看看金融财政方面。

"国家的金融机关的金融政策,长此不改变,本身已是商业资本的集团,根本没有方法限制社会的商业资本的畸形发展,当然也没有方法利用或诱导私人和地方的金融机关,走上产业金融之路……

"中国的金融与财政,构成畸形的联合体,所以金融政策要改变,财政政策也要改变。……"(见高叔康:《畸形发展的商业资本》,《新经济》半月刊十一期)

在目前,像上述这种种公经济上显出的弊端,有的或已有所改进,有的或尚在改进中,但为了要明确把握中国公经济可能发展的

前途,这里是需要就上述各方面关于公营事业的批评,借以理解其症结所在的:

(一)官僚主义的作风,是各方攻击的重心或焦点。

(二)商业活动在领导着、支配着全国公私产业,使产业有逐渐变成商业的俘虏或附庸的趋势。

(三)一切公营金融机关,都不与产业联系,却与商业联系,成为所谓"商业资本的集团"。

(四)中央公营机关与省级公营机关间,以及各省公营机关间互相牵制磨擦。

把这几方面的情形,和前面官办阶段公营事业显示的诸特点比较起来,大家定然会看得出:最不同的地方,也许就是公经济在商业和金融上的势焰,是愈来愈大了。它对全国国民经济的比重确在增大,而本质则似乎没有了不起的改变。至少,根据事实的逻辑是必然会如此的。

六 中国公经济的可能展望

由上面的说明,我们知道:中国的国营省营事业,或者中国的公经济的发展前途,似还满布着荆棘。我们亦希望中国公经济的病态是与整个战时经济的病态关联着,战争结束了,这些病态也随着清除掉。但如其我们设想到:

(一)公经济并不能孤立的成长起来,它的成长,不但须与全般国民经济采取密切有机的步调,且须全般社会条件能允许它,与它相配合。

(二)公经济感受极大威胁的官僚主义与商业优势乃至地方主义,都有其取得存在的社会基础,那种社会基础,仿佛并没有随着战争的终结而自行消失的理由。

在中国公经济发展前途的问题上,假如能加入上述这两种考虑,我们就会明白:即使我们在主观上,鉴于世界各资本主义国家的私有经济制引起的种种弊端,又鉴于这些国家的自由经济在不绝统制经济化,私经济或个人主义经济,在不绝社会化,公有化,因而想迎头赶上,把这当作一个重要国策来推行,那一定要进一步研究它们的经济的社会化、公有化的现实前提条件,我们采行公经济的现实社会基础。否则一方面尽管努力公经济的建树,另一方面却恐无法阻止"假公济私"或"化公为私"的反离现象继续发生。

论到这里,我们似可明了,我前面之所以提述到中国传统的公经济形态,乃因我们今日的公经济,至少在本质上,与它保有相当历史的社会的渊源。传统的官僚制度官僚主义,也许随时代的演变,改变了一些外形,但作为这制度依存并活动的基地的土地所有关系,迄今仍发现不出何等本质的变动。我曾在其他场合(见拙著《社会科学论纲》第四部《论中国战后农村工业化》)讲过:今日国内专家学者之谈工业化,类皆在工业化应注重民生,抑注重国防;应注重轻工业,抑注重重工业,应集中在都市,抑分布在农村;应采取民营,抑采行公营这一些属于技术性的问题上着眼,而不肯率先探问到我们今日的社会条件,是否宜于任何方式的工业化。大家对于任何施行方式,任何内容的工业化,都得依据民生主义的原则,都无异议,但民生主义第一步就要求实施平均地权,改变传统的土地关系,以便根本铲除妨碍工业化的官僚主义,铲除一切掣阻着新经济形态或公有经济形态成长的落后的社会根源,然而关于这点,大家似乎都不肯费神去研究研究,这实在是令人大惑不解的。

浅见者以为土地问题与工业化问题,仿佛没有何等了不起的联系,而高明一点的新旧经济学者,亦不过认定原有土地关系之妨碍工业化,就在于土地上吸去了原可移用到工业上的资金,但问题如果是如此简单,真是厉行征实征购,就可以解决土地问题。而事实上,一切落后关系,不良风习,过时意识形态,以及其他逆乎时代潮流的许多社会现象,都是把旧有土地关系作为寄生的依据。而旧有土地关系之直接妨碍一般经济发展的,则是它助成传统商业资本的买办化;促成国际资本对中国金融与货币的控制,使其不能发挥民族资本的机能;妨碍工农业上新的技术条件的采用;此外,并阻害中国社会资本的蓄积及其向生产事业上转化。(其详细说明,见拙著《中国经济论丛》一八一页以下)

凡属阻碍一般国民经济发达的传统土地所有关系,当然也或更阻碍公经济形态的成长。

设把论点由消极方面转到积极方面,我个人对于中国公经济的看法,有两点私见:

其一是:中国的公经济,应从土地的公有作起。

其二是:中国的公经济,只能在土地公有的基础上,才能有所成就。

对于前一点的简括解释是:

我们的国策,向着国营省营一类公经济上努力,无疑是鉴于世界各国经济发展的一般趋势和它们给予我们的社会变革经验,使我们认定:中国现代化如还从头做起,即先尽量发展私人经济,再依顺序导到公经济阶段,那不但太迂回,太跟不上时代,且恐日新月异的世界大经济环境，亦不容许我们从容作去，所以，今日着重公经济的建树，殆寓有"亡羊补牢"与"迎头赶上"两种企图，而要使我们对于任何新的经济上的努力，不像以往之歪曲到传统的那种公经济的道路上去，首先就得从根改变我们的传统土地所有关系。但中国传统土地所有关系，以前资本社会的性质来尺度，是有着它的进步性和强韧性的。如果我们采行各国在现代初期所施行的那种土地改革办法，那不独会视为无此需要，（因为原来土地所有关系在形式上允许土地及劳动之自由移转，遂使许多人觉得中国没有经历他国那种解放农奴及解放土地的改革的必要，这是现代化了一百年，到今日还不曾触到土地变革的重要原因之一）且亦不易彻底革除我们因缘落后土地关系而存在的一切落后社会风习与制度，更自无从配合一切崭新的公有经济设施。

对于后一点的简括解释是：

我们的公营事业，既不像挽近所谓国家资本主义国家所采行的那种形态，它们的经济的公有化，社会化，是把已经发达起来集中起来的私人资本作为基础，我们显然不可能有这种基础，因之，我们就不得不另有所凭借。我们当然不能全希望外国人为我们负起建设资金的责任。我们要自力更生，就惟有在土地上多多努力；诚能由土地的合理分配方式，导出土地的合理使用或经营方式，那在一方面固可阻绝一切妨碍现在经济成长的传统，加强我们全般国民经济的活力，同时又可极有效的保障着一般公经济的开展。

在目前，平均地权的国策，究应采取民有方式，抑采行国有方式，尚为时贤专家们论争的问题，我以如何发展中国公经济的研究者的立场，提出土地国有的"私见"，如其大家觉得这有值得注意的价值，我是打算予以从长讨论的。

附论四　中国官僚资本之理论的分析

一　我们应当怎样理解官僚资本

在抗战结束后的这一时期以来,"官僚资本"竟变成一个流行语了。在这以前,官僚资本尽管早经存在,但间或有人论到它,或论到与它相类似相关联的"买办资本"一类名词,经常是在资本二字上面划××,有时竟连资本两字亦以××代,或者干脆禁止谈到诸如此类有损官誉有污官格的"不敬语"。然而,曾几何时,一般舆论已毫无忌讳的在尚论着责骂着官僚资本,甚至一向嫌忌这类名词的党政论坛,亦公然把这以前认为是异党分子中伤的"不祥物",当作必须打倒必须肃清的对象。这种大转变,一部分虽然是由于时代的进步,民主作风变成了不可违抗的潮流。一部分是由于官僚资本活动得过于猖獗,听其发展下去,不但会断送整个国民经济命脉,且将不可避免地危及党政自身的生存,但同时也由于官僚资本家集团内部,因着"发展不平衡律"引起了"内讧"。不论如何,我们今日总算取得了讨论官僚资本的某种限度的"自由"了。

但也许因为我们取得这有限制的讨论的自由,还是不久的事,一般人对于官僚资本本身的认识,就不免有些感到"漠然"。广州综合出版社,编印了一本《论官僚资本》的小丛书,把时下有关这方面的论文,集在一块,其中计有狄超白、马寅初、周恩来、吴大琨、郑森禹、郑振铎、姜庆湘、赵元浩诸先生分别发表于各地杂志报章上的。这些文字,因为有的是临时演讲记录,有的是夹在其他论题中附带提到,所以大都不免"语焉不详",我觉得,对于这样一个重要的大题目,理应多费点时间,把它的特质作用等等方面的关键较详明的阐述出来。

在目前,大家对于官僚资本,似乎有两个近似对立的认识:其一是抓住官僚资本静态的一面,仿佛官僚资本就是"官僚的资本",这样一种同义语反复的呆板表现,当然会阻碍我们对于官僚资本的科学的分析;又其一是把握官僚资本动态的一面,过分强调它的融通性,结局,官僚资本就变成了闪灼不定难于捉摸的东西。

事实上,官僚资本是非常生动,但也非常具体的。

官僚资本有三个具体形态:一是官僚所有资本形态,一是官僚使用资本形态,一是官僚支配资本形态。这三者相互的依存性和融通性,是官僚资本所以成形为官僚资本的具体内容和条件。它们的存在,在某些场合是各别独立的,在某些场合是相合的,但离开了其中之一,则不足以通体了解其他。

这里且先分别释明它们各别的特质,然后再统观其共同机能。

首先,所谓官僚所有资本形态,就是指着官僚自己举办的某种企业和经营。这种企业在允许任何私人可以自由经营的限内,他曾是官僚或已经不是官僚,他的资本活动,都不包括在这种所有资本形态中(自然,我们很知道,现实的官僚资本,有极大一部分,是把握在那些已从政治舞台退出的人手里,但一个人政治生命的确实终结,同时却会是他的所有资本形态向着其他形态变形的开始);在官僚资本所有形态,所有者必尚为官僚,一方面以公务人的资格，从事政治活动，同时又以私法人的资格，从事经济活动。这种情形下，不管他的经济活动是被禁止的，抑是被允许的，也不管他是直接从事经营，抑是委托旁人经营，他那种经济活动依以进行的资本，就似乎取得了官僚的资本的属性。但是这种说法，马上就要遭遇到以次事实的反驳。近代社会，是所谓商工业者市民社会。由商工业经营者变成官僚，是极其寻常的事。一个商业家工业家或银行家如其一旦成功为官或官僚，是不是定要停止他原已经营的一切企业呢？即是不是他一进入政界同时就得退出经济界呢？或者，他不退出经济界，他前此经济活动所依以进行的资本，就会因为他投身政界，而变为官僚资本呢？如其对于这些问题的答复，不能一概断然予以肯定，我们就有理由相信：所谓官僚资本，即使是就其所有形态来说，那也不能单从资本为官所有这一事实来评定，而要从资本在如何的情形下为官所有这一事实来评定官僚兼有他自己的经营资本，其所以被人诅咒被人诟病，乃因他的资本来源，他的资本活动，通通与他的官职发生密切联系。我们由此知道：官僚所有资本形态，只是官僚资本的诸现象形态之一，我们称此为官僚资本的第一形态。

其次，存在于官僚所有资本形态一傍的，还有官僚使用资本形态或官僚运用资本形态。凡属由公家经营的一切企业，其经营主体，不拘是国，是省，是市，是其他党政军乃至社会文化团体，其实际经营者，通是各种各式的官；官僚对于此类资本经营，没有所有权，但却有运用权。本来，在一切现代国家，均存在有大大小小的这类公营事业，它们的这类公营事业，也多半是任用公务员或"官"去经营，但它那些经营资本，是不是可归属在官僚资本范畴呢？如其不然，其原因安在呢？那第一可以说是由于它们的公营资本与官或官自己经营的资本,没有何等内在的关联;第二可以说是由于那些从事公营事业经理的人,即使是官厅任命的,即使是官,一到那些经营机关,他们便不是以官的"格",官的职能在那里活动,而是以企业者,专家或技术人员的身份在那里活动。正惟其有这第二种理由,更使第一种理由得到确立。从这里,我们又明了,不是资本由公家所运用,为官方所经营,便变为官僚资本,而是公家的企业经营,被掌握在官僚手中,由官僚任意处置,并使其对前述官僚所有资本形态,发生或明或暗的内在联系,才叫人厌恶叫人诅咒。像这样为官僚资本所运用的资本形态,我们称它为官僚资本的第二形态。

再次,我们要谈到官僚所支配的资本形态了。本来,官僚个人所有资本,官僚所运用的公家资本,通可说是受其支配控制,但我们这里却是另有所指,或即是指着那些既非由官僚直接保有,又非为官僚所直接运用,但却显然在多方面受着官僚支配控制的那些私人企业的资本,在经济与政治保有密切联系,而又缺少明确的法的权界以资分划的场合,特别在私人资本必须取得政府各种方式的支援,始能维系的场合,几乎大部分的私人企业或其资本,都不免要在不同的程度,通过不同的方式,变为官僚的"俘虏",变为官僚任意侵渔和自由游泳的大水池,变为他们所有资本形态扩大汇集的又一来源。像这样一种资本形态,我们称之为官僚资本的第三形态。

由上面各别的说明,我们应对官僚资本有一个总的概念,即所谓官僚资本,应是在特殊社会条件下,为官僚所拥有所运用所控制的诸种资本之有机结合的总称。那从以次三方面显出了它的基本特征:

第一，官僚资本的三个形态，通是以官为其发生联系作用的枢纽；没有官的凭借，这种资本的属性就根本无法存在。

第二，官僚资本之一极，是人的属性的官或官僚，而其对极，却是物的属性的资本。资本而捺上官僚的烙印，是只有在一定的社会政治条件下才有可能，因此，官僚资本的产生与发展，皆当从特定社会政治关系中去加以理解，而那同时也正好是特定社会政治关系的体现物。

第三，官僚资本的上述三个形态，就某一方面或其活动的归结来讲，似以第一形态即官僚所有资本形态为基本形态，因为对公营资本作自利的运用，对私营资本作自利的控制，无非是想使其所有资本形态迅速扩大起来。但从另一方面或从其活动机能立论，则第二第三两资本形态，不但同样重要，甚或更加重要，没有这两个资本形态，第一资本形态，也许根本就不易产生，即使产生，也恐怕难得成形为官僚资本。

论到这里，大家也许仍觉得我上面关于官僚资本的总概念，还有不够包容的地方，即在现实上，除了上述官僚资本的三个形态外，不是分明存在着官商合办的资本形态么？详细分析起来，这所谓官商合办的官，并非官，而是官家或公家，所谓商，并非商，倒反而是官或官僚。官僚资本在其作用过程中，可以有许许多多的连结方式，而由此表现出许许多多的复合形态。官和私人的资本，参组到公资本方面；官以公家资本，参组到私资本方面；官以所谓官商合办的金融机关的资本，参组到私资本或公资本方面；官以属于国有的资本，参组到地方官商合办事业或官办事业方面……各种各色的结合方式，都不过是官为扩大并加强自己资本活动所搭起的"便桥"。我们应当把它们理解为前述三个基本形态的派生形态,并为那三个基本形态作用的环节或结果,它们的真相,是会在后面待述及的官僚资本活动的过程中明白显露出来的。

二 官僚资本的作用及其后果

关于这方面,可分作以次两点来说明。

(一)官僚资本是怎样作用着的,官僚资本在实际的活动或运用上,自始至终,都同借贷资本保持有极密切的联系。溯源来说,中国原始的官僚资本形态,即现代以前已经存在着的官僚资产,一向是由各种方式的高利贷业累积起来。典当业,赊卖商业以及指不胜屈的本格借贷方式,尽管是一般散见于民间的,但稍加分析,就知道那主要是所谓大大小小的候补官——士,出缺官——在任官自己及其亲朋故旧们在从事经营,他们因为是社会政治上的势力者,他们的借贷资本,就不但因此有了来源,有了保障,且还变成为极有强制性的吞并土地的手段。我们很可以说,高利贷或借贷资本,是官僚们之政治势力在经济上的扩大与延长。

到了现代,银行资本出现了,在本质上,我们的银行资本,迄今仍浓厚的保持着高利贷的属性(拙著《中国经济原论》中《中国资本形态》篇曾对此作过比较详尽的分析),或者说,更浓厚的保持着官僚的属性。中国官僚的生活形态以及当前社会的客观情势,都不宜于从事生产活动,但却更宜于从事高利贷性的投机的金融活动,以及这许多其他有关的原因凑合起来,使大大小小的官僚都不期然而然的把金融事业作为其经济事业展开的出发点。

中国金融界老早就有所谓南四行北四行的系统的。近廿年来因为许多新的金融势力的出现，使得原来的系统有了不少的错合的改变，但有一点是不曾改变或者只有"变本加厉"的改变的，那就是你不论翻看那一个银行的董事会，理监事会的名录，却总可发现那都是一批一批的官僚或准官僚或者他们的家族。公家银行固如此，所谓私立，实际仍不外是"官立"的银行亦如此，那怕是若干真正的民间银行，它们亦得为了实际上的经营的特殊便利的取得，而不能不拉若干政治上的红人来撑撑门面，虽然政治上的红人，往往也因为公然出面经商，有碍视听，而失官格，竟也标列出一些"莫须有"的商人，作为"伪装的后台"。在这场合，倒不是民借"官力"，而是官借"民名"了。我曾想，中国社会中的最复杂场面，往往是由"足智多谋"的官僚扮演出来的。

官僚们这样热衷于金融事业，乃因官亦是人（虽然，他们有时扮演得像"超人"），大利所在，人必趋之。金融业的大利益，并非在金融活动本身，在以往，那是借着高利贷来扩大商业和兼并土地，并进而保障政治上的地位，而在现代，则显然是借着金融活动，去接近并参与一切有利可图的公私企业部门。参与的方式，五花八门，比起现代先进国银行资本，参与各种企业的方式，还要复杂。试举一二例，以类其余。川康兴业公司是与川康银行有着血肉关系的，川康银行资本的来源，是国库，是川康两政府，还有是所谓商股，由这样一种组成方式，就决定了它的官僚性格，事实上商股云云，无非就是官股，官僚们通过川康兴业公司，把一切有利可图的事业，都囊括净尽了。又如贵州企业公司的资金来源，是贵州省政府，是中国，交通，农民银行及贵州省行，还有也是所谓名商实官的"商股"；这个企业公司的包罗性，在国内是有名的，几乎经营了省内一切新式事业。战时其他各省相率设立的企业公司，差不多都是把贵州企业公司作为榜样,其间即使也有完全由省行或省政府出资经营的,那并不妨碍它这种组织戴上公家名义,实际却大抵是在种种曲折的手法下作着某些特殊势力者的业余经济买卖的机构。这就是说,官人们一般是通过他们自己控制的银行,进而参与或控制一般经济事业。结局就使官僚金融活动,变成整个官僚资本活动的重心。往往一个人兼为官,金融家,企业家。而政治巨头,银行董事,公司后台老板,事实上早为大家熟知的"三位一体"了。

英国拉斯基教授曾就大英帝国的这三方面的人物列出一个相通的表式,仿佛我们在这方面已经迎头赶上了先进国,值得"称许"了,然而美中不足的,却不仅是我们已在前指出了的本质上的差别,并还有是由那种本质差别导出的极有危险性的后果。

(二)官僚资本作用的后果,在私有制下,特别在现代性的私有制下,社会资本或财富被累积到谁手中,在官的手中,抑在非官的手中,本来不值得去计较,而官僚资本其所以成为众矢之的,乃在它自始至终,都必然招致祸国殃民和妨碍社会经济发达的不利影响。把官僚资本展开的全过程加以考察,我们可以见到它的以次几种显著倾向:

一,独占资本化 在一九四六年八月十五日,极度同情中国政府的美国《纽约时报》的一位记者曾自南京发出一个电讯,报道"中国政府用各种不同的公司组织,已包揽了国内一切主要的经济事业,掌握矿产,动力,重工业,丝,棉纱及糖的生产"。其实何止生产,一切比较重要的贸易对象,如茶,桐油,棉花……等等,几无一不由专卖或官营一类名色垄断或独占了。这种独占倾向的产生与发展,无非是官僚资本作用的必然后果。我们知道:官僚资本之独占资本化的倾向，最先，就因为它这种资本形态，不但最便于发生此种倾向，且最不能不保有此种倾向，官僚资本是否能维持并扩大，就看它保有那种独占到什么程度。

我在前面已指出官僚资本的所有形态使用形态以及其他种种中间形态了。完全由公家名义或主要由公家名义经营的事业，在一般工商市民阶级尚未取得政治发言权的社会，可以依照政府当权者的一时高兴，或个别私的利害打算，而确定其独占范围。而在战争过程中，更加是"悉随尊意"了。我们社会本身，原本是缺乏实行统制经济的先天条件的，但虽如此，我们战时乃至战后许多所谓公营事业或半公营事业，都一直在借着金融上的或产销运购上的优先利益或特殊便利支持着。比如在倒产歇业变成极普遍现象的今日，像中国纺织建设公司一类的大规模企业，却在倡言着并预期着高额赢利（其实，敢于夸称有赢利的公营事业，恐怕也仅只有中国纺织建设公司，如像和它同时成立的中国蚕丝公司，其经理人就苦脸诉说："我们是亏本事业"），这不是对于以往所加于公营事业之批评指摘的反驳么？但仔细分析，就明白它是在经营的任何方面，都享有特殊便利的结果，换言之，也就是由于独占的结果。凡独占经营所获的利益依一般经济原理评判起来，都是由于其他未享有同等优待的同类事业的损失。它是把同业的牺牲作为营养而成长起来的。大家试想想中国纺织建设公司从中央银行所得到的无限制的贷款便利，它在购进原料和添补机件上所获得的外汇和运输上的优先便利，它的厂房公有不付租金的便利，它在运销上与纱布统制密切关联起来的便利，它的极庞大规模的托辣斯组织的便利，以及其他关于纳税方面所得的便利，殆无一不是由于独占。我们由中国纺织建设公司，不难类推到其他名义上公营或半公营官僚事业的发展的内情。不但此也,独占利益的本身,往往又会成为未享有此种利益,并因此种利益蒙受到致命损害的其同类事业特殊化或官僚资本化的诱因。一般未享受独占利益的同类民间企业,要就是睁大眼看着自己没落,否则就是让那些握有政治经济权势的人,即可能使它也多少分有那种独占利益的人,参加进来。

事实上,凡属由官僚所参与的事业,不可避免的要由于人情主义,应付主义,形式主义而逐渐变得没有效率,可是正因为如此,独占更成为必要。许多过于天真的人,还在高嚷着取消公营事业半公营事业的差别优遇,那其实就等于说是取消官僚资本本身,那是可能的么?事业是否能存在,是否能发达,不取决于经营技术或效率,却取决于是否取得独占权利,单就这种场合来说,官僚资本之妨碍私资本和一般企业效率之改进或提高,就是非常明显的了。

但其弊还不止此。

二,政治资本化　官僚私人对于独占的利益,可依三个方式取得,其一是借着公营事业的经营,从中渔利。其二是参加所谓"商股"到享有独占权的半公营事业方面。其三是让私人经营获有某种独占,因而在那种私人经营中享有相应的"特殊股份"。无论就那一个方式说,独占的利益,都非靠着官,靠着政治势力不行的。独占利益的大小,就同官的大小,政治权势的大小发生了直接关系,结局,官僚资本的活动,必然表现为政治上的角逐,取得政权,变成了取得各种官僚资本利益的前提条件。可是,这还是问题的一面,更坏的,却是另一方面。一个官,或一批有血肉关系的官,欲保持其已有的政治权势,或扩大其已有的政治权势,往往又得看他或他们是否运用有控制有大量的官僚资本,在这种意义上,官僚资本又变成了政治权势取得的前提条件,所以,接近更进而支配某种较大规模的较有利益的公营事业（无论那事业是属于生产方面的，抑是属于交通金融等流通方面的），乃成为政治斗争最基本的动因。试从小焉者的县，到省，到中央，所有各种派系主义地方主义之间的倾轧，尽管表面上有极其差异或极其合理的借口，而熟悉内情的人，却是很容易指点出它们最后的目的所在的。除了极少的场合外，我敢说，它们那些倾轧或斗争，实无异官僚资本独占权的分配斗争。

把官僚资本当作保持政治权势的手段，那和把政治权势当作取得官僚资本的手段，本来是有其内在因果关联的，但是言其弊害，前者就要比后者大得多，严重得多。因为在前一场合，官僚资本势将转化为政治资本，官僚资本的活动，势将歪曲到经济本身以外去，某种公营事业一被某某政治巨头所运用，那种事业将会自然而然的机关化为这巨头一派的小喽啰们的"根据地"。这一来，公司衙门化的可能性大增，在渔取"政治活动费"的名色下，一切腐化贪污就由此更加受到保障性的鼓励了。结局，官僚资本的经济目的，势不免要为其政治目的所牺牲。

惟其官僚资本与政治，政治势力者如此密切的联系，所以政治上一旦掀起波澜，政治势力者有了升沉去就，马上就影响一切为官僚势力所及的经济部门，银行也好，公司也好，其他任何企业组织也好，都相应发生脱节或崩解的现象。新政治势力上台后的经济第一项"调整"工作，也许就是看对前任所留下的"大漏洞"，如何去弥缝；当他们在台下的时候，尽管对其蓄意打倒的对象，如何痛加体无完肤的攻击，但是等到登台以后，却像很"恕道"很"绅士"的宽容前任的贪污。这"官官相卫"的哲学，到近来已明如观火的证明那是他们想借此混水摸鱼，并预留自己下台饱掠步骤的狡计。

大家试想,近十年来,该有多少属于国家的,省市的公营事业,都不约而同的随着有关政治势力者的坍台而解体了。我敢担保,现在依着多方面的独占,多方面的特殊便利,在表面上显得"经营有方""生财有道"的中国纺织建设公司,如其叫熟识内情的人仔细考究一番,恐怕不会像前任负责人那样自吹自播的"满意"吧,即使真的如此,试多经几回"交代的转折"看,其命运也许不过如昔日曾经被宣扬得炫赫一时的招商局!

然而官僚资本活动的弊害,还不止此。

三,买办资本化　我这里得指明,官僚资本独占资本化,政治资本化,无疑是一种必然的发展程序,至于买办资本化的倾向,在某些场合,虽然是由其政治资本化中间演化而来的,但在实际,我们的官僚资本一开始活动,一开始当作一个显著的经济形态,就已经与买办资本结了不解之缘。我们甚至可以说,买办资本与官僚资本,最初就是以孪生兄弟的姿态出现,它们通是在国际资本作用下的中国这种社会的必然产物。为补足前述官僚资本形成过程的说明,且附带简略指证出那种关键。国际资本在落后地带发生支配作用或把落后地带变为它的营养生命线,是必得落后地带破坏其原有生产方法,才得为它提供制造品市场和原料供给地的。而要达成这种目的,在已经殖民地化了的落后地带,其政治支配权使它可能按照自己的意向作去,而在不曾完全殖民地化的国家,它就必须通过这种国家的政治支配者,给那些支配者以某些经济的利得,才行得通的,结局,各种各色的借款成立了,各种各色的采购组织成立了,各种现代型的经营出现了;中国现代初期的所谓官办产业,官商合办产业,是在这种种现实要求下实现的。与外人接近的政治势力者,无论以国家的名义借债还是还债,购入还是卖出,均被视为有大利可图，这是官僚资本原始蓄积的一个侧面，也是官僚资本最初就与买办资本发生血肉关系的内情。此后，凡属有关官僚资本的活动，殆无一不同外资保持着某种联系，而使那种活动，附加上"买办的"烙印。可是，在理论的叙述逻辑上，我们这里应当特别注意的，却是前述的官僚资本的政治资本化倾向一经成形，就必然会进一步加强其买办资本化倾向。这可从以次几点来说明：

首先，官僚资本一变为达成政治目的的手段，一变为一种政治资本，它无论从积极方面讲，抑从消极方面讲，都要求带有买办资本的性格。为了借官僚资本势力来保持政治势力，那种资本活动中，参入了有力的外国资本力量，那就无异取得了国外有力的奥援。这是大家有目共睹的事实。同时在消极方面，为了补救自己政治势力一旦不保，而仍能保有其官僚资本，从而，保证其再获得政治势力的可能，也得在其资本活动中，参入有外力的外国资本的力量，最近不时见诸报章的所谓中美什么公司什么公司的计划与组织，显然与官僚们各别的主观如意算盘有关，但在官僚资本活动过程中，事实上还造出了一种更有危险性的官僚资本乃至一般社会资本的买办资本化的必然情势。即：

其次，官僚资本既如前面所述，依种种独占，妨碍一般民间产业的发展，妨碍一般经营技术的改善，而又由其化作政治手段，而不时引起整个经济上的混乱与脱节的破坏影响，其结果，全国产业将愈来愈变成遍身瘫痪不遂的状态，将益使从事生产事业者裹足不前，而社会上可能用作资本的蓄财，势必主要把一切对外有关的金融，贸易，交通以及市场投机一类流通经济作为唯一可能的出路。这种倾向发展下去，就是产业上的全面的对外依赖，也就是全面买办资本化。自然，我们并不否认我们政治势力者也有建设中国经济的大企图,可是,我们也同样难于否认他们维护自己及其一派经济势力的"小企图",往往是被位置在那种大企图以上,并使那种大企图去迁就它。因此,在什么中美航运公司什么中美贸易公司酝酿当中,我们又发现中美农业考察团中美贸易考察团……一类顾问或指导组织,或已或将陆续不远万里而来了。这些客卿之来,也许不完全是自告奋勇,他们也许不尽是自国利益第一主义者,但依据他们考察结果的报告(如最近发表的中美农业技术考察团报告书),如其说他们不是对于中国社会根本的性质过于无知,就是对于中国经济建设,过于不感兴趣,设把他们的活动,与我们官僚资本之买办化的动态关联起来加以考察,任何人都不免为中国经济之殖民地化的前景表示忧惧。

附论五 中国官僚资本与国家资本

一 不同的解释

在中国目前,正存在着一种非常矛盾的现象:一方面,官僚资本尽管被大家,被朝野上下骂不绝口;另一方面,官僚资本自身,却还在继续膨大中,而不少放言官僚资本误国殃民的人,自己像在行所无事的唯恐不得变为官僚资本家,并多方设法挤进官僚资本家阵营里。自然,官僚资本如其不是这样猖獗,这样变成诱惑竞争之的,大家也许不致如此的注意和诅咒。但仔细予以考察,似乎造成这种矛盾现象的最大原因之一,就是对于官僚资本本身,它的性质与范围,一般人都不大十分弄得清楚,以致把我们的官僚资本,与今日盛行于西欧各国的所谓国家资本,混为一谈。结局,国家资本就变成了"逃罪"的口实,许多攻击官僚资本最力的人,其所以自己也拼命挤进官僚资本家的阵营,至少,他们在主观上,总以为他们自己所从事的经济活动,不是作用为官僚资本,而是作用为国家资本。反之,对于他们所咒骂的对象,则又以为正因为那不是作用为国家资本,而是作用为官僚资本。因此,把官僚资本与国家资本明白加以区别,就成为非常必要了。

二　国家资本在不同社会的不同内容

国家资本(State Capital)一词,在现代西欧的社会,大体是表现为两个不同的现实形态。那种不同,不是由于资本的种类,不是由于资本的自然属性,而是由于资本的社会属性。换言之,在不同的生产关系下,同一国家资本,是会具有不同的社会性质的。

比如,在今日苏联这种社会经济态度下,私人的动产,或限于私人自用的财产,虽然还被允许存在,但私人资本,即私人利用来剥削他人劳动的生产手段的私有,却是绝对被禁止的。因此,在苏联的经济学中,"资本"这一名词,已经具有极其不同的概念。我们尽可比较含混一点,把它全社会用以维持并扩大再生产的资财,称为较严格意义的"社会资本"(那是完全属于社会全体人民共有的社会资本,与我们通常把存在于社会中的个别私人资本,混称为"社会上的资本"的意义不同);还可因它这所谓"社会资本"的局限性(只被视为苏联社会的社会资本),即在苏联与其他国家相并成立的关系上,把它全社会或全国的资本,称之为"国家资本"。我们由此可以看出,在苏联那种社会生产关系下,国家资本是绝对的,它是资本一般,是资本全体,除了这种资本形态之外,再没有其他任何资本形态存在。既然是不允许任何其他资本形态存在,掌握政治权力的人,运用权势来假公济私,来扩大其个人经济权益的可能性也自无从存在。

可是,在另一社会生产关系下,即在资本主义社会关系下,就大不相同了。我们知道,许多尊重私有财产的现代国家,都有某种程度的国家财产或国家资本存在。因此,许多国家的财政预算中,经常就有一项国家事业特别收入列在里面。我们这里且不必进一步去分析这种国家与政治经济权势者的本质关系。就量上讲,在这种国家的国家资本,显然仅只是存在于私人资本的孔隙中;那有时是当作私人资本社会的"点缀品"看,而一般则是当作私人资本社会的"便利"品看,因为根据私经济或私人资本的权威发言者亚丹·斯密所说,如像交通土木公事一类社会事业,对于私人资本活动,极为必要,但由私人经营,暂时不一定有利,或者足量资本额数的筹集,不易期之于私人的场合,则由国家承担起来,结局,这种性质的国家资本,就从资本主义经济发轫的当时,即为了便利或配合一般私人资本的发展,而与私人资本并存着。从这里,我们显然可以看到,这种形态的国家资本,与苏联的国家资本比较来看,那不过是表演着一种附属的陪衬的作用。在资本主义社会的私人资本,即使不是资本一般,却无疑是资本主体。从而,在私人资本与国家资本之间,便存在着一个可以"相通",可以"转化",或者可以"假公济私"的可能的空隙。不过,这种"空隙",在整个资本主义经济发展的过程中,是有着极其不同的限度的。

在资本主义的幼年期,即在私人资本开始形成的期间,政治上还是表现为专制主义的,官僚主义的,封建主义的混合的形态。因而,"夺取寺产,欺诈让渡国有地,盗掠共有地,掠夺封建所有地氏族所有地,把它在无所顾忌的恐怖主义下,转化为近代私有财产",就可行所无事的照着意向作去了。而在动产方面,"以国民名义为装饰的大银行,在出生之始,即不外是一个私人投机者的公司,它站在政府方面,借着政府给予他的特权,而取得以货币贷与政府的地位",而它由此又是国债的债权者了。"国债的债权者,实际并不曾拿出什么,因为它所贷与的金额,转化为容易转移的公债券了。这种公债券在它的手中,和同额硬券有相同的作用。由是产生了一个无所事事的食利者阶级"。(以上均见郭王译《资本论》《原始蓄积》章)再往前去,私人资本逐渐在社会取得了优势,私人资本所有者阶级,早已为了保障他们既经取得了的资本权,强烈要求一种更适合他们权益的政治形态;他们尽管是利用政治特权胡乱取来的,却不愿他人亦利用政治特权再胡乱劫夺去。"侯之门,仁义存",明辨权利义务,明辨群己权界的法治精神被强调和被遵守了。

资本主义经济在适合它的政治制度的保育下,得到成育发展之后,国家的全部权力,都被当作全体资本家阶级共同享有,共同运用的东西。当私人资本发展的前途显得非常光明,其机会又非常之多的时候,一方面,在国家名义下从事的经营,已经会相对的变得极不重要,或极为有限;另一方面,政治权势者利用职权来扩大其私人资本,不但渐成为不可能,且渐成为不必要了。所以,在典型资本主义制度之下,"官僚政治"这一用语,即使不时有人还用以攻击政府,但与其初期形态比较起来,几乎是另一意义的东西,也就因此之故,"官僚资本"在资本主义经济这一阶段,几乎是不大有人谈到的名词。

可是,当这典型的自由——个人主义经济发展到转形阶段,国家逐渐伸展其干涉统制的行动了。这在一方面看来,仿佛是政治上的人物,逐渐对经济的发言权支配权增大了,但从另一方面看来,却又表示是经济上的人物,逐渐对政治的发言权和支配权增大了。

简单的分析这内情,即是:适应自由经济的政治形态,就是所谓议会政治或者政党政治,因为这种政治形态是资本主义社会的产物,又因为资本主义在它最初发生的过程中,就已经包含有内在矛盾,包含有对立物——劳动者阶级在里面,它向前发展,这对立物也跟着发展,从而,本来是便利资本主义经济的议会政治,就因为劳动阶级势力增大,劳动者阶级在议会中的势力增大,而变成了不适于或妨害资本主义经济秩序的东西。结局,与劳动者阶级立在对立地位的资本家阶级,就要求修正或根本否定这原来为他们在前一发展阶段所多方促其实现的政治形态。至若为什么有的国家根本否定这种政治形态,有的国家却又以修正这种政治形态为满足呢?那实无关于它们政治经济势力者的态度是激烈还是和缓的问题,而根本是关系影响或左右他们那种态度的不同经济条件的问题。大约后起资本国家在产业组织上,一开始,就必需而且可能采行比较集中,比较高度有机化的形态。其所以必需,乃因非如此,不足以在商品市场上与先进资本国家相竞争;其所以可能,乃因它得利用先进资本国家的经验和技术条件。可是照应着这种产业组织,它们的银行资本,也很快的采取与产业结合并支配着产业的金融资本形态。金融资本的寡头支配局面一经建立起来,这个时期的国家干涉,就与初期国家干涉有了不同的性质和内容;国家或政府,必得变为直接执行金融资本家的意志和命令的机构,包含有各种社会阶级势力的议会政治,到这场合,便变成了妨碍独占金融资本家自由表现意志的障碍物,这已隐伏着议会政治自我扬弃的危机。而加速这危机暴发的有力因素,就是,当后进国家产业组织一开始就采行比较集中的形态的时候,它的劳动者阶级的社会组织,亦很早很快就表现得声势浩大,就表现为资本家阶级的直接威胁,所以在第一次世界大战以后,资本主义具有先天脆弱性的德意诸国,就相率出现否定议会制的法西斯政治形态,它们就都不约而同的在"国家社会主义"的名义下,实行"国家资本主义"的经济措施。大资本家的利益就是国家的利益。国家在对外表现为国家主义经济实行的主体,在对内表现为国家社会政策施行的主体,无非是在贯彻大资本家们的利益的要求。所以,我们由此知道政治上的人物对经济的发言权支配权的增大,只是在经济上的人物对政治的发言权支配权增大了的场合,才有实现的可能的。

我们在这里所要知道的,是在这种国家资本主义经济形态下,所谓"国家资本",究竟具有怎样一种新的内容。这是需要从长说明的。

三 国家资本主义是什么?

许多人以为在国家资本主义经济下,"国家资本"当然会发达起来,这是一种望文生义的说法。而其认识不清的根本原因,也许是由于大家对于国家资本主义与国家社会主义的本质区别,一直就不大弄得清楚。

假借国家名义,来施行资本主义独裁,那是国家资本主义的简括解释。(苏联在开始新经济政策的时候曾使用"国家资本主义"这个诱惑性的口号,在我的理解上,那是富有战略性的号召,与希特拉用国家社会主义经济来施行的国家资本主义,绝不相同——其详见即将发表的拙作《国家资本主义经济形态与国家社会主义经济形态》。)资本主义形态是一个矛盾体。把劳动阶级势力抛开不说,个别资本家的利益,与整个资本家阶级的利益,往往是极度冲突的。国家资本主义的"国家",事实上就在设法缓和资本家阶级内部的冲突,缓和个别资本家利益无限扩展所造出的不利于整个资本家阶级存在的危机,布哈林的"有组织的资本主义"的"大理论",是从这里发现出来的。可是每个资本主义国家,都借"国家"或政府或政治上的大人物来担当这"缓和"的任务,在另一方面,就无异加强加深了各国国家主义经济主体之间的矛盾和冲突,所以,国家资本主义就不但是国家主义经济体系,同时还是备战经济体系。

这种局面一步一步的造成,为了维持整个资本阶级的存在,许多个别资本家,特别是那些中下级资本家,就不免要在某些场合某种程度失其存在;为了完成或充实备战经济体系,就是大资本家阶级,亦不得已为了要保持其资本的所有权,而不得不在某些场合某种程度暂时放弃其资本的直接使用权,芒克(Munk)的使用权革命的"大理论"(见氏所著《武力经济学》),就是从这里发现出来的。银行、大工厂以及其他一切大的经营,就被重新改编过:德国在战时包括有一百万劳动者规模的戈林工厂,就是如此改编过来的。经过了改编的一切产业,尽管资本家还保持其所有权,并依据所有权取得纳粹经济法令规定的利得,但那些产业,那些资本,都带上了"国家"的帽子。事实上,国家,或政府,或政治上的握权者,都在这种意义上,变成了资本家产业的"经理者",尽管如上述芒克所说,若干大资本家都"憎恶"这种资本形态,但这是他们资本主义社会经济条件所命定了要采行的可能形态。在这种形态下,正因为国家更明显的变成为大资本家所有,同时,全社会的资本,也更表现得成为国家所有。

如其我们不妨称这种资本为"国家资本",那么,这种国家资本,就是资本主义发展到了最高阶级的特殊形态。

四　中国社会是否能允许国家资本存在？

依上面的说明，我们已见到两个本质绝对不同的"国家资本"形态了：

其一是苏联型的国家资本，又其一是资本主义社会的国家资本。任何一个万能的精神抄袭者，恐怕他也不好意思说：我们今日成为问题的官僚资本，正好是苏联型的国家资本，那么，我们待考虑的，就是看我们的官僚资本，究与资本主义发展各阶段的那一种的形态相类似；或除表象的类似以外，还有何种特质。

无论从那一方面说，资本主义极盛时，自由主义经济，配合着议会政治的那一场合的"国家资本"，我们是不可能存在的。因为我们不独没有那种经济条件，也没有那种政治条件，尤其是从政者不得任意侵渔公私产业，混领公私资本，那与我们所谓官僚资本，根本无何等类似点。

如其我们还承认中国未完全脱却初期的过渡的社会形态，如其我们还无法否认中国私人资本尚在开始形成的期间，中国政治上还是表现为专断主义，官僚主义，封建主义的混合的形态，那我们在土地方面，在流动资本方面，乃至在其他现代性产业方面，凡以公家名义从事的经营，甚至最大一部分以私人名义从事的经营，都不免与官的特权发生关系；我曾在其他场合（见拙作《中国官僚资本之理论的分析》）把中国官僚资本分解为三个形态：官自己主要借官权取得的所有资本形态，官依职权直接运用的资本形态，官由运用公家资本，而由是使其他私人企业直接间接受其支配的资本形态。在这三者中,由官僚运用的那一形态的资本,才算是官僚口头上所宣扬的"国家资本"。这以国家名义装饰的资本,在当前这种政治形态下,显然曾是并将是官僚所有资本形态的大源泉。

然而,现实总是比理论丰富得多的。就把中国传统的历史诸条件丢开不讲,我们也不能说,我们的官僚资本,与一般近代初期的国家资本,有同一的性质和内容。我们自己的社会,是处在一种过渡阶段,而世界大多数国家,却是处在另一种过渡阶段;当作中国的中国,我们是在资本主义初期,而当作世界的中国,我们同时又不能避免资本主义末期的一切政治的经济的影响。我们曾在战时尝试的作过国营农场国营贸易一类苏联型的国家经营,我们又曾继续努力从事国家资本主义下的产业编成。穿著拿破仑的服装,虽然不能就变成拿破仑,但却显然会使穿著者改变一些形相。而由是增加我们认识上的困难。

在我们还允许,并且在某种条件下,还鼓励私人资本的场合,如其中国官僚资本活动,能成为中国资本主义形成的一个推动力,我们倒用不着对于官僚资本表示过分的嫌忌或怨愤,因为这正是大家都曾经历过来的历史道路,并且接着还会导来一个光明的前途。然而我们引为遗憾的是,我们的官僚资本,决不肯也不能为我们成就这种历史任务。如我在《中国官僚资本之理论的分析》那一论文中所指出的,我们官僚资本的作用,会依独占资本化,政治资本化,买办资本化的现实逻辑程序,使我们的民族资本,迅速的趋于枯萎和没落。

总之,我在本文中所要说明的是:(一)我们今日以国家名义,或以国民名义装饰着的一切官僚资本,它不但与苏联的"国家资本",是风马牛不相及的东西,也绝不可能是发达了的国家资本主义经济形态下的"国家资本",虽然在本质上,与近代初期英法诸国曾经有过的政治权势者所支配的地权和业权相类似,但由于我们传统历史条件的特殊,和周遭国际资本关系的作祟,它的内容,它的表象形态,将成为今后历史学家的新的亚细亚生产方法的一个重要课题。(二)我相信,任何稍有民族观念现代思想的人,都希望中国今日为大家诅骂的官僚资本,特别是其中以公家或国家名义经营的那一部分资本,能如实的成为"国家资本",但依据我们上面的分析,国家资本不是存在于真空中的东西,它必定有一定的社会基础。我们希望它成为苏联式的,势须我们的社会生产关系已经是苏联式的;我们希望它成为典型资本主义式的,势须我们的社会生产关系已经是典型资本主义式的。我们把自己的社会生产关系,苦苦的维持在资本初期阶段,却"要求"我们的国营事业乃至私营事业不官僚资本化,那是可能的么?因此,(三)对于目前政府把许多公营事业零碎拍卖给私人经营,尽管那是国内新旧经济学者所一致主张的,但我却不是无条件的赞许。假使我们落后的社会生产关系,能相当的予以变革,假使今日存在于经济上的专断主义,官僚主义与封建主义,能相当的受到限制,则任何形态的社会化国有化的事业,倒毋宁是可以鼓励的。

归结一句话:允许官僚资本发达的社会生产组织,断乎不能同时又允许国家资本的发达。在一种社会经济体制下,国家资本可以转化为官僚资本,在另一种社会经济体制下,官僚资本也可以转化为国家资本。

经济科学这样告诉我们的:官僚资本与国家资本不能并存。

附论六 政治经济学在中国

一 当作舶来品输入的政治经济学

（一）中国没有产生政治经济学的环境

就一般社会科学而论，政治经济学算是一门最能反映现实，而又最须以现实为依据的科学，在这门科学是以现代资本主义经济为探究对象的限内，像在中国这样，一个经济落后的半封建国家，一个直到现在，还有不少的人，主张把欧美资本主义制度当作理想移植过来的国家，当然没有产生政治经济学的可能。我们现在所研究的经济学或政治经济学，是当作完成的舶来品，从先进的资本主义国家输入的，是紧随着那些先进资本主义国家的商品或机械品而输入的。

不过，这里须得指出：这文化舶来品的输入，若溯其渊源，那大体还是一种首先通过日本，再输到中国来的转口货。而政治经济学这个译名，也还是沿用日本的。即如最先把西欧经济名著原富译述过来的严又陵氏，他对于政治经济学或经济学（Political Economy or Economics）原是译为计学啦。不过，随着中国社会经济发展情形的演变，和中国文化水准相应提高，以前完全或主要由日本转输的经济科学乃至其他一切近代社会科学自然科学,已渐能自行直接输入了。但无论经由日本输入,或是直接由欧美输入,直到现在,我们对于政治经济学还不曾脱却"述而不作"的阶段。就是幻想"一切古已有之"的国粹主义者(记得五四运动时,某国粹杂志上登载过一篇崇孔论的大文章,其中就力说《论语》"生之者众,食之者寡,为之也疾,用之也舒,则财恒足矣"那几句话,是孔子的经济学原理,因而孔子是"大经济学家"。这高论,近已寂然了,但某经济学博士却在前几年的上海某杂志上说王莽经济政策上的诸种措施,是近代统制经济的渊源,总算无独有偶了。),恐怕也无法否认这种事实罢!

谈到这里,我们似乎不应"数典忘祖"地忘记提到以次这个"考据"。十余年前,日本有一位经济学者泷本诚一氏,著有一部《欧洲经济学史》,在这部书后面,他附有一篇题名为《重农学派之根本思想的根源》的附录,这篇附录的主旨,在反复说明重农派之思想的根源,完全出自我国古代的"四书""五经"。他最后总结这篇翻案文章的大意说:"要之,构成魁奈(Quesnay)学说之基础的根本思想,完全吻合于《书经》及其他经典上所表现的中国太古的王制,与其学说的旨趣不同的地方,丝毫没有,这种论断,我想不会不正当吧。但现在一般人,都认为近代的经济学,是发祥于法国或苏格兰,竟把其重要的母家中国完全置之不顾,这实在是我们东洋人的一大憾事啊!"

我们看到这段话,当然非常高兴,经济学竟是"吾家宝物"了。但仔细加以考察,就知道这段传奇的说明,完全不合事实。魁奈这位医师,原来曾有过一部《中国专制政治》(*Le Despotisme de la Chine*)的论著,以表述他对于开明的专制政治的憧憬。他鉴于法国农村凋敝情形，希望有这么一个理想的政治体制来救治当时农业上的危机。但因他是路易十五的侍医，不便说法国腐败政治所给于农村的破灭影响，乃用中国古代学者"托古改制"的战术，把中国古代的君王专制，照其所理想的描摹出来，以讽喻规劝时君。而他希望在那种政治体制下实现的农业，都是大农形态，富农形态，或资本主义化的农业形态。他那种农业经济思想，与中国古代重农的言论，以及见诸实行的农业措施，根本没有相同之点，最多只能说是彼此都是重视农业罢了，所以，我们单从表面上，见到他称赞中国的专制政治，就说他的重农思想是导源于中国，那是太牵强附会了。我们原不否认近代经济学的发祥地是在法国，是在苏格兰；并且还可补充地说：苏格兰的亚丹·斯密且曾在着手其大著《国富论》的著述以前，"问道"过重农学派诸子，但重农学派诸子所由取得"近代资本主义之最初的系统的发言人"的资格的经济理论，与中国古代重农思想无涉。

（二）以德国作为比证

其实，因经济落后，必然引起经济思想落后的事实，是一切经济发展比较落后国家都曾经历过来的。即如在十八世纪七十年代的德国，它在哲学及其他学术方面的造诣，尽管早有非常炫赫的成果，但对于政治经济学，它却因为经济发展受到了历史的社会的障碍，而不得不向当时先进的英法二国，低头来做学生，这是由德国一位大思想家非常坦率地承认过了的。

"直到现在——按指一八七三年——编者——经济学在德

意志还是一种外来的科学。……德国资本主义生产方法的发展，从而，近代资产阶级社会的树立，曾受到那几种历史事情的阻碍。经济学在德国发展的地盘，依然没有。这种科学，依然是当作完成品，从英法二国输进来。德国的经济学教授，都还是学生"。（郭大力、王亚南译《资本论》第一卷著者二版跋）

我们这里且不忙比较今日中国是否处在七十年前德国所处的那种地位。但有一个值得关心的问题，就是我们的经济环境，不允许我们有自己的经济学，则我们的同一经济环境，也不允许我们正确了解从外国输入的经济学。处在前资本主义客观情况之下，要对于我们感到十分生疏的资本主义经济问题，表示何等意见，或进一步要有所阐发，那除了我们在现实经济上力图改进，迎头赶上之外，是非常困难的。这情形，在七十年前的德国，也同样经验过，前述那位德国大思想家，曾紧接上面引述的文句，表示了以下的意见：

"……德国的经济学教授，都还是学生。外国之现实之理论的表现，在他们手上，成了若干教义的集成。他们周围的世界，是小资产阶级的世界。从这个世界的情形来解释，这种种理论是被误解了。他们觉得在科学上自己没有大的力量。他们还感觉不安地知道，自己所讨究的问题，实际是自己所不熟习的问题。他们大都凭借学说史之博学的美装，或杂凑些无关系的材料……来掩饰"。（同前揭书）

他后面这两句话，是针对着德国历史学派说的。我们往往不自觉错误地把德国历史学派与英国正统学派或古典学派对称起来，仿佛德国也产生了一种与英国经济学不同的新经济科学。其实，历史学派在经济学上的成就，顶多不过是在方法论上转了一个小弯，而他们其所以要转这一个小弯，无非为了德国当时在经济自由竞争上，敌不过先进的英国，才由李斯特（F. List）发端的几位经济学者，把德国原来当作其重商主义传统的所谓官房学（Kameralwissenschaf），加以改装增补，而成功为披起历史经济学说外衣的保护主义经济政策理论。站在资本主义经济学的立场上，那不独谈不上何等新的创见，甚且把那种科学支离歪曲了。

不过，我们还得把话讲回来，古典经济学到英国的里嘉图，法国的西斯孟底（Sismondi）已经登峰造极了，在同一资本主义的视野里，我们不能再苛求德国经济学者作何等新的贡献。而这种支离的历史经济学说的形成，那还是一八七一年普法战争前后德国资本主义经济迅速发展的结果。

再就我国来说罢，由目前远溯到甲午中日战争前后，中国资本主义经济的成分，不能说没有相当程度的发展，但因为历史的政治的诸种情形的阻碍，以致中国经济，始终蹒跚在由封建主义到资本主义的过渡形态中。就资本主义世界的全经济序列来讲，这种落后的经济形态，不可避免地要以带有极大隶属性的次殖民地经济形态，而以买办商业金融，封建式的土地所有关系，以及关税权、工业权、内河航行权的丧失，这一列具体事实表现出来。而在这种经济环境下的中国经济学方面的研究者，很自然地会痛感到旧来封建传统对于民族资本主义发展所加的束缚与妨害。虽然后来随着国民革命运动的进展，一部分研究者也漠然知道反封建与反帝国主义有必然的联系,但他们却认定,中国要摆脱封建与帝国主义的迫害,只有自己也变成资本主义国家。即是,先进的资本主义国家可恶,资本主义却是可爱的,各先进资本主义国家之现实经济的理论上的表现,却是大可嘉纳的。于是,祝福资本主义,礼赞资本主义经济学教义,就大体形成了中国对于政治经济学研究的支配的事实。单就中国现实经济形态立论,这种意识上的反映,不但为必然的结果,且还是不应十分非议的,因为与过去封建的社会经济形态,封建的社会经济意识较量起来,礼赞资本主义的制度及其理论的表现,宁可说是进步的表示.

不过,在中国经济过渡到资本主义的难产期内,资本主义对世界行使的统治,已日复一日地曝露了破绽,苏联经济形态的飞跃发展,更说明了资本主义经济黯淡的前途,于是在最近十年来,我们本来是囚在封建社会经济形态上的意识,却为世界大经济环境的改变,却为世界整个经济意识的改变,而必然对于原来无条件接受的资本主义经济学的教义,逐渐引起了加以选择的重新评价的要求。这就是说,我们对于政治经济学的研究,不但必须采取批判的态度,并也可能采取批判的态度了。

可是,正因为这种"可能",不是中国社会经济本身改进的结果,而是世界大经济环境改变的结果,结局,在政治经济学研究的观点上,尽管有一部分人从世界整个经济动态上着眼,还有一部分甚至一大部分人,仍不免被中国前资本主义经济形态所困惑,觉得资本主义经济是我们必须经过的光明大道,从而,资本主义经济学或政治经济学是我们的福音。在目前的中国经济学界,显然还是以后一倾向为特别显著。中国的经济学者,强半是由先进资本主义国家的学府"闻道"归来,如果我们不妨僭越地说,学者是具有某种成见的别名,则当前的经济学界的后一倾向的显著,就无怪其然了。

因此,把多年以来的乃至时下的关于政治经济学的研究情形,加以比较详细的检讨,那也许是颇有益处的。

二　我们是在怎样研究政治经济学?

提出我们是在怎样研究政治经济学这个问题,似乎着眼在观察研究的技术方面,例如如何译述、编著、组织研究会、发表论文等等,但我不想枝节地论到这些方面,我所注意的,毋宁在考究他们把政治经济学当作怎样一种性质的学问来研究。

大体上,中国研究政治经济学的人,对于这门科学,有两种看法。设加以不十分妥切的区别,其一就是过于形而下学的看法,其二则是过于形而上学的看法。且分别加以说明。

(一) 形而下学的看法

在最初,在政治经济学开始介绍到中国来时,乃至在此后相当长的时间,大家对于这门学问,是很直观地或望文生义地把它看作是极形而下学的学问,是发财致富的学问,或者是使个人发财使国家致富的学问。那是毫不足怪的。过去许多经济学者,特别是资本主义初期的经济学者,为了当时经济基本观念的限制,且为了使其学说见信于当时的国君和国人,都把他们的经济著述,题称来与财富相关联。重农学者杜尔阁(Turgot)的大著题名为《富之形成与分配之考察》(Réflexions sur la formation et la distribution des richesses)。即如负有政治经济学创立者的声誉的亚丹·斯密,他那简题为《国富论》(The Wealth of Nations)的大著,其全题名就是《诸国民之富的性质及其原因之研究》(An Inquiry into the Nature and Causes of the Wealth of Nations)。并且他在该书中,正爽切地表明"政治经济学的目的,在富其人民而又富其君主"。(参见郭大力、王亚南译《国富论》第四篇首段)不过,在斯密以后,经济学已完全当作一门科学,而不复是发财致富的宝典了。而且在这以后,经济学者不但关心致富原因的研究,同时还关心致贫原因的研究了。随着资本主义经济的发展,从一方面看,社会是更富了;从另一方面看,社会却又似更贫了。一国最大多数的富人,一部分人致富受了大部分人致穷的限制,富人也感觉不安了。致富与致贫都成了经济学的研究对象,结局,经济学就没有理由看作是发财致富的捷径书了。

不过,在享受资本主义的乐趣,但同时却在吃资本主义的苦头的先进国家,虽然十分明白这以资本主义经济为研究对象的经济学,并不能告人以发财致富的方术,但经济学开始输入到落后的国家,或者,落后国家所以输入这门学问,却显然抱有这种企图。即如严又陵氏之选译斯密的《国富论》,以及他在该书中所加的许多案语,就充分说明了此种事实。

但实际经济情况的推演,也逐渐教训了中国一般经济学研究者,抱着发财致富的企图去研究经济学,是完全没有用处的。说到这里,我倒要插几句不全是滑稽也不全是题外的话,就是:有谁果真想从经济学的研究来发财致富,却倒可以从一部反资本主义经济学书中去找到捷径和榜样,《资本论》第一卷资本蓄积过程那一篇(第七篇),对于近代资本家所由形成的经过,举述无数有声有色的实例,而对于小资本家如何变成大资本家(同书同第一卷第三四五六篇),都根据事实,提出了鲜明的例证。不过,令人感到不十分愉快的是,就在同一非资本家如何变成小资本家,小资本家如何变成大资本家的过程中,也分明从反面显出了独立生产者如何变成雇佣劳动者,变成了赤贫的事实。

总之,政治经济学,无论是站在辩护资本主义的立场的,抑是站在批判资本主义的立场的,我们都不能在它那里嗅到金钱的气味或听到其铿锵的响声。虽然仍有一小部分经济学研究者,还不肯放弃传统的成见,但大部分人却已从发财致富的幻想觉醒过来了。不过,这一觉醒,经济学马上在他们手上变了性质;它由一个极端,被投到另一个极端了,即是,他们对于经济学,原来是采取过于形而下学的看法,现在却又采取了过于形而上学的看法了。

(二) 形而上学的看法

政治经济学不像初期经济学者所宣传的,"富其人民而又富其君主",那末,它是怎样一种学问呢?就我们中国介绍这门学问过来的经济学者来说,我们是有什么必要,要把这门学问介绍过来呢?在经济学早已形成为一种科学,且早已当作一门科学来研究的事实,使他们有理由运用"为学问而学问"的这一公式了。不过,他们的认识,也不完全一致,或者说,把政治经济学"超然化"的程度,互有不齐,设勉强加以区分,就有以次三个类型:

(1) 当作纯粹与现实无关的学问 这也许是一个比较极端的类型,但却并不是怎样稀罕的。政治经济学原本是作为英国社会经济的产物而登场的。由英国经济学者定立的经济法则,在那些经济学者自己,乃至那些把他们的理论,当作教义来宣扬的其他各国经济学者,大体上,都看为是有无限妥当性的真理。亚丹·斯密在他的大著《国富论》中,就惯于使用"一切时间一切地方"(all the times and all the places)的语词。里嘉图的大著《经济学及赋税之原理》(On the Principles of Political Economy and Taxation)就曾被当时的经济学者誉称为第一次立在永恒法则上的真正的科学(德·金萨 De Quincey 在《一个吃鸦片烟者的自由》里对里嘉图的经济学是这样赞扬的:"……里嘉图却先天的从悟性本身出发,演绎若干法则,那对于材料之黑暗的混沌,还是第一次放射透澈的光明,从而在先不过是一种尝试的讨论集,现今却成了一种真正的科学,第一次立在永恒的法则之上")。标本的庸俗经济学者西尼耳(Senior),立志要使经济学成为一种"抽象的演绎的科学"。单是这样,经济学上的说明,已经差不多同数学上的加减法则一样用不着疑难了;而下述两种事实,更加强了这种认识的坚信:那第一是,在资本主义还继续行使统治的范围内,关于资本主义经济运动定立的法则,自然还保持有相当的妥当性;第二,要对资本主义制度辩护,也不可避免地会从观念上思维上来确认经济学理论的妥当性。因此,当作完成品,——由引论到结论都安排得非常妥当的完成品——输入中国的经济学,就被中国经济学者们看为是"推之百世而皆准"的绝对主义的东西。而我们经济学者,对于这反映着与我们不大熟习的甚至完全隔膜的外国经济现实的理论,无力鉴别,无法鉴别,就更只好当作与现实无关的学问来接受了。不但此也,挽近奥大利学派经济学之传扬于欧洲大陆乃至于大陆诸国的大学,也很快地影响到了中国的学术殿堂。这派经济学在方法论上是一般主义与绝对主义的鼓吹者。这里且引述几句充分表现这种教义的杰芬斯(Jevons)的说明,他说:"经济学的第一原理——南按指效用变动法则——是如此真确适用,所以我们可以说,这种原理,与人性相关而言,乃是一般的真理";他并说:"这种科学的理论,乃如此单纯,如此深深根据人身组织及外部世界的普遍法则所构成。所以,在我们所讨究的一切时代内,那都是同一不变的"。(参照克赖士Keynes著、王亚南译《经济学绪论》第九章注释)"一般的真理","在一切时代","同一不变的"真理,那就显然没有此时此地的特殊现实性了,那与二加二等于四的算式,没有时空的特殊现实性一样。然而,这样看成纯粹超现实的经济学,却正在为我国不少经济学者当作新创见新发现来宣扬。

(2)当作与资本主义各国经济变动无关的学问　不错,我们是还有许多经济学者,明了经济学是现实经济的产物,不能有超现实的存在。经济学上诸般原则,究因各资本主义国家的经济变动,或整个资本主义世界经济变动,作了何种修正;那些原理原则,对于新发生的经济问题,如何不能应用,他们都是漠不关心。事实上,自由经济竞争,原是资本主义经济体系的基干,这种经济形态,已在各资本主义国内或全资本主义世界内,为统制经济布洛克经济所代替了,为加特尔托辣斯等经济形态所支解了,但原来以自由经济为核心为考究对象的经济理论体系,仍旧在中国经济学界当作教义来敷衍、铺陈,好像在各资本主义国家的经济,从而,它们的经济理论,没有变动那回事一样,这该是如何的"恬淡"啊!

不错,在我们的经济学界,在我们的经济出版物上,我们的经济学研究者,也不甘落后地讨论到上述那些较新的经济事业,但他们所发挥的所转述的关于这些问题的理论,究竟对于原有的经济教义,有何等不相连续的地方,有何等根本矛盾的地方,他们也许不是全无感触,不过他们多半看作完全不同或完全无关的事情来处理。即是说讨论新经济变动时,和辩护旧经济形态时,他们是采取"分途应战"的办法。这是稍一检点时下的经济出版物,或经济学者的言论,就可以发现不少的实例。

不仅此也,资本主义经济的变动,在上述的限度内,毕竟是资本主义经济,由某一阶段,发展到另一阶段的变动,把这些变动看得与资本主义经济学教义没有十分了不得的关涉,站在资本主义立场上,也许不是情无可原的。但当前的资本主义世界,不是有六分之一的领域,已经"滑落"到另一个世界去了么?这件事对于旧来经济学理论所给予的"冲击"该是非同小可罢!该是不宜等闲视之罢!可是,我们的经济学者,仍表示得非常"镇静",并表示经济学的大曙光,就在面前。且看某经济学者的高论罢:

> "经济学成为科学为时已久,其间因科学社会主义与历史学派之抨击,使正统学派所遗之硕果,几奄奄无生气。然经济学为解决人类生活问题之科学,其地位至崇,职责綦重,岂可因小挫遽丧气耶?……经济学成为研究人类行为之科学,可计日而待也"。(朱通九著《战后经济学之趋势》)

从这段话里面,我们才知道经济学的"地位至崇,职责綦重"!它这种崇高地位,恐怕是经济学者替它提升的罢!姑且不管措辞上待斟酌的地方,我要指出的是:他这所谓经济学成为研究人类行为之科学云云,虽大有所本(据前揭书著者在该书底页声明"本书材料,大部从 W. C. Mitchell 所著 *The Prospects of Economics* 译出,故知其"大有所本");但把"研究人类行为"这一命题,作为未来经济学的内容,已就笼统含糊得可观;而况他所指的这种"科学"的效用学派经济学(据他后面的说明),已经在当作既成的教义宣扬着,并不要计日而待也!不过,他毕竟感觉到了正统派所遗之硕果(?),几奄奄无生气了。把效用学派经济学,当作正统学派经济学的复兴;认定经济学的"奄奄无生气"纯是由于"科学社会主义与历史学派的抨击",而独不及资本主义世界一大块版图的沦陷,这可见得他是怎样把经济学,当作与各资本主义国家经济变动无关的学问!

（3）当作与中国社会经济问题无关的学问　政治经济学既是舶来品,是以外国资本主义经济为研究对象的科学,那末,中国经济学者研究这门学问,把它看得与中国社会经济问题没有何等关系,就似乎是再自然不过的了。政治经济学的研究,究竟与中国社会经济问题的理解与处理,有没有密切关系,我拟留在最后一节来说明,这里只先指出这个事实,就是,一般经济学研究者,都不大留心这些问题,即我们中国这种经济形态,政治经济学是把它归属在它的全体系中的那种经济范畴？我们对于经济学的探究与理解,那在中国社会经济问题的解决上,究有何等帮助？我们所拥护所推崇的经济学教义,在实际的应用上,是否于中国经济的改造,大有毒害？

事实上,提出中国经济改造问题的中国经济学者,他尽管极口诋骂帝国主义,倡言解脱民族资本发展的束缚,但他们所提出的改造方案,只是依据同一套政治经济学教义,那套教义,却正好是叫中国民族资本"屈伏"在整个资本主义系列之下,而尽其殖民地经济形态的机能的。然而,这个非常明白的矛盾,他们并不曾意识到。这就是因为他们从没有把政治经济学这种科学,当作与中国社会经济问题有关的学问来研究。

以上三种不同的研究经济学的方式,究其旨趣,无非是把理论与现实隔离开,不过程度互有不同罢了。

三 我们一向在研究怎样的政治经济学?

前一节关于我们研究政治经济学的方法或方式的说明,已可想见我们一向所研究的经济学,具有怎样的内容了。但为补充前面的说明,这里且就我们所研究的政治经济学本身,较具体地指出其根本的缺陷。

要就我们研究的经济学本身来考察,势不能不注意到我们时下流行的有关经济学的书,特别是有关经济学原理原则,或题称为经济学"原理""概论"一类的书。由大学讲堂到一般经济学的出版物,都应成为我们考察的对象。不过,为了集中论点,指出一般趋势起见,最好是就我们经济学研究者奉为教义,视为不可逾越的圭臬来演述的经济理论;或者就最通行的,每个经济学初学者,都须领教领教的经济学入门书,揭出其共通的千篇一律的论旨与方式,以为下面鉴别批论的张本。

自然,我这里所批论的经济学读物,不仅是我们经济学者的书,我们经济学者编著所依据的,或直截了当用原本教授的,乃至指定初学者参考的外国经济学者的著述,都包括在内。因为事实上,现代经济学教义所显示的破绽,中国经济学者还负不了责,且也似乎毋庸代人受过,他们至多不过做了一点传述或转述工作。

所有这些经济学读物的最显著的共通点,由它们叙述的体裁,或叙述的程序,反映得非常明白。经济学上所谓四分主义说,三位一体说,差不多是所有这类读物所依以构成其内容的方式。揭开无论那一部这类的书,除了首先对经济学加以定义,并解述其本质任务及方法外,接着就是生产、分配、交换、消费这四大部门的分别演绎,而在这四大部门的每一部门中,也差不多全是就资本、劳动、土地,从而,就资本家、劳动者、地主,又从而就利润、工资、地租这几大要素,几大单元,整齐划一的排比出来,构成经济学的整然系列。这种形式上的整秩,正好象征资本主义社会表面的秩序,而资本主义社会生产的无政府状态和分配上的不合理,却也正好象征这种具有整秩外观的经济学的内部结构的凌乱。我觉得,把经济学上的这诸般法式或体裁加以论述,那就可想见我们所研究的政治经济学,究具有怎样的特质了。同时,一般政治经济学研究者,所以常在理论与现实之间掘起一条鸿沟,也不难由此得到理解。

现在且就上述的四分主义说和三位一体说,分别加以检讨。

(一) 四分主义说的检讨

经济学上之有四分主义出现,那是经济学已经庸俗化了的结果。在以前古典学派的几位经济学大师的著述,都看不到此种体裁。亚丹·斯密的大著《国富论》以分工论开始,里嘉图的《经济学及赋税之原理》以价值论开始。都是随着理论的展开,把生产、分配、交换、消费的事实,不拘形式地,分别就其在全经济运动中扮演的机能,予以说明。但自一八二一年詹姆士·穆勒(James Mill)出版其《经济学要义》(*Elements of Political Economy*),把全书分为四章:第一章生产(Production),第二章分配(Distribution),第三章交易(Interchange),第四章消费(Consumption),于是经济学上,就有所谓四分主义。他这部书的写成,原是由于他与里嘉图颇有友谊,里嘉图那部大著《经济学及赋税之原理》的出版,就是出于他的怂恿。但因为他觉得那书艰深难解,不便初学,故特于携子约翰·穆勒(John Stuart Mill)散步时,择讲其中精义,令其笔记,后将此笔记整理润色,以成此书。他为了把里嘉图的艰深理论,加以明易条理讲说,特采此四分法。这种四分法体裁的采用,里嘉图的理论体系,虽然变得篆糊不清了,但却非常适合此后经济学日益肤浅化普遍化与通俗化的要求。所以愈到后来,四分法就愈加成为经济学著述最通行的体裁了。

通观资本主义社会的经济现象,好像其经济运动的程序,首先是生产物由生产领域产生出来,再分配在直接间接参加生产活动的各主体之间,比如,分配在资本家、劳动者及土地所有者之间,他们各将其所得,行使交换,最后把各各交换的成果,拿来消费。最初一看,把这诸般经济现象作为研究对象的经济学,按照这种次第,分为四个部门,排比出来,仿佛是再明白再自然不过的了。但稍加检讨,就知道这是极不合理的分论法。这里简单指出以次两个错误:

(1)理论体系的支离 一个有组织的理论体系,应当有一个重心,有一个统一全部脉络的中心枢纽。等于"四头政治"的四分法,不能把这个重心,这个中心枢纽告诉我们。一个社会的总生产物,以如何的方式,如何的比例,分配在各成员之间;他们以如何的方式行使交换,以及消费的一般条件及其比重如何,均是取决于当前的生产形态。有那种社会生产形态,就有那种与其相适应的分配形态,由一般流通显示出的交换关系,它是作为全生产过程中的一个机能而作用着的,至于消费,在作为生产手段的消费的限内,已经是生产中的要素形态;而此外在作为生活资料的消费的限内,那在经济学上,不过是当作附随事项,在必要场合提到罢了。自然,一般消费能力的大小,交换范围的广狭,乃至分配比例的变动,都会在生产规模生产形态上,发生反拨的作用,但其作用,仍不过是行于一定生产形态生产关系所允许的范围之内,生产在全经济活动中所占的这种统一全部脉络的中枢地位,单是把它位置在四分法的第一把交椅上,是表现不出来的。把陪角同主角"平等"起来,把群众和领袖看得一样没有差别,我们的经济学者们是很容易感到不成体统的,但经济学上的这平列式的无头无脑的无政府状态,他们却丝毫感觉不到,且反而认定这正是井井有条的理论体系。这里我得顺便指出:经济学上四分法的这种"古典"作风,虽然为十九世纪中叶以后的经济学著述所一般宗法,但比较有点理解有点特见的经济学者,却大抵知道这是一种阻碍理论展开的格式,这是可以从他们著述中看得出来的。

(2) 说明程序的凌乱　也许说,特别看重生产,把分配,特别是把交换、消费屈居在隶从地位,那是经济学上某一部分人或某派的主张,而非大家一致赞同的"公意";还可说,经济学的理论体系,并不一定要特别对生产另眼相观,才能建立起来,像大经济学者里嘉图的名著《经济学及赋税之原理》,就是着重分配问题(里氏在该书序言说:"……这种分配受支配于一定法则,确定这种法则,是经济学上的主要问题。");主张限界效用说的奥大利学派经济学者们特别强调消费问题;此外,历史学派的几位名经济学者,还把交换作为社会经济发展阶段的枢纽,他们各别都完成了一定的经济理论体系。在这里,因为篇幅的关系,我不能深入地解答这些问题,不过,我得指明,里嘉图把研究的重心,放在分配上面,那与这里成为问题的四分主义照关,他不过由此限定研究的范围,等于写部分配论的著述一样。历史学派经济学者,奥大利学派经济学者,分别把交换或消费作为其理论的出发点,虽其理论的支离,我们往后还有从长讨论的机会,但他们并不一定是四分主义的宗法者。即使退一万步说,经济理论的建立,并不一定要把社会生产形态作为重心,但整个经济理论由四分主义或四分法去说明,一定是要显得凌乱不堪的。首先,现实的经济活动,并不是显分畛域地生产了再分配,接着再交换,最后始归于消费。一把生产过程看作是再生产过程,它的生产手段,就是交换分配过来的结果,同时生产还是一直由消费支持着进行的。劳动手段的消费,劳动力的消费,乃至劳动者对于生活资料的消费,通是作为生产上的作用来说明的。在观念上把它们硬分出次第来,已经够支离了,而况现在依次的解说上,又须全般的重叠。消费主要是在生产领域进行的,结局,就大体要在生产项下来说明,往后又变一个花样,在消费项下来说明。分配的几个主体,首先就在生产方面,事实上,生产上还不绝在行使着分配。生产物当作生产要素加入生产领域,生产物又当作完成品从生产领域移到市场,它的来龙去脉,对交换发生了不可分离的关系。劳动者与资本家之间的劳动力的买卖,是资本家生产日记上的一件基本事实,但这在生产项下必须处理的问题,又得在四分主义的交换项下去听候摆布。总之,在四分主义下勉强割裂开的诸般经济事实,是难免说了又说的。

现在且进而论到与四分主义"相得益彰"的经济三位一体说。

（二）三位一体说

经济学上的三位一体说，或经济三位一体说，是用这个公式表现出来：

土地——地租

资本——利润

劳动——工资

这个公式，自亚丹·斯密以来，即为经济学者所崇尚。但对于这个公式的运用，则不尽相同。斯密大著《国富论》第一篇，标题为《论劳动生产力改良的原因》，《并论劳动生产物分配给各阶级人民的自然顺序》，对于标题后半截，他是这样说明的：

> "不论是谁，只要自己的收入，出自他的源泉，他的收入，就一定出自这三个源泉：劳动、资本，或土地。出自劳动的收入，称为工资；出自资本的收入，称为利润；……专由土地生出的收入，通常称为地租"。（《国富论》中译本上卷第六一页）

> "一个每年土地劳动生产物的全价格，自然分为劳动工资、资本利润、土地地租这三部分。对于三个不同阶级的人民——依地租为生，依利润为生及依工资为生的人民——构成各各不同的收入"。（同前揭书第六〇页）

斯密提出这种分配观来的当时，困难的问题，尚在生产不得自由，所以对于分配，他认为只要听其自由相互竞争，各阶级间的利益，必跻于平等。他是非常乐观的，但是到了半世纪后，英国经济学上的困难问题,渐渐移到分配上了,所以里嘉图那部应时产生的大著《经济学及赋税之原理》就把分配问题作为他研究的中心,他在同书序言上,加以这样的说明:

"劳动、机械、资本联合使用在土地上面,所生产的一切土地生产物,分归社会上三个阶级即地主资本家与劳动者……

"全土地生产物,在地租、利润、工资的名义下,分归各阶级……"(郭大力、王亚南译《经济学及赋税之原理》序言)

从里嘉图这几句简短的话里,我们看不出他与亚丹·斯密前面那种说明的区别。不过,斯密的乐观主义的分配观,到了里嘉图手中变得非常黯淡了。他对于分配上这三个形态——地租、利润、工资——各别性质,已会反映现实的情势,加以明确的区别。或者说,他正好是想要确定它们本质上的差别,确定它们相互间的对立关系,才把它们相提并论的。里嘉图以后的经济学者,或者说,在里嘉图以后,处在分配问题日益严重化,愈加需要从经济意义上予以辩护的那种情势下的经济学者,他们就刚好利用这个公式的神秘性,企图由这个公式来掩饰这三者间的区别,来从观念上消除它们的对立性。

现在且分别就这个公式各组的个别方面及其综合的全体方面,来辨析其不合理的究竟。

(1)从各别考察上看出的不合理　这里所谓各别考察,就是就组织这个公式的三分组,加以考察。首先,我们来看

土地——地租

把土地作为地租的来源,作为地租所由形成的原因;反过来,

地租当作土地的结果，从常识上来判断，这个命题，并不是不可以成立，而在实际上，这个命题，已在一般人观念中，看得非常显然，而且将其定式化了。但这个命题用这种公式表现出来，其用意并不全在指示地租是以土地为其来源，而主要是要表明，有了土地，自然而然要求地租，地租是有了土地的自然结果。结局这个在一定的特殊的社会，以土地所有权，即以对地球一片段的私有为前提条件的土地——地租，就表现为超然历史的存在了，就表现为再自然再合理不过的真理了。但是这个当作"真理"存在的事实，一揭穿它在土地——地租这个公式中所含的秘密，就要曝露出不合理的"内情"。土地是一种自然物，它虽然在每个社会形态下，都拿来作为生产要素，但并不是一拿来作为生产要素，就自然的要造出地租，造出一种作为物来理解的社会关系。可知把自然物土地看作勒取地租的手段，是特定社会的产物，是由特定的人为法律所支持的。一般地讲，土地——地租这个公式，根本不能成立；就特定社会来说，那却也只能反映出不自然不合理的关系。次说

资本——利润

经济学者对于公式中的这个分组，有时还用这种表现方式，即资本——利息。这比资本——利润这个表现方式，还有神秘性。因为在资本——利息中，当中的媒介全消失了，生息资本回归到所有者手中，是当作媒介的循环（即资本在现实运动中，先由货币资本转化为生产手段，再通过生产过程，转化为商品，由商品售卖后归到资本家手中的循环）分离的。它表现为会自行生产货币的货币。所以，这个表现方式：资本——利息，最无意义，但也许因为最无意义，就显得最有神秘性了。资本——利润这个表现方式，无疑是比较接近现实，比较能显示现实的关系。但一般经济学者对于这个

表现方式的看法,是表示资本自然要产生利润,正如土地自然要产生地租一样。利润是当作资本的结果而产生出来的。在这里,我们因为篇幅的限制,不能深入地说明"资本是以物为媒介的人与人的社会关系",故资本——利润这个表现方式根本不妥当。但拥护这个表现方式的经济学者,有时也不自觉地把它否定了,就是他们无论把资本当作价值体(就货币来说)来考察,抑是当作物质体(就劳动的生产条件:机械、原料等等的使用价值方面来说)来考察,都难于安心地承认利润会直接从资本产生出来的时候,他们就借助于转一个弯的说明,说利润是对于资本所有者即资本家的劳动的报酬,或资本家"忍欲"不事浪费(典型庸俗经济学者西尼耳的大发现)的结果。无论就那一个说法,都把资本——利润这个表现方式否定了。经济学者尽管自己把这个表现方式否定了,但资本——利润在它们心目中,仍然是看作一种出于自然的安排。最后再看

劳动——工资

这是把工资作为劳动的价格来表现的。照前面的说明,在这里,劳动被看作是工资的来源,工资也自然是劳动的结果,不劳动,即无工资,劳动了,决不能不给予工资。这颇像是自然大公无私的法理。但首先我们须得明了,劳动就它本身说,它是不存在的,是一个抽象;就社会方面考察,它是指着人类和自然的物质代谢机能所赖以促成人类的生产活动,无论就那一点解释,我们显然不能说是对它支付代价,对一个抽象,对一种活动机能支付代价,是怎么也说不通的。不错,在"劳动力"(Arbeitskraft)这个语词尚未被提出以前,经济学者是不觉含糊地把"劳动"来作为"劳动力"的代用语,但这也不能为他们的错误解脱。劳动——工资,是被当作一种超然历史的表现方式来解释的。好像工资劳动,劳动工资,是一切

社会通有的形态，我们当前的社会即资本主义社会，不过是把这种形态，当作一份历史的传统事实继承下来罢了。不但此也，在资本行使着统治的社会里，竟用这种表现方式来确定劳动对于工资的要求权，一如土地对于地租的要求权，资本对于利润的要求权一样。这样"无私的"，一视同仁的表示，倒宁可说是出于经济学者的"公正"与"慷慨"。但我们如其把这整个公式的各别分组加以综合的考察，却又只能证示那种表现方式中所蓄的"机诈"。

（2）从综合考察上看出的不合理　这整个公式，即土地——地租，资本——利润，劳动——工资的公式，所以成功为三位一体的组合，似乎只有这一点共同的地方，那就是，各分组的表现方式，都是消除了任何例外，除历史限制的一般的表现方式。从这出发，又导出了另一个共通点，就是他们各别分组，都是看作自然安排的自然关系。但我们一考察实际，就知道这两个共同点，完全是存在于经济学者观念中的，或者说，经济学者是把这两者作为目的，来构成这个公式的。我们且来检点一下这三个分组的前项，即土地、资本、劳动，我们已经知道：土地是自然物，资本就它的价值关系来说也好，就它的物质体或使用价值的关系来说也好，通是以物为媒介的人与人的社会关系，而劳动，则是一个看作生产活动的社会机能，在其本身，且是一个抽象。这三者的性质，看不出一个共同点。而各别以它们这三个分组前项为来源的地租、利润、工资，极其限，可以说它们分别构成社会各阶级的所得或收入，是其共通点，但问题也从这里发生了。为什么有的收入，如劳动者的收入，要靠劳动者自身的生产活动才能得到；有的收入，如资本家的收入，不用自己操劳，或只行使监督职权就能得到；最后，有的收入，如地主的收入，他不但不用直接作生产活动，且无须操监督的烦劳，只要法律确定地球的一个片段为他所私有,他就大可游乐在千百里外,而消费他人在那块土地上所生产的果实。这三个不同性质的收入,理应不能"一视同仁"。而且不幸的是,这三个收入的来源,虽然被经济学者分划得非常清楚,但溯其本源,却又都不外是出自一定劳动,推动一定资本,在一定土地上所生产的价值生产物。这价值生产物,先分划为工资与剩余价值,剩余价值再分划为利润与地租,这同一价值生产物,或者说,一定量的价值生产物,区划为地租、利润、工资三者的来源,它们之间分配的比例,或益于此必损于彼的比例关系,就显然要表现为它们相互对立的关系,这无疑是这个三位一体公式的致命的矛盾。这种矛盾,前述里嘉图一流古典经济学者,尽管不稍隐讳地揭露出来,而此后的庸俗经济学者,却故意用这种公式,来掩饰,来涂抹现实的对立痕迹。并且,他们至少也意识到,劳动者卖了力,要获得够维持其生存,维持其继续劳动所必要的工资,那不独十分必要,而且是非常合理的。由于公式中的这个分组取得了合理的存在(仍是他们想象中的),把其他两分组与它合组在一个公式中,自然都合理化了。不过,这样做,有意识地这样做,毕竟还是少数较有见地的经济学者,其他不过习为模仿,机械地奉为金科玉律罢了。

在大体上,这个三位一体公式的流行,还受了四分主义的不少影响,也可说,两者相互加大了不合理的程度。在四分主义的体裁下,地租、工资、利润是比例在分配项下(前述四分主义的创始者詹姆斯·穆勒,就曾在《论分配》那一章,把这三项分别为三节来说明),而将其来源土地、劳动、资本比例在生产项下,这样,这个公式就像更取得合理的外观了。因为参加生产的要素,各在分配上获得一份报酬,在另一方面,这个公式在形式上的配列,也给了采行四分主义的一种便利。

它们是无独有偶,相得益彰了。

这是挽近经济学一般内容的典型和标本。濡染在这种经济学传统下的中国经济学者,从而,在中国经济学界,也自然是依样画葫芦地千篇一律地反映出来,但偶然检点时下的经济学读物,似乎有了一点"改革"。说是因为奥大利学派经济学家特别看重消费的原故,中国近来的经济学著述,有的硬把消费论"调升"到生产论前面(如赵兰坪、吴世瑞等的著作),使四分主义上的第一把交椅,由消费占据起来。此外,在生产项下,除了土地、劳动、资本,又添一个生产要素,是曰"组织",不过这一"改革",就使分配项下以组织为来源的收入,尚不易找到受主了。大概结局仍是划归负担生产的组织责任的资本家。但这对于三位一体公式,却就未免发生破坏的影响了。

总之,中国经济学界的政治经济学著述,大体是依四分主义法式和三位一体公式的模本仿造出来的。这种形式,这种体裁,这种性质的经济学,又无怪研究者们把它看成了与现实经济,与资本主义各国经济变动,特别是与中国社会经济改造问题,不生关系的学问了。

但是我们应不应该研究这样的政治经济学呢?

四 我们应以中国人的资格来研究政治经济学

对于中国经济学界,一向研究政治经济所采用的方式,及其所视为政治经济学之典型模本的内容,已在前两节都批论过了。在那种批论中,我始终没有忘记一点,就是,与我们中国所处的现实社会经济地位相照应,中国经济学界不可避免,不可讳言地要表现一种落后的征候。因为政治经济学本是近代资本主义社会的产物,我们自己的经济环境无法产生一种特别的政治经济学。同时,现实经济环境又限定了我们对于政治经济学修养的程度,于是,我们对于舶来品的政治经济学所表现的模仿或"人云亦云"的现象,就可说是十分必然的一种趋势了。而且,因为资本主义经济在衰落过程中,更需要一种掩饰现实状况的经济学作为掩护,以致我们前面指出的那种无关现实或歪曲现实的经济学格外风行,这又足以加强我们经济学界的那种必然趋势。

但是,我们的现实社会经济状况,对于政治经济学上之理解的要求,却正好同这种趋势相反,这就显然要导出我们研究政治经济学的目的论了。从整个资本主义世界的系列上来看,中国经济在受着资本主义的两重的苦难,一是中国资本主义不易发达的苦难,一是环绕着中国的世界资本主义经济过于发达的苦难,这两者互为因果,就造成了我们中国今日这种次殖民地经济的地位。如其说,政治经济学的性质,不同于与现实社会无关的道地的形而上学一类东西,它是现实经济的理论的表现,且应是现实经济的理论的表现,我们对于这门学问的研究,就不能采取一种"毫无所谓"的漠然的态度,因这根本不是研究,而是在耍观念上的把戏;还有,如其我们研究政治经济学,是为了要对中国社会经济改造有所贡献,我们尤须认清现代政治经济学的真面目。

总之一句话,我们研究政治经济学,应随时莫忘记,我国是以中国人的资格来研究。中国人从事这种研究的出发点和要求,是与欧美大部分经济学者乃至日本经济学者不同的,他们依据各自社会实况与要求,所得出的结论,或者所矫造的结论,不但不能应用到我们的现实经济上,甚且是妨阻我们理解世界经济乃至中国经济之特质的障碍。而我们多年来的经济学界的表现,已把这关键如实地说明了。

(一) 三个前提认识

我以为,我们的政治经济学研究者,在开始他的研究以前,应有以次几个前提认识。

第一、在尚论政治经济学是以资本主义经济为研究对象的限内,我们一反省到中国经济在资本主义经济系列中,所占的隶属地位,就知道那种经济学是用怎样的眼光,怎样的动机,来讨论"次殖民地"或"准殖民地"经济。也许我们还不肯自列于"殖民地"经济范畴,但资本主义经济学者在论殖民地经济时,特别在前次大战后,讨论布洛克经济一类经济问题时,始终是未忘怀中国,至少,他们对于殖民地经济的一大部分理论,可以适用到中国经济上来,所以,我们把他们在政治经济学上的理论作为教义,那就无异承认自己是他们的代言人。比如,今日中国经济学论坛上出现的"以农立国论"就像不知不觉地在作着东亚共荣圈内的"农业中国"论的呼应。

第二、资本主义跨越到了帝国主义阶段,其危险性是加大了,但与这照应着,它的警觉性也加强了。它要动员一切可以动员的力量,来防卫资本主义世界的统治。虽然苏联的特殊经济形态,从它内在矛盾冲突的空隙中突然耸立起来了,但这却更要加强它的警觉性,使它需要从政治、经济、军事、文化各方面,来从事防卫和对抗。在文化方面,最有现实性的政治经济学,当然是被特别注意到了的。各国景气研究机关的设置,大学校中的特设政治经济学讲座,以及研究景气之类的经济刊物之风行一时,俨然是要在经济学上造出一种"景气",一以缓和国内反资本主义制度的倾向,一以镇定那由实际经济恐慌所引起的悲观失望心理。当然,把这些议论传扬到诸落后民族间,特别是传扬到大家"特别看重"的,而正好又在昂扬反帝国主义气势的中国,一有机会,它们是不会放过的。结局,在以"买办"舶来经济学为能事的许多中国经济学者眼光中,果然闪射着经济学前途的"光明",这一"人造的"回光又终于发射出了我们不要害怕资本主义的结论。

第三、由于资本主义经济运动内在的矛盾和缺陷,尽管站在辩护立场的经济学者,在多方设法来掩饰裂缝,但早在资本主义极盛期的十九世纪中叶前后,就已经产生了许多站在批判立场的经济学说。(经济学上历史学派、奥大利学派,以及所谓新正统学派——指马夏尔(A. Marshall)所领导的一批经济学者——间"内讧"的理论,当然应属于非批判经济学说的范畴,反之,那些恰好是辩护理论的"丛合"。)就中,仍以资本主义经济为分析对象,但却是当作研究英国经济状况及经济史之结果而产生的德国社会主义学派的批判理论,却因为资本主义经济愈来破绽愈大的趋势的印证,愈加在政治经济学领域内,形成了对抗传统经济思想的巨流;而以这种经济理论为出发点的苏联经济的出现,更加强了它在政治经济学领域的地位。所以各国经济学界虽然如我们前面讲过的,在多方重复旧的教义,并矫造新的光明;但在另一方面,却也不难见到反对学说的发扬滋长。英国格列果利教授(Prof. Theoder Gregory)在一九三二年发表一篇《资本主义的前途》的文章,开始他表示"现存制度继续存在的希望,目前算是最微弱了,在近代经济史发展上,向来不曾有过这种现象,两年来的不景气,使整个国际经济结构的基础发生动摇……"由于这种实况,就在各国引起对于资本主义制度的非难。他先就美国某某学校当局如何怀疑资本制,又接着说到各国大学的情形:"至若大学的学术空气,情形也不见得较佳,在欧洲大陆上,大学就是反对现存制度的中心"。(见《前途杂志》创刊号译文)他的这种言论,虽然不曾把那些想换一个方式来"堵住"资本主义"没落"的法西斯理论分别开,但总可概见现代资本主义及以它为依附的政治经济学,该是达到了怎样一个支离破碎的阶段。

由以上三点,我们首先知道,传统的政治经济学说,原本就是不利于中国这种国家的社会经济的改造的;其次知道,这种政治经济学,还在当作一种文化侵略或文化麻醉的武器,以期防止我们的社会经济有所改革;再其次知道,政治经济学即使没有任何御用目的存乎其间,它本身已是遍体疮痍,我们如果不从批判的观点去研究,那就无论在实践上抑是在理论上,都不能给予我们何等帮助。

(二) 三大研究鹄的

由上面分别论到的几个前提认识,已经显示出了我们研究政治经济学的鹄的何在。在大体上,那亦有三点可言:

第一、就是要由经济学的研究,确定我们对于一切社会科学的基础知识,和作为我们从事社会活动的实际指导。我们知道:当作政治经济学研究对象的物质生活过程即经济过程,是现实社会的基础,所以,无论从事一般社会科学研究,抑是从事任何实际社会活动,都有通过经济学,而了解此种现实社会基础之必要。波格达洛夫(Bogdanov)讲过这样的一段话:"不论是就历史全般通体而论,或就社会意义的发展而论,不论是研究外交问题或宗教问题,都不能不顾及社会之经济的纽带(社会之基础的构造),并不能不借用经济学的结论,所以经济学实可看为社会科学体系中的基础。经济学在社会科学中的使命,无异物理学和化学在一切有机过程和无机过程中研究的使命,不知道物理学和化学的结论的植物学者、动物学者、天文学者和农业学者,等于解除武装的兵士;同样,社会学者、历史家及法律家,如果没有经济学的认识,就要同他们处在同一的境地。此外,想在社会斗争和社会事业方面活动的人,如果不知道经济学,也要和没有武装的士兵一样"。(参照周译波格达洛夫著《经济科学概论》第四页。)在今日,经济事业日趋复杂,人对自然,人对人的各种社会斗争方式,却直接间接介入经济的因果关联,而把我们每个人牵涉在里面,我们即不作社会科学研究,不从事何等社会事业,在日常平淡生活上,亦就无形要受着各种经济法则的支配。在这种意义上,经济学的研究,或对于经济知识的获得,就不限定是某一部分人的要求了。

第二、就是要由政治经济学的研究,彻底了解近代资本主义经济运动的法则,由是确定资本主义的必然归趋,并对它在此必然归趋的演变过程中,所表露的破绽、矛盾、冲突以及拼命挣扎的诸般现象,加以合理的解释或说明。这种要求,也许是各不同性质的国家(不论是社会主义的苏联抑是资本主义国家,乃至殖民地国家)的经济学研究者所共通的要求,但于中国特别紧要。中国还踯躅在由封建主义到资本主义的过渡阶段,中国还彷徨在向着资本主义前进,抑是向着民生主义为内容的社会主义前进的不定歧途。

如果理论连带着现实,指示出了资本主义的祸害及其没落前途,我们即使不要害怕资本主义,却也没有理由要"亲近"资本主义。

第三、就是要由政治经济学的研究,扫除有碍于中国社会经济改造的一切观念上的尘雾,那种尘雾,不仅是关于政治经济学本身的,同样是关于经济学以外的一切社会科学乃至自然科学方面的。因为,政治经济学是一种最有实践性,最有现实性(把它看为与现实无关的学问,如前面所说,那不是因为政治经济学本身没有现实性,正是想回避它的现实性)的科学,能够在经济学方面把握正确的理论核心,则在政治学、社会学、哲学乃至自然科学方面所抱的诸种成见与幻想,都可廓清。事实上,在帝国主义势力影响下的中国,全般的社会意识,都渗透有帝国主义文化侵略的毒素,中国社会经济上每一种变革,都有那种毒素在其中发生阻碍作用。所以,中国不言改造则已,否则政治经济学便当成为中国反对落后封建意识,反对帝国主义文化侵略的"文化武器",从而,如何运用这个武器,如何锻炼这个武器,就是中国政治经济学研究者的责任了。

此外,我还想特别提出下面这一点要求,以加大我们研究者的责任,那就是,我们要由政治经济学的研究,逐渐努力创建一种专为中国人攻读的政治经济学。也许有人疑问:第一、科学无国界,用不着每个国家都有他自己的特殊科学;第二、政治经济学是现实经济之理论上的表现,落后的中国经济,如我们前面第一节所说,是怎样也不能产生一种经济学的。但如果把我们所要求创立的政治经济学,解释为特别有利于中国人阅读,特别能引起中国人的兴趣,特别能指出中国社会经济改造途径的经济理论教程,那又当别论了,那种理论的全般体系,可以特别注意其论断或结论在中国社会经济上的应用;此外,其例解,其引证,尽可能把中国经济实况,作为材料。像这样一种体裁与内容的政治经济学,到目下为止,我们尚不曾发现。我们尽管已有不少进步的政治经济学读物可供参考,也有不少的外国的政治经济学者在为中国社会经济理论努力,并已有相当的成果,但总不能十分适合我们的要求。自然,像我在这里所规定的供中国人研究的政治经济学的内容,实际无非就是一个比较更切实用的政治经济学读本,但我其所以要把这方面的努力,作为中国政治经济学研究者的一个鹄的,就是认为创立一种特别具有改造中国社会经济,解除中国思想束缚的性质与内容的政治经济学,是颇不同于依据现成材料来编述一个政治经济学读本的。那颇需要我们研究政治经济学者,在有关世界经济及中国经济之正确理论体系上,分别来一些阐发准备的工夫。

附论七 中国经济学界的奥大利学派经济学

一 题旨的说明

近五年来,我曾不大明显的,把"中国经济学"这个命题,作为我研究的重心。"中国经济学"这个语辞,是不只一次的被提出来了,但我却不曾对它加以限界的释明。因为在理论上,这样一个名称,是不大妥切的,而且很容易引起许多不必要的误解。当作一门科学的经济学,是不允许我们用这个名称伤害它的一般妥当性和系统性的,经济学只有一个。

不错,读者也许从意大利经济学史家柯沙(Gossa)的著作中,从英国经济学史家英格拉姆(Ingram)的著作中,见到"英国经济学"、"德国经济学"……的字样。在学说史上的这种国别分类的研究法,其最大缺点,尚只是在各国经济思想领域,树立起国界的藩篱,破坏各个派别在各国间的关联性和派属性,把重要的经济学说和不重要的经济学说,等同的并列起来,使现代经济学整体,受到支离分解的弊害。但因为他们大抵是把各国已经过去了的经济思想或学说,分别累积起来,当作史学看,虽然有了我们在上面所指的那些毛病,但当作史料看,却就没有什么了。事实上,像柯沙、英格拉姆辈的经济学说史,并不曾逸出史料的范畴。经济学在他们心目中,是不大发生一般性和科学的系统性的问题的。

　　反之,我是经济科学之一般性的确认者。我相信,在一定的社会生产关系之下,在一定的生产条件和交换条件之下,形成的经济法则,可以应用到一切具有同一社会生产关系或同一生产条件与交换条件的诸社会。当然哪,任何一个社会,它的自然条件,从而,它的历史条件,不能与其他社会恰好一致;在这种限度之内,任何一个社会的经济法则,就理应不能完全适应到其他社会。但在这里,我们有两种事实须分别清楚:其一是,一切经济法则,是就同一社会发展阶段的各别社会的经济事象,分别舍象其特异点,而抽出其一致点所得的结论;其二是,现代经济学,虽然主要是从英国经济的特殊环境而定立起来,但英国经济的一般趋势,大体内容,甚至其演变展拓程序,在法、美、德诸国同样表现得很明显。英国的经济学或经济理论,不但由其他较迟发展的诸资本主义国家,得到了印证,事实上,当英国经济学者开始其科学研究之顷,其他国家,特别是法国经济学者,已半凭经验,半凭天才的预感,把现代经济的诸基本法则暗示或图示(如法国重农学派主导者魁奈的经济表)出来,使英国经济学者在研究上得到不少的便利。

　　由上面这简括的说明,使我们对于经济学的产生及其应用,有了以次这几个基本概念:

　　第一、经济学的一般性同世界性,是以经济的一般性和世界性作为现实的基础。

　　第二、经济的一般性或世界性,从而,经济学的一般的世界性格,不但不否认各特定社会的特殊经济条件,甚且,就其积极面的意义上讲,是把各别特殊经济条件抽象化一般化的结果;就其消极一面的意义上讲,是把不能一般化共同化的特异点,舍象去了的结果。

第三、由上述研究过程产生的经济学，在应用上，即使是对于和产生那种经济学，立在同一社会发展阶段的经济现实，也有某种不同，显言之，就是，如其我们现在所论究的经济学，是有关资本主义经济现实的科学，则这种科学，对于已经发达到资本主义阶段的经济，也可能因其发展的成熟程度的差异，可能因其发展时所具有的特殊条件，而不易一般化，而被特殊过程舍象去了的特殊条件所作用，而不能"按图索骥"似的套现成的公式；而它对于将要超越资本主义发展阶段的经济，或者是，对于尚未成就资本主义发展的经济，当然更是不能"削足适履"似的去应用了。

后面这一点关于经济学之应用的理解，是我在这里所特别着意的。在理论上，经济学在各国尽管只有一个，而在应用上，经济学对于任何国家，却都不是一样。我是在这个前提认识下，提出"中国经济学"这个名称的。而其所以要提出这个名称的最有力的动机，就是痛感到经济学在中国是太被误用了，而且一直还在被误用着。经济学当作一种完成的舶来品输入中国已经有几十年了，我们对于经济学是怎样一门科学，需要怎样去应用始有助于中国经济变革的理解，还是格格不入。而且，这种所谓格格不入并不是指着一般人，而是指着一般经济学研究者，就中，特别是数到那些经济学的输入者，那些以现实经济之立案者或指导者自居的经济学者们。

说经济学者不了解经济学是什么，设加以限界，说他们不知道他们所学的经济学是什么，也许有人会感到稀罕。但和尚不知道佛经是什么，不知道他每日所念的所宣扬的佛经是什么，却是一件极其寻常的事。如其我们经济学者所念的或所专攻的是形而上学的经济理论,他在理解上,就和一般和尚的距离更加接近了。

我这里所谓形而上学的经济理论,主要是指着奥大利学派的经济学,这个学派的经济学是讲的一些什么,是如何传到中国,是如何在中国特别猖獗起来,是如何抵触我们的经济国策并妨碍我们的经济改造,这是我要在下面展开的研究程序。

二 奥大利学派经济学的正体

属于奥大利学派的学者很多,他们之间的理论,也并不完全一致。但把门格(K. Menger),威色(Wiser)及庞巴卫克(Bohm-Bawerk)作为他们的主导者,把他们的理论,当作该派经济学的主体,却是为一般所公认的。

我们在这里不能有充分的篇幅来详述他们的理论体系,仅按照他们所着重的几个论点,"批隙导窍"的加以说明,他们是反对古典学派的,但在方法论上,却是从相反的观点,来抄袭古典学派所建立的逻辑程序。他们特别强调经济学方法论,强调价值论,强调分配论,把分配论的认识基础,建立在价值论上,把价值论的基本命题,安置在方法论上,这完全是从古典学派抄袭过来的,挽近各国特别是在美国之奥大利学派的传习者们,所宣揭的"经济学的改造""经济学的(文艺)复兴"(Renaissance of Economics),也许就是指着这种"抄袭",虽然他们会特别着意于"抄袭"中所采取的不同观点。

首先,就他们的方法论略加注释罢。

在他们看来,国民经济现象,可以从历史的,理论的及实际的三个见地来考察。当作"存在的科学"的理论经济学,是应当同那种当作"当为的科学"的实际经济学,即财政学与经济政策分开的,但古典学派把它们混同起来了;统计的研究与历史的研究,原只对理论经济学提供实际的例证与材料,但历史学派却把它们拿来代替理论的认识。由于这两方面的关系,他们就以再造理论经济学的"十字军"的姿态而出现了。他们认为:理论经济学的研究,应该采取所谓"严密的方法"(Die Exakt Methode),使现实的经济现象,成为最简单最严密的考察分析的类型要素。作为经济学考察对象的现象形态,如像绝对的只追求经济目的的那种人,和那种人在从事经济活动时的心理状态,始终是最普遍的最重要的。把他们的这种经济的心理状态,孤立起来加以研究,是经济学的起点。(Menger)惟其如此,他们就认定真的经济理论,必须先"探究人类活动的大动脉——快乐与痛苦的感情"。(Jevons)为满足欲望,而不绝忍受牺牲,以及"由此发生的快乐与痛苦之关系,便是经济学研究的范围"。(Jevons)在此种限度内,经济学就差不多是一种"享乐学"。(Gossen)基于人类本能需求(享乐主义)的这种自然性质,使经济法则与自然科学和心理学不发生冲突。因为"有关经济学的问题的讨论,是须得在自然科学与心理学的原则上去进行的"。(Bohm-Bawerk)

然则经济学上的全般理论,何以能从心理的研究去达成呢?他们像很系统的把价值论当作经济学的枢纽。价值论能在心理学的基础上建立起来,他们的整个学说,就算有了着落。限界效用价值论,可以说是他们全部经济学说的神经中枢。在他们看来,所谓价值,乃吾人在满足欲望上,对于财货所感到的一种重要程度的评价,即价值是由主观评价而发生的。此主观评价,虽然要通过财货的客观价值,如肉之滋养价值,煤之燃烧价值,然后始能评判其在何种程度满足吾人的欲望,但经济学的价值研究对象,却不是此客观价值,而宁是主观价值。

惟其如此,一切财货,即使都有客观价值,都是满足吾人欲望的效用,却并不是一切有效用的东西,都有价值(即主观评定的价值)。财货的价值,只是在吾人的欲望满足上,对它有了一定的需求关系,才能表现出来。所以,同一货财,可因供用的情形不同,或有价值,或无价值,水在一般情形下,仅有效用,在沙漠的旅行者,乃有价值。在这种认识下,价值的发生,遂必然要关联到财货的稀少性和它的效用性。效用性是价值的来源,而稀少性则是使财货在一定场合,具有价值的条件。从这点看来,一般人动辄称奥大利学派是效用学派,那是不妥当的。他们虽认定效用是价值的来源,但却不主张财货价值的有无或其价值的大小,取决于效用的有无或效用的大小。因为,如其是这样,他们就是客观效用价值论者,而非主观价值论者了。

作为他们整个价值学说的核心部分,乃是限界效用(Marginal Utility)的理论。然则什么是限界效用呢?要解答此一问题,须知道:"财货效用的大小,系取决于它对吾人欲望满足要求之重要性如何。吾人的欲望有许多种类,同种类欲望又有各种不同程度,将欲望的种类与欲望的程度,联合参较,斯可确定效用的级次,而由是达到限界效用的说明。即同一财货,可满足吾人不同重要性的诸种欲望和不同迫切程度的同一欲望。某一财货的现在贮存量,能满足吾人欲望,达到饱和之点,吾人对该财货,即不发生经济问题,一旦因某种情形,致丧失其一部分,致吾人在诸种欲望中,在同一欲望诸种迫切程度中,至少有一项得不到满足,吾人的避苦就乐本能,必让那少了它,只受到最少的不便或痛苦的那一部分的最后的最低级的欲望,不予满足,此最后的最低级的欲望,即限界欲望,由此限界欲望所感到的效用,即限界效用,为求满足此限界欲望,而对于该财货所给予的评价,即限界效用价值。为满足吾人欲望,所感到的缺乏程度或迫切程度愈高,其限界效用愈高,其限界价值亦相应愈高"。

在由价值移到价格的说明中,奥大利学派也很巧妙的抄袭了古典学派的作法,把价值看为其本质的形态,而价格则是现象的形态。他们认为,各个人在参加交换过程中,是把自利和自己对所需财货之主观的评价,作为交换能否成立的前提。对同一财货,各人由其各别限界效用所引起的主观评价不同,各人之利害关系的打算不同,所以,交换成立,各得其所,各受其利。

然则各人的评价不同,何以能形成一定的市场价格呢? 竞争在这里发生了决定的作用。他们像很合逻辑的,由孤立交换场合,单方竞争场合(其中包括买者单方竞争及卖者单方竞争),最后描述到双方竞争场合。最后这种场合,正是现代市场的情形。在那里,对同一商品的买主和卖主,都有许多人在从事竞争,买方出价愈高,竞争者愈多,卖方索价愈高,竞争者愈少,相互竞争的结果,必达到买卖双方之数趋于平衡,此时市场决定范围必定是以最后买者和被排出的最有贩卖力的卖者的主观评价为高限,以最后卖者,和被排出的最有购买力的买者的主观评价为低限,此结局定价范围内之两买主两卖主,称为"限界对偶"(Marginal Pair)。由此"限界对偶"所决定之价格,称为"限界价格"(Marginal Price)。此限界价格,虽不一定与各个人之限界效用价值相符,但毕竟可由限界对偶,而决定其大体的变动范围,使它与限界效用价值,或各人之主观评价,一直都保持相当的联系。

财货的价格,既与主观限界效用,具有上述的关联,那末,财货当作商品来买卖,就与其生产时所投下的费用,没有何等直接联系了。换言之,就是商品价值的大小,不是取决于生产费的大小,而是取决于消费者对该商品在满足其欲望时,所感到的重要性如何,迫切性如何。为了"自圆其说",他们把财货区分为消费财货与生产财货,前者是直接满足吾人欲望的东西,如面包之类,后者能间接满足吾人欲望,如制成面包所用面粉烤具等,更如制成面粉之小麦磨坊,推而至于栽培小麦之土地劳动工具及农业劳动等等。他们把直接满足欲望的财货另称为第一级财货,其余则顺序称为第二级财货,第三级财货,第四级财货……

直接财货的价值,无疑是由直接消费者对该财货之限界效用决定。然则第二级及其以下的诸种财货的价值,将如何决定呢?即生产财货的价值将如何决定呢?他们认为生产财货与消费行为,有一连续过程。第一级财货如面包的价值,系由消费在直接对该财货的限界效用决定,第二级财货如面粉烤具的价值,则系由第一级财货之限界效用去测量,而第三级财货如小麦磨坊等的价值,则系由第二级财货的限界效用去测量……由是,无限的最后第任何级的财货的价值,都是以它的第一级财货具有的限界效用去决定。所以,威色认定生产财货的价值,是取决于它所制成的生产物的价值。在这种限度内,生产费用就凭借种种迂回的"便桥",和价值从而和价格发生了关系。

奥大利学派的这种"苦心孤诣"的价值论的"杰作",无疑是为了要把它应用到分配论上。

作为分配论中最基本部分的利息学说,是他们的限界效用价值说的更"踌躇满志"的应用。但在奥大利学派的一切经济学说中,惟有这一项的发明权,特别是属于庞巴卫克的"专利"。事实上,没有这项发明,整个奥大利学派经济学,便完全失去其现实存在的意义了。

他把财货在时间的观念上,区分为现在财货与将来财货,这种区分的意义,就是说:"现在财货因技术上的原因,成为满足我们欲望之比较完全的手段,而且,它因此对于我们,比将来财货有更大的限界效用"。设对此加以进一步的说明,就是,由于技术的原因,早些把生产财货放在生产过程中,比之把它迟些放在周转中,会带给我们更多的东西。此外,我们现在如果有了充分的消费财货,我们就不会因为缺乏或欲望不能得到充分满足的缘故,在消费上,提高对于所需物品的限界效用,在生产上去从事那些比较少利益的生产用途。现在财货对将来财货,既有上述的优越性,贷出现在财货,取得将来财货的贷者,自不能不在原本以外,索取报酬。而借入现在财货,偿还将来财货的借者,亦自愿意于原本以外,支付报酬。借贷两方都有这种财货的时间差观念,这就是所谓利益存在之心理学的基础。本此原则,如果资本家为了生产,丢开那些现在可以满足欲望的消费财货,而去购原料、机器及劳力等等高级财货,即生产财货,那也类似现在财货去购买将来财货,他自然有理由在这将来财货收回时,附上一个增加额,即所谓企业利润或资本的收入。而其来源,则是生产财货的总价值,每少于生产物之价值,而由是形成的生产价值超过其生产费用之剩余。在这里,庞巴卫克很怕人误解了他的意思,以为把财货搁着不用,也可因时间的推演而生较大的价值。他指出:"要使未来财货转变为现在财货,必须先把它投于生产过程中,然后始可使它转变为现成的消费品"。假如没有生产过程,资本便是死资本,生产工具的价值,就始终不会和成为现在财货的价值一律看待。利润和利息,也根本不会产生。资本家的可贵,就在他们节省当前的消费,把节省下来当作资本来使用的财货,投入生产过程;他们节省得愈多,投入生产过程的愈多,转化为现成消费品的愈多,利润和利息也就愈多了。

这从心理上体验出来的时间差,价值差,不但可以解释利息利润,且可以解释工资。

庞巴卫克教授曾"很慷慨"的声言:劳动者有理由要求得到他的劳动生产物的全部价值,但他却认为那理由只是片面的:"各个人都可以要求,在现在,按照他所卖的现在财货之全部价值支给他。但没有人可以要求,在现在,支给他那在将来才能出售的财货的全部价值。劳动者出卖给资本家以他那只有在将来才能给予有价值的生产品之劳动,他由此让渡给资本家以将来的财货。然而报酬他,却比较生产过程完结要早一些,那就是在现在。所以,资本家是从劳动者得到将来的财货,而付给他以现在的财货。而且,因为将来的财货与现在的财货是不等价的,后者要比较高,故对于劳动者所提供的同一数量的财货,按照公理,资本家只应支给他们以少些的比较有价值的财货。就因此故,劳动者即使没有得到他的劳动的将来生产品的全部价值,但这并没有破坏公道"。还应该说:这正是"公道"。

上面已把奥大利学派的基本理论"和盘托出"了。从全体的表象看出,很像是条理井然的学说体系了,但稍一检点,就知道它和它所体现的资本主义体制本身,有同样多的或更多的缺点和漏洞。

我们且不忙讲,用时间观念来说明利润的来源,说明劳动者应当舍去他应得的报酬部分,该是如何滑稽,单就其整个学说的体系而论,那亦是不通的。分配论的基本命题,被安置在价值论上,现竟又在限界效用大小,决定价值大小的命题之外,提出时间观念,以财货实现的未来,对现在的时间距离远近,来测知它的价值的大小。从而,来测定资本家应取得的利润的多少,和劳动者应得工资的多少。不错,他们在这里,曾把将来财货对现在财货,只有较小限界效用,作为其间的桥梁,但满足欲望的限界效用的大小,和时间的长短,究有如何的联系呢?如其时间的长短,如一年一月之类,系以确实的时间经过为准,而非主观所实感出的时间距离,那又不啻在主观的评价上,参进了客观的因素。

其实,在现实商品市场上,不仅这里用时间观念区别出来的所谓现在财未来财,是一种多余(然在奥大利学派学者当然是必要),而其他如第一级财第二级财的分类,也于实际毫无关系。而且在市场当作买者的供给者,和当作卖者的需要者,如其他是以资本家的资格出现,他们对于其所买卖对象物,至少会"迂回的"间接的同买卖者的消费相关联,但交换的必需性,特别是"为卖而买"的交换的必需性,定会使一切主观的评价,都被消灭,都被压平到一定的客观标准。而况,每个人的主观评价,在开始,就已经是把一定的客观标准作为基础。

显然的,奥大利学派的这种支离的价值论,是在他们的方法论上注定了错误的根源的。在方法论上,他们把古典学派抽象化一般化了的经济人(Economic Man),更进一步予以超时代化自然化。古典学派把握个人自利的心理状态,始而强调生产,往后则强调分配,尚不难与时代的一般要求相配合。奥大利学派把握个人自利的心理状态,却强调消费,认定"生产是为了消费"。他们把这妇孺皆知的自明道理，当作"真理"来发现，以为由此建立的经济学，就立在不可动摇的坚固基础上。但问题的要键，不在当作研究出发点的命题，有怎样的真实性，而在由它导引出的结论，有怎样的妥当性，换言之，就是看他们的研究，是否依据当前经济现实，是否能用以说明当前的经济现实。在资本主义的商品生产社会，不论是资本家，抑是为资本家雇用的劳动者，都不是为了自己消费而生产，他们都是在生产交换价值，而非生产使用价值。如其他们真是为了消费而生产，则由生产过剩，消费不足所引起的恐慌事实，就无从得到理解了。

总之，奥大利学派在方法论上所研究的个人，是没有社会性的个人，是好像在一定社会生产关系以外活动的超人；像这种人的心理状态，当然与现实社会没有密切的联系。而一味把这种人的心理状态，特别是把他的消费欲望作为研究前提和对象的经济学，无疑是具有充分的形而上学的性质的。

三 奥大利学派经济学向世界各国的传播

经济学的形而上学化，可以说是对于经济学本身的否定。但二十世纪的经济学界，却竟像是很自然的把这种否定其本身存在的这种形而上的经济看作是经济学一般。简言之，就是奥大利学派经济学及其变种或亚种，却满布于各国经济学界（除了挽近苏联以外）。这事实，在其德国的信奉者沈伯达（Schumpeter）曾这样傲慢的夸称着："最近在各国唯一可以并应当得到一般承认的经济学，就是限界效用说，最近所有的理论经济学的著作，有十分之九，是在心理学派的思想圈里绕着"。如其我们觉得它的拥护者的说法,难免失之夸张,再看它在美国方面的反对者,费伯伦(Veblen)的议论吧。费氏指奥大利学派经济学及其诸变种说:"这类经济学诱人入形而上学,它将来无疑的还要繁盛,但对于实际问题的解释,它还不曾做,而且也不能做"。像这样不能说明经济现实问题的经济学,"为什么已经如此繁盛",而"将来还要繁盛"呢?我们需要在这里说明它的原由。

　　首先,我们应当指出:奥大利学派的整个经济学,是从自然的观点出发。凡属从自然观点出发的学说,很容易给人以不易颠扑的印象。比如马尔萨斯(Malthus)的人口论,就是把人类最无可否认的两个要求:食欲与性欲,作为它的出发点。在当时以后许久,人口论其所以那样被人称扬,那样淆惑人的视听,这是最重要原因之一。但科学的真理,并不是在解说自明的事实。愈是自明的事实,愈不需要科学。奥大利学派强调的消费欲望,尽管是谁都不能否认的事实,但经济科学实在用不着费篇幅来讲解它,并讲解人们在满足消费欲望时的心理状态。经济科学所需说明的,宁是满足消费欲望的物质条件,为什么有些人能够充分得到,有些人却不能够,和在它们之间的必然的因果关系。但奥大利学派极力回避这种说明,且借着强调无需解说的事体来作为回避应当解说的事体的手段。

　　奥大利学派经济学向各国传扬的第二个原由,就是它的全部学说内容,原本就掺杂进了已经被古典学派安置在极坚固基础上的诸般经济原理。如自由竞争,需要与供给,以及利润等经济形态的运动法则,它都局部的迂回的甚至最机诈的,用不同的方式,收编进来,特别是作为它"全部学说之锁钥"的主观价值论的理论形式,直到今日,还不曾被人发现,那正好是对它反对最烈的古典学派之劳动价值学说之理论方式的变相抄袭,最显而易见的一点,是古典学派把价值与价格的区别,理解为本质与现象的区别,并认定后者的变动,是以前者为中心,奥大利学派所强调的限界效用价值与限界价值间的关系,正是以此为摹本,而由是取得科学的外观。此外,如古典学派把商品生产所费的劳动看为其价值的来源,把它的效用或使用价值看为它取得交换价值的条件,套这个公式,奥大利学派却把商品满足吾人欲望时的效用看为其价值的来源,而把它的稀少性,看为它取得交换价值的条件。还有,古典学派所阐述的商品价值中,包含有资本价值以上的剩余价值,奥大利学派学者则强调生产财货的价值,每小于其生产物的价值。这一切,已够表现奥大利学派学者的"抄袭""技术"。但经济科学的可贵,并不是在它的逻辑程序,而是在应用逻辑程序所表现的正确事实。

如其说奥大利学派盛行的第二个原因,是它变相抄袭了科学的研究形式,则第三个原因,就是在另一方面,把许多可以直接诉之于常识的肤浅见解,都吸收来充实它那研究形式的内容。比如,作为其研究起点的消费欲望,特别是关于欲望种类及其满足程度的说明,简直是常识以下的东西。至于用观念上的时间差所引起的价值差,即以现在财货对将来财货有较大价值的"大发现",来解释资本利息及利润的来源,来解释劳动者之工资应少得的原因,那却不仅是依据常识,同时又是"制造常识"。他如前面所说的第一级财、第二级财、第三级财,乃至无限级财的价值,都是以它前一级财的限界效用决定,而逆推至第一级财的价值,则是由该第一级财对其消费者在满足欲望时所直感出的重要程度来决定云云,那虽然在一般常识中也找不出来,却很显然要借常识去理解,稍有科学训练的人，就极容易把这些看成无从分析的呓语了。最后，如像我们前面还不曾提及，但奥大利学派信奉者，已早目为极关重要之理论关节的"代替财"、"补充财"一类术语，殆莫不是从极一般的常识中引导出来。

奥大利学派是强调纯粹经济理论的。为了补充这种常识化的缺点，他们有意无意的把他们的理论与数学结合起来，借数学的一般性与不可动摇的科学性，使自己七颠八倒的经济学说，得到有力的支持。这很可以说是这个学派向世界传扬或展开的第四个理由。事实上，被算作奥大利学派前驱的诸学者，如法国的库尔诺（Cournot），瑞士的瓦拉斯（Walras），英国的杰芬斯（Jevons）及德国的高森（Gossen）等等，原都是把数学的解析方式，作为其研究的最基本方法，而此后接受了奥大利学派诸基本命题的马夏尔，其在德国的支持者里夫曼（R. Liefmann）及沈伯达，特别是所谓在美国的奥大利学派学者如克拉克（Clark），卡斐（Carver），斐雪尔（Fisher）之流，殆莫不是应用数学的解析方式，来说明经济事象，甚至在价值论上极力非难奥大利学派的卡塞尔（Cassel），他在研究方法上，却更有数学的倾向，这种经济学之数理研究的作风，一方面使奥大利经济学说更容易传播，同时，也因为奥大利学派的所谓纯理的而同时又是表象的研究，更适于采用数学的方法。数学方法，原是可以应用而且应当应用的，但它被用来解释经济现象，却有一个限度。对于已经由其他方法论证出的经济运动法则，再借数字或数理的解析，予以更明确的说明，那是被容许的。但如一开始就诉之于数学的诸般概念，并非把一切的经济命题，分别拘束在一些解析方程式中，其结局，便是以经济现象去迁就数学方式，而非以数学方式来解明经济现象。在这场合，数学方法排除它以外的其他一切研究方法的应用。

然而,所有上面所提出的四个促使奥大利学派经济学向世界传播的理由,只有在我们现在所要提到的这是后一个理由存在的条件下,始能取得现实的意义,这个理由就是:资本主义经济的发展,到了十九世纪最后数十年乃至二十世纪初,已经把它的内在矛盾及其不可避免的命运,给批判经济理论,曝露得毫无躲闪余地了。为了对抗这经济意识上的"危机",奥大利学派便以"卫道"的义侠武士的装束表演出来。由古典学派至批判学派所一脉相承的客观主义,都在逼着人去正视现实,去抉发资本主义危机的根源。奥大利学派既是负有"特殊"的使命,自不能不从相反的立场,采取主观主义的研究方法。经济学之观念的形而上学化,不能解释实际经济问题,虽然站在资本家立场的人,间尝也发出不满的议论,但在大体上资本家的世界,特别是完全脱离生产领域,而一味在从事享乐的金融资本家的世界,毋宁是特别欢迎之一种"消费经济学"。奥大利学派经济学向世界不胫而走的最基本原因就在此。

四 奥大利学派经济学传入中国的原委

奥大利学派经济学,也传播到中国了,并且已像生起根来。中国还不是一个资本主义国家,为什么我们也需要这种经济学呢?上述奥大利学派经济学传播到各资本主义国家的理由,是否也对中国适用呢?本文的论点,原在说明奥大利学派传到中国的实情,而在前节其所以要特别提论到奥大利学派经济学之向世界各国传播,其目的也就是想借此说明它传入中国的经过。

现代资本主义的各种意识，是伴随资本主义的商品陆续输入的。商品的输入，特别与商品意识（经济学）的输入，原有极密切的关联。一个国家，它对商品的输入，是由于自动，它对商品意识的输入，始能自主；反之，它对商品的输入，不是由于自动，而是由于输入者的强制，则商品意识的输入，就不是由于它自愿或自主，而是由于商品强制输入者，把商品意识的输入，当作商品输入的一个助成的手段。在这种情形下，商品对被输入国最可能是有害的，商品意识或经济学对被输入国亦最可能是有害的。

不错，二十世纪开始以来，我们对于商品意识的输入，正适应着我们对于商品的输入，已经有自行选择的可能了，但这种可能，在商品意识上或在经济学上所受到的限制，比在商品上所受到的限制还大得多。我们尽管每年派出大批的国外留学者，其中有不少的政治经济学研究者，自动的去输入我们自己所需要的经济科学，但这种工作，首先，就受到了我们社会一般知识水准的阻碍，在外国，许多经济理论，尽管已由实际的经验与应用，变成了一般人的常识，在我们，却需要大费气力去学习。

其次，我们由外国输入的经济学，是资本主义的经济学，在我们自己尚未造成资本主义的经济条件，对于那种经济学的研究，就不但会增加认识理解上的困难，同时其所研究的法则，是否正确，是否应验，亦无从对照现实，予以确定。

再其次，资本主义发展到二十世纪，帝国主义文化政策的执行，愈成为必要，在过去，各先进国家尚夸称它们对于落后地带的经济与文化负有开发传播的使命。一进入帝国主义阶段，它们对于落后地带的工业开发，已经一般的有所踌躇，已经分别采行了"保留"或"带住"落后地带之前资本主义社会经济体制的策略了；

附论七 中国经济学界的奥大利学派经济学

在配合这种策略的要求下,它们对于最有基本性的政治经济学的"输出",就不能不采行远较它们在自由放任主义时代为严格的限制了。其实,关于这点,与其说它们是在"输出"上用工夫,就宁不如说它们是在被输入地带的"输入"上用工夫,它们在诸落后地带,是确实拥有这种特权的。

然而,我们在上面所指出的,还是问题的一个侧面,还是奥大利学派经济学所以便于输入的理由。事实上,资本主义各国的经济学界,如我们前面所说都是充满了奥大利学派经济学的气氛的。由一般社会论坛到大学讲坛,乃至由政府及私人设置的各种经济研究机关,差不多直接间接都是由这所谓主观主义经济学说在发生领导作用。愈到挽近,这种倾向亦愈为明显。在这种情势下,资本主义各国向世界落后地带传扬介绍的经济学理,即使再没有帝国主义的打算,亦是会很自然的把它正在宣扬,正在奉行的理论,和盘托出来。而它们这样做,倒反而会显出这正是它们的"无私"和"正直"。而在诸落后地带,特别如在我们中国,不论是自己派人到国外去研究,抑是由外国请人来帮同研究,自己既没有选择的权能,复没有证验的社会条件,当然一切只有出自"顺受"。而况,我们前面已经述过的奥大利学派经济学本身所具有的诸种传播性的特征,有许多是特别宜于向落后国家的研究者传授的,比如,常识化的现象因果论,就最容易为幼稚的和科学研究水准较低的头脑所接受。他们所强调的消费论,欲望论,时差利息利润论,以及根据市场上诸般经济表象所"做作"的各种表式和数字的说明,尽管是似是而非的,但在经济学的初学者或经济科学根底不深的人看来,却是最合口味的。经济学常识化的这种倾向,又导出了同派在传播中必然会形成的另一个特征,那就是把工商业上企业经营法,市情的报道,供需变动图解,以及在经济理论上,只占着辅助的,副次的和极边部分的经济技术知识,认为是经济学本体,这一点,也是对于经济学研究者极当警戒的,而我们的一部分经济学者,却显然犯了这个毛病。此外,在奥大利学派经济学中,还有一个与常识化技术化表面上相反但实际上却是相因的特征,一个最有基本性的特征,或者是说中国经济学研究者因此中毒最深而为害最烈的一点,就是把经济学看为玄学,看为形而上的纯理论之学。也许因为是奥大利学派一方把经济学当作形而上学来处理,他们为了要在现实上取得存在的依据,乃不能不乞灵于技术和常识;也许还因为是他们把经济学直截了当的看为抽象的演绎的学问,一种没有历史性的学问,他们就更易于为经济的常识和技术所驱使。但不论如何,经济学的常识化、技术化,同时又玄学化,对于中国从事经济学研究的人,尽管是多重的蒙混和翳障,但他们却像很不免矛盾的分类的方法,将其调和起来,以常识化技术化的部分,是实用经济学,而玄学化的部分则是纯理经济学,前者是容易理解的,一学即得,后者是根本不易理解的,只要模糊理解就行。总之,这三者,都是奥大利学派经济学本身容易在中国经济学界"繁殖"的重要原因。

五 中国经济学界充满着奥大利学派经济思想的实话及经济实践上反映出的奥大利学派的经济意识

在前面,我们已把奥大利学派经济学的正体,作了一个轮廓的描述,要说明中国经济学界为何充满了这个学派的思想的实际情形,似乎只要读者自己去做一点对照工夫就行,不用多所词费。比如,涉猎一下各大书局出版的关于经济学部分的大学教本,我可保证百分之九十是依据美国各大学的经济学教本抄述过来的,就其"取法乎上者"而言,亦不过是把卡斐(Carver),道希格(Taussig),依里(Ely)及塞利格曼(Seligman)一流经济学者的教材作为蓝本,下焉者更不必说了。但我不想这样零碎枝节的分别指出那些书那些见解是奥大利学派经济学的传扬品,只须指明一个比较有概括性的测验准则就行了。奥大利学派经济学的最基本命题,是建立在超历史的观点上,不论是学校教本,抑是普通出版物上有关经济的理论或见解,只要它们忽略了所研究对象的社会性质,如论商品,论货币,论资本,论价值及工资,乃至论生产消费诸经济形态,都不涉及其因以形成的特定社会基础,而一味抽象演绎下去,那一见就是奥大利学派经济学的产物。这一类的作品或高见,我们实在是厌见饫闻了。

我们论述到这里,很容易"感慨系之"的忆及一位德国经济学者的话,他在十九世纪中叶曾这样指责当时的德国经济学界:"政治经济学的著作或教授,无不醉心于世界主义学派,而视一切保护税为'学理之疣'(Theoretical Abomination)。彼辈有英国利益以助之,故无往而不胜利。尤可痛者,英国内阁善利用金钱势力,钳制海外舆论,苟于其商业有济,则挥金如土,从未有所吝惜,大队通讯员,领袖著作家……漫游各地,专从事攻击德国工业家要求实施保护税之'无理'的'愿望'……时流学说与德国学者之意见,既皆倾向于彼辈,以故为英国利益辩护者之工作,尤易易也"(见王译李斯特著《国家经济学》)。这段话已历一个世纪,但我们今日讲读起来,似犹有新的意义。不过,李斯特所指责的,是英国当时利用以阻害德国经济改造的世界主义学派,即英国经济学派的理论,而我们在此不惮陈述的,则是一切资本主义国家利用以阻害中国经济改造的奥大利学派经济学;而且,在事实上,德国当时所受阻害,尚只限于保护关税的实施,而在中国,其毒害所及,并不止于保护关税一项,整个社会经济的变革,现代化的进程,皆由此直接间接遭受了妨阻。

自然,以中国所处的国际地位,我们已经讲到了,商品和商品意识(即经济学)的输入及其流布,是无法完全自主的,但同时也得承认我们在这些方面,我们仍有自主与自动的可能运用范围的存在。外国经济顾问,外国经济专家,帮助中国经济"复兴"的计划或提案,不会把中国经济"复兴"的障碍,归因于帝国主义政策,这无疑是极其自然的。但许多强调"中国经济改造"的"权威"著作,也依照外国学者的浮面逻辑,不肯提论到帝国主义政策,即使近十余年来,指斥帝国主义政策的议论渐渐多了,但大半又只限于肤浅的感应,仍不肯继续探究到帝国主义政策作用下的中国经济,该是如何不宜于应用帝国主义者处理其经济问题所依据的经济学理,及其所定的单方。结局,自中国社会经济史研究问题被提论到学术论坛以来,中国经济学界为奥大利学派经济学独占的局面,在一般社会论坛上,虽然已经有了一些动摇,但几乎在全部的大学讲坛上,在最有政治权势的经济研究机关里面,依旧满布着超历史的形而上学的经济理论,即使是对于摆在我们面前要我们去正视的经济问题,它们最一般的仍是用常识的技术的观点去处理。站在学术的立场上,奥大利学派的经济学说,无疑是我们应当研究的部门之一。但如其我们知道它是挽近资本主义各国为了稳定其金融统治或世界统治所促成或育成的辩护经济理论体系,我们对于这种学说的研究,就得采取批判的立场,借以确知各国的整个经济动向,特别是认识它们对于落后地带所推行的经济政策。万不能"生于其心","害于其政"的由那种经济学说的意识中,去定立中国经济的改造方案。

然而不幸的是:挽近以来,作为中国经济设施之立案者或发言者的中国经济学界,例皆不问中国社会已有的经济基础,不问所有的设计,应用起来,是否为中国社会已有的经济条件所要求或允许。他们很直观的,把构成中国总经济形态的商品、价值、利润、工资、货币、资本诸基本范畴,与他们从经济学教本中,从奥大利学派经济学中,所习得的同名目的诸基本概念,看为同一的东西,迨其所定立的方案在实行上遇到障碍,他们再回过头来叹说中国社会的技术条件不够,而迄未反省到他们的计划或立案,根本就未顾及中国社会以及中国社会的技术水准。过去是如此,现在亦然。

六 奥大利学派经济学对于民生主义经济由理论到实践的背离

其实,当中国经济学界早陷在昏迷状态中的二十余年前,孙中山先生已很正确的提出了中国经济改造的必由之路。民生主义经济中所创议的土地政策与资本政策,确不仅只把握了中国社会的客观经济现实的症结和认清了资本主义的弊害,同时还很理论的断定中国不经过土地上的变革,不由此扫除过去封建社会的残余的力量,决无法顺利进行任何现代性的经济改造,这是任何一个现代国家所曾经历过来的铁一般的事实;同时也是古典学派乃至批判经济学者们从历史的经济法则所论证得昭然若揭的。只有奥大利学派最害怕历史的阶段论。他们为了辩护金融资本阶段的"永生",遂不惜从观念上把一切不同社会的特殊经济性质或特殊经济条件,加以舍象,原始人使用的石器木棒和近代资本家支配的生产手段,在他们看来,并没有什么本质的不同,所以原始人使用石器木棒所得,是为了消费,资本家使用生产手段所得,同样是为了消费。以此类推到其他经济形态,他们认定一切过去的同现代的,只有简单与复杂的区别。在这样的认识下,经济学的基本概念,就被一视同仁的涵盖成为不着边际,不关一切历史现实的漠然的时间概念与空间概念,让数学去发挥其演绎的功能。资本主义经济的来龙与去脉,绝不能在这种经济学中找到线索。在经济大恐慌一再威胁着资本主义生存的当代,这种否定历史经济法则的经济学的风行,在资本主义各国,至少有其消极的意义。

然在现代化挫折中的中国,对于这种经济学无批判的吸收,就等于对中国社会经济性质的忽视,也就等于对民生主义经济理论的曚蔽。所以,近二十余年来经济学的研究介绍,尽管愈来愈热闹,愈繁昌,对于孙中山先生所正确提论到的民生主义经济理论,即须根本从土地所有关系上,挖去封建势力寄托的地盘,然后始能谈到现代性的经济设施的经济理论,反而,其实是必然,被平淡的搁在一边了。在国民革命过程的二十余年中,民生主义中最基本的且是最初步的土地改革政策,其所以未曾见诸实行,当然有我们国情造成的诸种客观的障碍存在,但如说到主观上的努力不够,其罪戾有一大部分应该归到我们经济学界的奥大利学派的作风。一切在经济建设上有发言权的经济学者,殆没有一个肯触到中国社会所需要的本质的变革。不错,当他们看到经济建设上遇到了现实障碍的时候,间或也漠然提到中国经济的落后性,并以此来含混其立案对于现实的隔膜。但"经济落后"的社会意义是什么？他们在讲坛上，在论坛上，从不曾给予我们以明确具体的指示。

一个以民生主义为现实经济指导原则的国家，其经济学界乃至经济界所奉行的，竟完全是与这个指导原则相背离的经济理论，这已够令人感到稀罕，但最稀罕的，却是这种存在已久的事实，直到今日，还不曾有人把它指明出来。

七　经济学者的责任

我现在可用下面这几点比较综括的意见来结束我的题旨：

（一）我是绝对尊重学术自由研究精神的，对于任何一个学派的经济学说的研究，不但可借以扩大我们对于现代思想的理解，且可借以增进我们对于世界经济现实的理解。在这种意义上，奥大利学派经济学至少和古典学派，历史学派，马克思主义学派的经济学，同样值得我们研究和注意。

（二）正惟其如此，我们研究奥大利学派经济学，至少要明了它这种经济学，是适应资本主义衰落期的现实要求而产生的，在经济学史上，它并不像它的一般信奉者所誉称的"经济学的复兴"或"再造"。因为，如其我们不否认经济学是现实经济的反映，那末，在资本主义临到了多灾多难的严重时期，决不能在资本家的立场，还有什么"更新"的学理的"发现"。即或我们主观上感染太深，不容易去掉这种幻想，我们亦得承认：在现代经济思潮里，奥大利学派经济学究不过其中的一个支流。即使再强调它的重要性，亦不能竟把它当作是经济学全体。

（三）自然，我并不素朴的或表面的承认中国有什么奥大利学派，相应着中国经济形态的落后，中国的经济意识形态亦是非常落后的。自己不能制造商品，对于舶来商品不易辨认其真伪；自己无从创建经济学，对于舶来经济学亦自不易判别其是非。在这种认识下，我们即使不能否认中国经济学界，也受了中国买办商业金融资产者意识的影响，特别是受了帝国主义文化政策的影响，但我们仍不能据此就断定中国有什么奥大利学派经济学。实际上，建立一种经济理论固然是谈何容易，就是信奉一种经济理论，也并不很简单。一般的讲，我们经济学界对于奥大利学派经济学，与其说是自觉的自动的去理解和研究，毋宁说是被动的，人云亦云的。因此，我现在来批判中国经济学界的奥大利学派的作风，实在是哀悯的心情多，而指责的意思少。但是，

（四）正如同我们的经济，受着历史的资本主义世界的束缚，仍必须拼命挣扎，以求得解放一样，我们的外铄的，不由自主的经济意识，亦当由我们努力，由我们展开研究的视野，俾能配合并进一步指导我们的经济解放。况且我们经济解放的途径已经由孙中山先生指示出来了，世界经济发展的客观动态，又大足以启迪我们，只要我们的经济学者，肯从他们一向被拘囚于奥大利学派经济学的"象牙之塔"中开脱出来，中国经济学界定然会一新其面目。这至少是我们经济学者应当担负的自觉的责任。

王亚南先生学术年表*

1901 年（光绪二十七年）

10月15日，生于湖北黄冈团风王家坊，又名直淮，字渔邨，笔名王真、碧辉。

1907 年（光绪三十三年）

入私塾，接受传统文化教育，熟读《论语》、《左传》、《国语》、《史记》等。

1916 年

毕业于黄州高等小学堂，以优异成绩考入武昌第一中学。

1922 年

秋，考入武汉中华大学教育系，同时兼任中学英语教员以维持生活。

1926 年

大学毕业，执教于武昌私立成城中学。

---

* 本年表由张兴祥撰写。编写参考了厦门大学图书馆编：《王亚南校长著译系年目录》(1980年12月油印本)，甘民重、林其泉：《王亚南传略》(《党史资料与研究》1987年第4期)以及朱立文编：《王亚南研究便览》(厦门大学图书馆参考咨询部1994年12月油印本)、《王亚南文集》(第一、五卷，福建教育出版社1987、1989年版)、《厦门大学校史》(第二卷，厦门大学出版社2006年版)、陈炳三：《囊萤之光》(中央文献出版社2006年版)、王亚南纪念馆等有关资料。

秋后,成城中学停办,经友人王仲友介绍,奔赴长沙参加北伐军,并在学生军教导团中担任政治教员。
1927 年
大革命失败,离开长沙返回武昌,谋职未果,后赴上海谋职,亦无所得。
1928 年
从上海辗转至杭州,借住大佛寺,与郭大力邂逅,二人一见如故,共同商定从事经济学研究,并确立合译《资本论》一书的宏愿。

年底,得友人方达功资助,东渡日本。
1929 年
寓居东京,钻研马克思主义经济学,从事写作并着手翻译古典经济学。
1930 年
是年,继续钻研马克思主义经济学,学习日文和德文,开始翻译芬兰爱德华·韦斯特马克的《人类婚姻史》、英国大卫·里嘉图(今通译为李嘉图)的《经济学及赋税之原理》及日本高畠素之的《地租思想史》等著作。

7月,所译爱德华·韦斯特马克的《人类婚姻史》由上海神州国光社刊行。
1931 年
1月,与郭大力合译英国亚当·斯密的《国富论》(上卷)由上海神州国光社初刊。与郭大力合译大卫·里嘉图的《经济学及赋税之原理》由上海神州国光社初刊(该书由北京商务印书馆于1962年9月刊行,更名为《政治经济学及赋税原理》)。

6月,所译日本高畠素之的《地租思想史》由上海神州国光社刊行。

是年,《世界经济名著讲座》一文刊于《读书杂志》第1卷特刊号。《正统派经济学名著》(上、中、下)一文先后于该杂志第2、3、9期刊出。《封建制度论》一文刊于该杂志第4、5期合刊。《略论经济学之基础并答辛茹君》一文刊于该杂志第6期。

年底,由日本返回上海,从事翻译、写作工作,兼任暨南大学教授。

1932年

是年,《经济学史》(上卷)由上海民智书局刊行。《苏俄经济学论战》一文刊于《文化杂志》创刊号。

5—6月,《历史学派经济学名著》、《关于经济学之几个别号的诠释》两文先后刊于《读书杂志》第2卷第5、6期。

8月,与郭大力合译英国亚当·斯密的《国富论》(下卷)由上海神州国光社初刊(该书由北京商务印书馆于1972年10月刊行上卷,于1974年6月刊行下卷,并按原著全称译,更名为《国民财富的性质和原因的研究》)。

1933年

3月,所译英国克赖士的《经济学绪论》由上海民智书局刊行。

4月,《军缩会议与军备竞争》一文刊于《新中华》第1卷第7期。

5月,《现代思想危机论》、《旧华盛顿会议与华盛顿会议》两文先后刊于《读书杂志》第3卷第5、10期。

8月,《中国产业统制论》一文刊于《新中华》第1卷第15期。《电讯频传中的美国产业复兴》一文刊于《新中华》第1卷第

16 期。

9月,《投降日本与救助国联》一文刊于《新中华》第1卷第17期。

10月,著书《现代外交与国际关系》由上海中华书局刊行。《中国知识阶级的厄运》一文刊于《新中华》第1卷第19期。

11月,李济深联合蒋光鼎、蔡廷锴等十九路军将领在福州发动"闽变",成立福建人民政府,出任人民政府文教委员和《人民日报》(福建人民政府机关报)社社长。《一九三六年之大破局》一文刊于《新中华》第1卷第22期。

1934年

1月,《生产经济学》一文自10日起由《人民日报》相继刊出。

"闽变"失败,遭通缉,从香港转至上海。

夏,在友人资助下前往欧洲,临行前,将未译完的德国 F. H. 奈特的《欧洲经济史》余下四章交由郭大力继续翻译。

是年,寓居德、英,学习德语,深入考察西欧资本主义制度,继续从事经济学翻译与写作工作,《德国的过去、现在与未来》一书即完稿于此。

1935年

1月,《日本到何处去》、《经济恐慌之货币问题与劳动问题的比重》两文先后刊于《新中华》第三卷第1、2期。

2月,《金与银的斗争》(日本通讯)刊于《东方杂志》第32卷第3号。

3月,与郭大力合译奈特的《欧洲经济史》由上海世界书局刊行。《中国实业之过去与今后》一文刊于《文化》第13期。

秋,由伦敦前往日本。

年底,由日本转至上海,与郭大力重新会面,二人决定着手翻译《资本论》。其间,任上海著作者协会执行委员,参与抗日宣传工作。

1936 年

1月,著书《经济政策》、《德国之过去、现在与未来》由上海中华书局刊行。《东京面面观》一文刊于《新中华》第4卷第1期。

2月,《日本法选举与岗田内阁的前途》一文刊于《新中华》第4卷第4期。

3月,《日本法西斯势力与金融资本》、《东京政变发生后的国际局势》两文先后刊于《新中华》第4卷第5、6期。

4月,著书《现代世界经济概论》由上海中华书局刊行。

6月,《日本马场财政论》一文刊于《新中华》第4卷第11期。

7月,著书《中国社会经济史纲》由上海生活书店初刊。《东北经济之殖民地化》一文刊于《新中华》第4卷第13期。

8月,《日满经济之调和与对立》一文刊于《新中华》第4卷第15期。

9月,《在军部政党夹攻之下广田内阁的奋斗》一文刊于《新中华》第4卷第18期。

是年,著书《中国经济读本》刊行(出版者不详)。

1937 年

1月,《怎样研究中国经济》一文刊于《自修大学》第1卷第1辑第1号。《一九三六年之法西斯国家》、《日本政治机构改革论》两文先后刊于《新中华》第5卷第1、2期。

2月,《由广田内阁崩溃到林内阁成立》一文刊于《新中华》第5卷第4期。

3月,《日本对华外交转换论》一文刊于《新中华》第5卷第6期。

12月,著书《战时经济问题与经济政策》由上海光明书局刊行。

1938年

年初,由香港转至武汉,任国民党政府军事委员会政治部设计委员会委员,委员会主任为周恩来。

6月,《战时经济的读物》一文刊于《战时文化》第1卷第2期。

8—9月,与郭大力合译德国卡尔·马克思的《资本论:政治经济学批判》第1、2、3卷由上海读书生活出版社刊行。

1939年

8月,与王搏今合译英国柯尔的《世界经济机构体系》(上、下)由上海中华书局刊行。

1940年

2月,《生活与战争》一文刊于《中国青年》第2卷第2期。

是年,广东中山大学校长许崇清亲自赴渝,登门拜访,敦聘其至中山大学任教。

9月,离开重庆抵达广东坪石,任中山大学经济系教授兼系主任,创办《经济科学》杂志,任主编。

1941年

10月,《政治经济学在中国》一文刊于《新建设》第2卷第10期。

1942年

3月,《现代经济思想演变之迹象》一文刊于《中山学报》第4期。

4月,《政治经济学上的人——经济学笔记之一》一文刊于《经济科学》第2期。

6月,《哲学与经济学》一文刊于《时代中国》第5卷第6期。

7月,《世界战争与世界经济》一文刊于《新建设》第8卷第7、8期合刊。

10月,《歌》(散文)刊于《时代中国》第6卷第5、6期合刊。

12月,《中国商业资本论》一文刊于《广东省银行季刊》第2卷第4期。

1943年

1月,《中国货币总论》一文刊于《广东省银行季刊》第3卷第1期。

4月,《中国经济研究的现阶段》一文刊于《经济科学》第5期。

5月,《当前的物价与物价管制问题》一文刊于《新建设》第4卷第3、4期合刊。《政治经济学的法则》一文刊于《文化杂志》第3卷第4号。

夏,英国著名学者李约瑟博士(Joseph Needham)访问广东坪石,两人曾两度长谈,李约瑟提出中国官僚政治的有关问题,成为其日后撰写《中国官僚政治研究》的动因。

8月,《战时经济的重要性及中国战时经济政策》一文刊于《新建设》第4卷第7期。

9月,《中国资本总论》一文刊于《广东省银行季刊》第3卷第2、3期合刊。

10月,著书《经济科学论丛》由江西赣县中华正气出版社刊行。《中国经济学界的奥大利派经济学》一文刊于《中山文化季刊》第1卷第3期。

1944年

3月,《中国经济恐慌形态总论》一文刊于《广东省银行季刊》

第 4 卷第 1 期。《关于经济科学分科研究指导》一文刊于《经济科学》第 6 期。《论东西文化与东西经济》一文刊于《新建设》第 5 卷第 3 期。

10 月,《研究社会科学应有的几个基本认识》一文刊于《改进》第 10 卷第 2 期。

12 月,《关于中国经济学之研究对象与研究方法的问题》一文刊于《改进》第 10 卷第 4 期。

是年,日军袭击粤北,中山大学被迫迁校,故离开中山大学,前往福建永安,任福建省研究院社会科学研究所所长,创办《社会科学》杂志及经济科学出版社。

组织人员赴闽西调查红军根据地的土地改革,兼任内迁长汀的厦门大学经济系客座教授,讲授"高级经济学"、"中国土地问题"等专题。

1945 年

1 月,《社会科学与自然科学》一文刊于《社会科学》第 1 卷创刊号。

春,为抗议进步记者羊枣(原名杨潮)遭国民党迫害致死,愤而辞去福建省研究院社会科学研究所所长一职。

4 月,《福建经济总论》一文刊于《福建省银行季刊》第 1 卷创刊号。《论文化与经济》一文刊于《改进》第 11 卷第 2 期。

6 月,著书《社会科学论纲》由福建永安东南出版社刊行。

秋,出任厦门大学经济系主任兼法学院院长。

8 月,《抗战结束有感》一文刊于《改进》第 11 卷第 5、6 期合刊。

9 月,《混合经济制度批判》一文刊于《社会科学》第 1 卷第 2、3 期合刊。

是年,应台湾大学校长庄长恭之邀,赴台大法学院讲学,为时 1

个月。

12月,《社会科学论纲》增订版由福州经济科学出版社刊行,更名为《社会科学新论》。《中国公经济研究》一文刊于《福建省研究院社会科学研究所研究汇报》第1期。《中国社会经济史上的法则问题》一文刊于《社会科学》第1卷第4期。

1946年

1月,著书《中国经济原论》由福州经济科学出版社刊行(该书日文译本分别由日本青木书店、日本中国经济研究会于1955年刊行,后者刊行时将该书更名为《半殖民地经济论》;俄文译本于1958年刊行;该书增订版由北京人民出版社于1957年1月刊行,1980年12月重印时更名为《中国半封建半殖民地经济形态研究》)。

4—6月,《论技术在生产建设上的地位》一文刊于《裕民》第8期。

5月,《资本论勘误》一文刊于《经济周报》第2卷第20期。

11月,《致中山大学经济学系同学一封公开信》一文刊于《每日论坛》(该文后收入《王亚南与教育》一书,更名为《如何发挥自学的精神》)。

12月,《我们是处在一个伟大时代》一文刊于《社会科学》第2卷第3、4期合刊。

1947年

1月1日,《展望民国三十六年的中国经济界与中国经济学界》一文刊于《江声报》。同月,《金融论》一文刊于《广东省银行季刊》第3卷第1期。

3月25日,《中国官僚资本之理论分析》一文刊于《文汇报》。

4月,《中国官僚资本与国家资本》一文刊于《时与文》第1卷第4期。《我们应如何理解官僚资本》一文刊于《现代经济文摘》第1卷第4期。

5月,《政治经济学上的中国经济现象形态——略论有关中国经济形态的几种认识》一文刊于《福建省研究院社会科学研究所研究汇报》第2期。

6月,《论中国都市与农村的社会经济关系》一文刊于《时与文》第1卷第15期。《官僚资本是怎样形成的》一文刊于《现代经济文摘》第6期。

9月,《论所谓官僚政治》、《官僚政治在世界各国》、《中国官僚政治的诸特殊表象》三文先后于《时与文》第2卷第1、2、3期刊出。

10月,《中国官僚政治的社会经济基础》、《官僚、官僚阶层内部利害关系及一般官制的精神》、《官僚政治与儒家思想》三文先后于《时与文》第2卷第4、5、6期刊出。

11月,《官僚贵族与门阀》、《支持官僚政治高度发展的第一大杠杆——两税制》两文先后于《时与文》第2卷第10、11期刊出。

12月,《士宦的政治生活与经济生活》一文刊于《时与文》第2卷第12期。

1948年

1月1日,《迎一九四八年》一文刊于《江声报》。同月,《中国经济之路》一文刊于《经济评论》第2卷第15期。《中国经济研究之路》一文刊于《经济评论》第2卷第17期。《农民在官僚政治下的社会经济生活》刊于《时与文》第2卷第17期。

2月,《论中国国家经济与国民经济的关系》刊于《新中华》第6卷第4期。《官僚政治对于中国社会长期停滞的影响》一文刊于

《时与文》第2卷第19期。

3月,《中国官僚政治在现代的转型》、《传统的旧官僚政治之覆败》两文先后于《时与文》第2卷第21、24期刊出。《我们需要怎样一种新的经济学说体系》一文刊于《社会科学》第4卷第1期。

4月11—12日,《中国土地改革问题研究》一文刊于《江声报》。同月至5月,《论国家资本主义经济形态与国家社会主义经济形成》(上、下)一文先后于《中国建设》第6卷第1、2期刊出。

5月,《新旧官僚政治的推移与转化》、《新官僚政治的成长》两文先后于《时与文》第3卷第6、7期刊出。《中国经济研究之世界的展望》一文刊于《经济周报》第6卷第21期。同月30日,与卢嘉锡、林砺儒、熊德基诸学者联名于《星光日报》上刊发《反对美帝扶日专刊——教授笔谈》。

6月,《中国土地改革问题研究》一文刊于《社会科学》第4卷第2期。《中国官僚政治的前途》一文刊于《时与文》第3卷第8期。《论中国传统思想之取得与丧失存在的问题》一文刊于《新中华》第6卷第11期。

7月,《论中国的讲坛社会主义者》一文刊于《中国建设》第6卷第4期。

8月8—9日,《中国土地改革问题再论》一文刊于《江声报》。

9月,《〈中国官僚政治研究〉序言》一文刊于《时与文》停刊号。

10月,将刊于《时与文》杂志的17篇专论汇集成书,定名为《中国官僚政治研究》,由上海时代文化出版社刊行。《晚近流俗经济学上诸研究倾向》(上、下)一文刊于《新中华》第6卷第19、20期合刊。

12月,《中国社会经济改造上的自然条件问题》一文刊于《社会科学》第4卷第4期。

1949年

1月,离开厦门前往香港,在中共地下党办的达德学院教授经济学,并为《大公报》、《文汇报》等撰文。《中国经济现状,其特质及其问题》、《中国社会经济改造上的资本问题》两文先后于《新中华》第12卷第1、2期刊出。

2月,《论当前中国社会经济改造的指导原理》一文刊于《新中华》第12卷第4期。

3月6日,《论社会转型中的科学研究者》一文刊于(香港)《大公报》。

4月5日,《论社会转型中的商工业者》一文刊于(香港)《经济导报周刊》第115期。同月,《政治经济学史与新史学》一文刊于《新中华》第12卷第7期。

5月,由香港北上北平,执教于清华大学,讲授政治经济学。《关于〈中国社会经济改造问题研究〉》、《法律、政治、经济之相互关系的研究》两文先后于《新中华》第12卷第9、10期刊出。

7月,著书《政治经济学史大纲》由上海中华书局刊行。《美国与苏联》一文刊于《新中华》第12卷第13期。

8月,《由半封建半殖民地经济到新民主主义经济》一文刊于《新中华》第12卷第15期。

9月,《列宁的〈论国家〉》一文刊于《学习》第1卷第1期。

10月,《旧社会生产关系与土地改革过程显示的诸规律》、《三大经济纲领与社会生产力的解放与发展》两文先后于《新中华》第12卷第19、20期刊出。《家庭、私有财产及国家的起源(名著题解)》一文刊于《学习》第 1 卷第 2 期。

1950 年

1 月,《在人民政权范围下的新经济诸范畴及其法则》一文刊于《新中华》第 13 卷第 12 期。《论社会转型中的官僚阶层》一文刊于《新建设》第 1 卷第 11 期。《论革命与科学的统一》一文刊于《观察》第 6 卷第 5 期。

3 月,《马列主义与新民主主义社会经济形态》一文刊于《新中华》第 13 卷第 6 期。

5 月 10 日,出任厦门大学校长。

6 月,由北京启程到厦门赴任。于任期内,以其独特的教育理念、教育思想及办学思路建设厦门大学,着手教育改革。

9 月,《土地改革的意义及其对于工商业的影响》一文刊于《新中华》第 13 卷第 18 期。

11 月,著书《中国社会经济改造思想研究》由上海中华书局刊行。《苏美两国的社会经济制度及其世界政策》一文刊于《新建设》第 3 卷第 2 期。

12 月 21 日,《斯大林与人》一文刊于《厦门日报》。

是年,创办厦门大学经济研究所,兼任所长,招收首届经济学研究生 8 名,学制 2—3 年,亲任导师。

1951 年

是年,对厦门大学财院系设置进行改革,经济系由法学院析出,与商学院合并,成立经济学院。

1 月,《政治学习的目的与方法》一文刊于《新中华》第 14 卷第 1 期。

3 月,《广义政治经济学发凡》(上、下)一文刊于《新中华》第

14卷第5、6期合刊。《〈实践论〉的认识》一文刊于《新建设》第3卷第6期。《政治经济学的新任务》、《新经济学界的研究方向》两文刊于北京十月出版社出版的《新经济论丛》。

5—6月，《贯彻在广义政治经济学中的诸基本原则》(上、下)一文先后于《新中华》第14卷第10、11期刊出。

8月，《中国共产党与马克思主义》一文刊于《新建设》第4卷第5期。

10月15日，《土地改革的意义及其对于工商业的影响》一文刊于《新厦大》。

1952年

7月，在其主持下，厦门大学成立研究部，兼任部长；原《厦门大学学报》(1926年4月创刊时名为《厦门大学季刊》，1931年更名为《厦门大学学报》)复刊(为新中国成立后全国第一家复刊的大学学报)，亲自参与组稿、写稿、审稿及编辑工作。

9月，《马克思主义政治经济学与资产阶级政治经济学》、《编辑后记》两文并刊于《厦门大学学报》(财经版)第1期。

11月7日，《十月革命与马克思主义的真理》一文刊于《厦门日报》。同月，《马克思主义政治经济学与资产阶级政治经济学》一文刊于《新建设》第4卷第11期(该文后收入《政治经济学论文选集》、《王亚南经济思想史论文集》，更名为《怎样从立场、观点、方法来辨别马克思主义政治经济学与资产阶级政治经济学的不同本质》)。《政治经济学和一般科学的关系》一文刊于《文史哲》第6期。

1953 年

3月,《马克思与〈资本论〉》一文刊于《新建设》第5卷第3期。

5月,《由封建的领主经济和地主经济引论到中国社会发展史上的诸问题》(上)一文刊于《文史哲》第3期。

6月10日,《学习〈资本论〉的一些体会》一文刊于《光明日报》。

7月15日,厦门大学院系调整委员会成立,任主任委员。

11月29日,《马克思主义的农业理论政策及过渡时期的农业集体化问题》一文刊于《解放日报》。

1954 年

2月,《文学艺术与经济基础(上)——马列主义的文艺观》一文刊于《厦门大学学报》(文史版)第1期。《由领主经济和地主经济引论到中国社会发展史上的诸问题》(中)一文刊于《文史哲》第2期。

6月19日,《马克思列宁主义的国家法权观点和中华人民共和国宪法草案》一文刊于《新厦大》。

7月,《由领主经济和地主经济引论到中国社会发展史上的诸问题》(下)一文刊于《文史哲》第7期。《马克思主义政治经济学发展和新阶段——学习〈苏联社会主义经济问题〉的一些体会》刊于《厦门大学学报》(财经版)第2期。

9月,当选第一届全国人民代表大会代表,兼任福建省政协副主席、福建省教育工会主席、福建省哲学社会科学联合会主席。

11月,著书《中国地主经济封建制度论纲》由上海华东人民出版社刊行。

1955 年

自本年度起,奉命停办统计、会计、财金、贸易四系,原经济学院撤消,改为经济系,下设政治经济学、统计学、会计学、货币与信贷、贸易5个专业,稳固原有师资队伍,为日后厦门大学经济学科的振兴与发展积蓄了力量。

2月,《〈红楼梦〉现实主义的社会基础问题——试从中国地主经济封建的特点来理解〈红楼梦〉现实主义的社会历史根源》一文刊于《厦门大学学报》(社会科学版)第1期。

4月,《〈政治经济学教科书〉的出版是马克思主义政治经济学研究上的一个新纪元》一文刊于《厦门大学学报》(社会科学版)第2期。《社会主义基本经济法则在我国过渡时期的经济总运动过程中究竟是起的什么作用》刊于《厦门大学学报》(社会科学版)第2期(该文后收入《政治经济学论文选集》,更名为《怎样把政治经济学的原理与规律运用到我国过渡时期的经济实际中》)。

5月,《〈政治经济学教科书〉的杰出贡献》一文刊于《新建设》第5期(该文后收入《政治经济学论文选集》,更名为《怎样就范畴与规律来区别社会主义经济形态与资本主义经济形态的不同实质》)。

6月,中国科学院哲学社会科学部成立,当选为学部委员、常委。

1956 年

率厦门大学代表团访问印度。

2月,《我们发展国民经济的第一个五年计划与过渡时期的经济规律》一文刊于《经济研究》第1期。

3月8日,《和同志们谈谈几点比较原则性的科学研究经验》一文刊于《新厦大》。

4月,《〈资本论〉的产生、其性质、其结构及其研究方法》一文刊于《厦门大学学报》(社会科学版)第2期。

8月29日,《试论我国的指导思想和百家争鸣方针的统一》一文刊于《人民日报》。

12月4日,《促使生产力发展的动力究竟是生产力内部存在的矛盾?是生产关系?还是其他?》一文刊于《福建日报》。同月,著书《马克思主义的人口理论与中国人口问题》由北京科学出版社刊行。《政治经济学的理论联系实际问题》一文刊于《学习》12月号。

1957年

1月,《怎样从资产阶级经济学的学习中获得教益》一文刊于《新建设》第1期。

2月,创办《学术论坛》,其撰写的《发刊词》刊于《学术论坛》第1期。

5月,《申论马克思主义的人口理论与中国人口问题》一文刊于《新建设》第5期。

7月,《论官僚政治与官僚主义》一文刊于《学术月刊》第7期。

10月,《论所谓资产阶级社会科学》一文刊于《学术月刊》第10期。

11月,《政治经济学论文选集》由福建人民出版社刊行。

冬,率中国教育专家组赴缅甸工作3个月。

1958年

1月初,由缅甸回国。

5月,《凯恩斯学说批判的革命任务和科学任务》一文刊于《新建设》第5期。

9月,创办《经济调查研究集刊》,是年10月试刊。

10月,《我们研究经济的方向与实践——〈经济调查研究集刊〉发刊词》、《关于〈政治经济学在教学上的理论联系实际〉一文的自我批判》两文并刊于《经济调查研究集刊》(第一集)。《关于中国社会发展史上的若干关键性的问题——〈中国半封建半殖民地经济状态〉一书的俄文译本序言》一文刊于《学术论坛》第3期。

是年,福建省委筹办福州大学,鼎力支持,将理科近一半的师资力量(包括亲自延请来的专家学者)调拨给福州大学。

1959年

1月,《经济调查研究集刊》经中共中央宣传部批准,更名为《中国经济问题》,正式发刊。

4月,当选为第二届全国人民代表大会代表。《从发展社会生产的角度来申论我国社会主义现阶段商品生产与价值规律作用问题》一文(附:价值规律在我国社会主义经济中的作用)刊于《中国经济问题》第4期。

5月15日,《充分发挥价值规律在我国社会主义经济中的积极作用》一文刊于《人民日报》。同月,《在全国经济讨论会中的学习心得》一文刊于《中国经济问题》第5期。

6月,《论马寅初的新哲学和新经济学》一文刊于《厦门大学学报》(社会科学版)第1期。

7月,《倡议工农干部工农大众学习政治经济学》一文刊于《中国经济问题》第7期。

8月,《大家来学习政治经济学》一文刊于《中国经济问题》第8

期。《为什么要学习政治经济学》一文刊于《红与专》第 14 期。同月 31 日,《两种社会制度两种鲜明对照的经济现象》一文刊于《人民日报》。

10 月,著书《论当前两种社会制度下的两种不同经济现象和市场问题》由上海人民出版社刊行。

11 月,《关于〈资本论〉及其研究的目的与方法(一)》一文刊于《中国经济问题》第 11 期。

12 月,《关于〈资本论〉及其研究的目的与方法(二)》一文刊于《中国经济问题》第 12 期。《〈资本论〉是怎样一部关系人类命运的伟大著作》一文刊于《学术月刊》第 12 期。

1960 年

1 月,《我们应当怎样研究〈资本论〉——关于〈资本论〉及其研究的目的与方法(三)》一文刊于《中国经济问题》第 1 期。《谈谈百家争鸣中若干前提认识问题》一文刊于《学术月刊》第 1 期。

2—3 月,《再论马寅初的新哲学与新经济学》一文刊于《新建设》第 2 期。《〈资本论〉总结构的系统理解(上、下)——关于〈资本论〉的总结构、辩证法及其体系对于政治经济学研究的影响之一、二》两文先后于《中国经济问题》第 2、5 期刊出。

4 月,《大力开展经济科学研究工作,加速社会建设》一文刊于《中国经济问题》第 4 期。

6—7 月,《体现在〈资本论〉中的辩证法(上、下)——关于〈资本论〉的总结构、辩证法及其体系对于政治经济学研究的影响之三、四》两文先后于《中国经济问题》第 6、7 期刊出。

9 月,《〈资本论〉体系对于政治经济学研究的影响——关于

〈资本论〉的总结构、辩证法及其体系对于政治经济学研究的影响之五》一文刊于《中国经济问题》第9期。

11月9日,《关于以农业为国民经济基础的理论的初步考察》一文刊于《福建日报》。

1961年

4—5月,《〈资本论〉的学与用》一文于《中国经济问题》第1、2期相继刊出。

9月,《关于应用〈资本论〉体系来研究政治经济学社会主义部分的问题》一文刊于《厦门大学学报》(社会科学版)第2期。

10月19日,《谈谈政治经济学的基础知识和基本理论问题》一文刊于《文汇报》。

11月,《〈资本论〉通俗讲座——写在〈资本论通俗讲座〉前面》一文刊于《中国经济问题》第8期。

12月5日,《凯恩斯主义——国家垄断资本主义的理论和政策》一文刊于《文汇报》。同月,《〈资本论〉第一卷的系统理解》一文刊于《厦门大学学报》(社会科学版)第3期。

1962年

1月9—10日,《威廉·配第〈赋税论〉出版三百年》一文于《光明日报》相继刊出。13日,《研究古典经济学的现实意义》一文刊于《人民日报》。19日,《马克思对资产阶级政治经济学批判的态度与方法》一文刊于《解放日报》。

5月,《〈资本论〉的综合系统理解》一文刊于《学术月刊》第5期。同月31日,《对〈资本家宣言〉进行分析和批判》(报告摘记)刊于《文汇报》。

7月26日,《社会经济建设中若干理论问题》一文刊于《文汇报》。

10月,《古典政治经济学及其发展》一文刊于《新建设》第10期。

11月,《马克思主义政治经济学与资产阶级古典经济学》一文刊于《经济研究》。

12月,《唯物主义历史观与马克思主义政治经济学方法论》一文刊于《中国经济问题》第12期。《〈资本论〉的方法》一文刊于《经济研究》第12期。

1963年

3月,《〈资本论〉产生的时代背景与阶级历史任务——纪念马克思逝世八十周年》一文刊于《中国经济问题》第2、3期合刊。

4月14日,《马克思关于资本主义自由形态到垄断形态转变的基本原理》一文刊于《文汇报》。

5月,《再论〈资本论〉的方法》一文刊于《哲学研究》第3期。

9月,《〈资本论〉研究的对象与方法》一文刊于《中国经济问题》第9期。

12月,《〈资本论〉讲座》(第一册,与袁镇岳共同主编)由上海人民出版社刊行。

1964年

1月,《〈资本论〉的结构与体系》一文刊于《中国经济问题》第1期。《凯恩斯经济学说批判》一文刊于《新建设》第1期。

3月,《〈资本论〉第一卷学习提要及其问题》一文刊于《中国经济问题》第2、3期合刊。

4月,《资产阶级庸俗经济学是各种庸俗社会的经济理论的来源和基础等问题》一文刊于《浙江学刊》第2期。

5月,《〈资本论〉是一部政治经济学典范也是一部阶级典范》一文刊于《学术月刊》第5期。

6—8月,《〈资本论〉第二卷学习提要及其问题》一文于《中国经济问题》第6、7、8期相继刊出。

10月,《学习〈资本论〉第三卷值得注意若干问题》一文刊于《中国经济问题》第10期。

11月,《当前政治经济学战线上的所谓生产价格派与价值派间的理论斗争》一文刊于《中国经济问题》第11期。

12月,当选为第三届全国人民代表大会代表。

1965年

5月,《毛泽东同志关于"要有目的地去研究马克思列宁主义的理论"的教导与〈资本论〉研究》一文刊于《中国经济问题》第5期。

9月,《关于〈资本论〉第三卷第五篇主要内容的概括说明》一文刊于《厦门大学学报》(社会科学版)第1期。

11月,《决不能从〈资本论〉里面去找到利润是社会生产的目的的理论依据》一文刊于《中国经济问题》第5期。

12月,主编《资产阶级古典政治经济学选辑》一书由北京商务印书馆刊行。

1966年

1月,《关于〈资本论〉第三卷最后一篇〈各种所得和它们的来源〉的概括说明》一文刊于《厦门大学学报》(社会科学版)第1期。

1967年

"红色风暴"席卷厦门大学校园,被打成"反动学术权威",遭批斗,入牛棚。

1968 年

无法做学问,抓紧时间自学法语。

1969 年

春,感觉身体不适。

夏,病情恶化,胸以下截瘫。

11 月 13 日,病逝于上海华东医院,享年六十八岁。

政治经济学中国化的成功典范

胡培兆

本书是王亚南20世纪40年代最重要的著作之一。起意于中山大学,完成于厦门大学,影响于海内外,是不朽的传世名作。

艰苦卓绝的学术生涯

王亚南的学术生涯大致可分两个阶段:1938年前以翻译为主,除与郭大力合作翻译英国古典经济学名著亚当·斯密的《国富论》(即《国民财富的性质和原因的研究》)、李嘉图的《经济学及赋税之原理》(即《政治经济学与赋税原理》)和马克思主义的大经典《资本论》之外,个人还翻译了芬兰爱德华·韦斯特马克的《人类婚姻史》、日本高畠素之的《地租思想史》、英国克赖士的《经济学绪论》、英国奈特的《欧洲经济史》等;1938年后以研究为主。他认为"经济科学是一门实践的科学"(《经济科学论丛》),如果离开实践,就不可能有真正的经济学。而当时中国大学讲坛和社会论坛上的主流经济学都是来自海外的舶来品,而且主要都是经过日本等第三国咀嚼消化过的转手货,大学教授也像马克思在《资本论》里批评过的德国教授一样都是外国的"小学生,盲从者,应声虫",

除了鹦鹉学舌般地人云亦云传销舶来品外,很少有结合国情联系实际提出新经济理论来的。言必称希腊而数典忘祖,经济学是千篇一律地以四分主义(生产、分配、交换、消费)和三位一体公式(土地—地租、资本—利润、劳动—工资)为蓝本的老生常谈。对此状况,1937年复旦大学的夏炎德教授就有过批评。他说:"溯经济学之传入中国,于兹已四五十年,时间不可谓太短,而检讨过去,果有博通各国各家思想,针对中国国情与需要,而自成一体系之经济学乎?曰:蔑有也。""还观吾国经济学界,犹停滞于接受外来思想之时期,不少学者且视为固然,各以其留学国或师承之学说奉为圭臬,曾不思转而自谋创造。……此余对于中国现行经济学未能满意也。"①也鉴于此,王亚南的研究就另辟蹊径,反其道而行之,注重中国经济社会实际的研究。1941年他在《新建设》杂志上发表《政治经济学在中国》一文,提出要建立"中国经济学"。1942年进一步提出"我们应以中国人的资格来研究政治经济学","那就是,我们要由政治经济学的研究,逐渐努力创建一种专为中国人攻读的政治经济学。"(《经济科学论丛》)在实践中他认为首先要搞清楚中国社会的性质。"我们如其不能把握其实现的社会性质,就无法研究,而且也用不着研究了。一般社会科学的理论,都不能离开它所体现的社会现实而得到理解。"(《经济科学论丛》)《中国经济原论》就是这样一本实践自己愿望的将政治经济学中国化的不朽著作,是站在中国人的立场上创造性地运用马克思主义的观点、方法和原理来研究剖析中国经济形态的成功典范。作者在序中自云:

---

① 夏炎德:《中国近百年经济思想》,商务印书馆1937年版,第187页。

"我曾提出'中国经济学'这个名词来。""在今日或在今后,有谁要触到学术中国化,特别是政治经济学中国化的历史,本书至少也许可以多多少少暗示出那该是怎样一个经历了多少探索和'尝试错误'的艰难过程。"

中国社会性质的大辩论

旧中国的社会性质问题,新中国成立前曾引起各派经济学家之间的热烈纷争,几乎各学术团体和各名家大将都参与其中,发表各自见解,最后逐步集中形成两个壁垒分明的阵营。一个阵营主张中国社会自鸦片战争以后就是半殖民地半封建的社会,而封建关系占主要地位。另一个阵营却认定中国社会已经是完全资本主义化了,封建经济已经不存在了。这场在王亚南的学生时代开始的论战,到他登上大学讲坛后还进行着,直到新中国成立为止。以上两种观点相较,王亚南是赞同旧中国是半封建半殖民地社会之观点的。1936年他就说:"在资本主义势力透到社会底层的现状下,过去依土地榨取关系所维系的封建组织,当然无法保持,但在各帝国主义要以中国为制造品销纳地和原料供给地的桎梏之下,中国决然不能变成资本主义国家。这种进退失据的情形,正好形成我们当前过渡期中的半殖民地的社会经济的姿态。"①与"半殖民地半封建的社会"提法有所不同的是,在以后的一些著作中他更

---

① 王渔邨:《中国社会经济史纲》,上海生活书店1976年版,第26页。

明确地是提"半封建次殖民地或半殖民地"的社会与"半封建半殖民地的社会",并用"过渡社会"加以概括。但他总觉得需要从经济上加以全面系统的论证,才能从根本上科学确定中国社会的性质,也才能让人无可置疑地确认中国社会就是半封建半殖民地的社会。于是他前后用四年左右的时间进行探讨。终于在1946年完成这项工作,提出《中国经济原论》。他创造性地大体仿照《资本论》第一卷的结构、体系、范畴,并运用其基本原理,全面系统地深入考察、剖析和阐明了旧中国的经济形态,雄辩地证明无论是从商品、货币、市场、资本、雇佣关系、土地关系、经济危机等范畴看,又无论是从城市、乡村、工业、农业、商业等城乡和产业看,中国经济都不是单性纯质的经济,既不是以资本主义为主体的经济,也不是完全封建的独立的民族经济,而是封建的、资本主义的、民族的、买办的各种经济关系交错缠绕在一起的一种特殊的经济形态,每个经济范畴都深深地打有半封建半殖民地的烙印,全面揭示了当时中国经济社会是地地道道的半封建半殖民地的经济形态。

《中国经济原论》最先在1946年1月由中国经济科学出版社在福建发行,1947年7月改由上海生活书店印行,1950年5月作为新中国大学丛书由上海生活·读书·新知三联书店发行。在《解放后新版序言》中说,1947年的版本虽然有所增删,"但它研究对象,仍止于半封建半殖民地的经济形态"。他说,现在"中国整个经济正在由半封建半殖民地向着新民主主义"转变,"愈是要好好理解新民主主义社会经济形态在中国现代社会发展史的必要性","也许就愈需要对中国旧经济半封建半殖民地经济,加以明确的科学的解析。"

中国是半封建半殖民地经济形态的社会

我们仅从作者对以下几个标志性的经济范畴的分析,就可略见一斑:本书是如何揭示当时中国经济社会是地地道道的半封建半殖民地的经济形态的。

(一) 商品货币形态带有封建色彩和列强掠夺的斑迹,滞阻在落后的状态中

资本主义制度下商品生产高度发达和普遍化,劳动力也成为商品,90%以上的人需要靠出卖劳动力过日子,雇佣劳动与资本的关系成为社会转动的轴心。旧中国的商品经济远没有达到这样的水平,基本上没有脱出"为买而卖"的简单形态,处于前资本主义性质。如中国工业,主要是轻纺工业,以手工业为主。现代化工业提供的产品比重很小。就以制造业即加工工业为例,它在量上"是手工业的扩大",在质上"是小商品生产与大工业的连环",都是在旧的生产方法上占有直接生产者的剩余劳动。因此,制造业"成为过渡社会之一典型的工业生产形态"①。这种作为小商品生产和大工业"连环"的过渡工业形态,其产品也必然具有两重性,既是资本主义的,又是前资本主义的,而且受国际商业资本和国内商业资本控

---

① 王渔邨:《中国社会经济史纲》,上海生活书店1976年版,第28页。

制。一切工业品、农业品都是以不正规的方式投到市场上去的。不少生产者由商人提供原料、工具、资金,带有为商人"预定生产"的性质,价格在出卖之前就由商人定了。旧式的雇佣劳动条件,旧式的生产工具,是前资本主义生产方式所据以存在的根基,而由这样的生产方式生产出来的产品,就很难得出有完全资本主义性质的结论。

就劳动力商品来说,也网罗着封建关系,并非是自由形态上的商品。中国从农村大量游离出来的劳动力,只有少部分被工厂农场雇用,大部分还不能转化为商品。就是转化为商品的那部分,也不是完全形态上的商品。中国根本不存在可以按资本主义条件自由出卖劳动力的劳动市场。劳动力"即使具有'商品'的外形,却仍不免保有'贡品'的实质"[1]。在工厂中,普遍采用领工回家装作的血汗制,由工头招工进行生产的包工制,工头收养流浪儿到获得职业从中分取其报酬的养成工制,由农村招募贫苦农民孩子到工厂做工的包身工制,还有什么学徒制,家长制,等等。其他工人不少是从亲属、行帮等渠道来的,这些都同落后的封建关系密切联系着,并受其支配,经济外的榨取、敲诈、勒索,无微不至。外资工厂中的中国工人更不被当人看。农业雇佣工人差不多都是隶农式的,季节性的,佃农义务劳动性的,乃至交换劳动式的,等等,各种劳动形式千奇百怪地杂陈着。劳动力价格就很不确定,使资本家可以任意压低工资,榨取更多的剩余价值。因此,作为资本主义标志的劳动力商品,在中国社会还只处于萌芽状态。说中国已是完

---

[1] 本书第215页。

全的资本主义社会的理论,与现实南辕北辙。

商品形态不发达,货币形态也相应落后。1935年以前,中国一直实行银本位制,比欧洲落后一个世纪,比印度还落后8年。中国和墨西哥、西班牙是全世界最后保持银本位制的三个国家之一。货币形态也相当繁杂,硬币和纸币同时流通。硬币有银元、洋毫、铜币。纸币五花八门,政府、银行、私人商号都可发行,各国纸币同样可在中国流通。货币形态打有简单的、封建的、殖民地的印记。1935年币制改革以后,固然把芜杂的货币统一起来了,却又附上了财政的、商业的性质,成了压榨人民的经济工具。当政府遇到财政困难时,就用印刷纸币来弥补。疯狂的滥发货币,加强了商业投机。旧中国的商品货币形态明显带有封建色彩和帝国主义列强掠夺的斑迹,被滞阻在落后的状态中。

(二) 资本形态的落后和多样性

商品货币的不发达和形态复杂,决定资本形态的落后和多样化。任何一个发达资本主义社会,其经济都不是纯粹单一的,不免残留一些相对落后的部门和领域,存在着一些前期的资本形态,但范围小,力量弱,不起决定作用。中国却不同,前资本主义的诸资本形态不仅存在,而且起决定作用,阻碍现代资本的发展。按各资本所占的比重、作用大小来排列,商业资本占绝对优势,高利贷资本和银行资本次之,产业资本为最微弱。中国商业资本是建立在地主经济基础上的,土地可以自由买卖,因此,商业资本极容易转向土地,把赚得的钱去购买土地,成为土地所有者。所以,商人和地主是通家。而且通过地权交结政治,与官府又是亲朋,历代的巨贾豪商都交通官府,可以出将入相。随着帝国主义的侵入,商业资本又紧随外国资本,充当买办。"广搜各地土产,统办环球货品",为列强资本服务。商业资本"就如同猛虎附翼一般的猖狂起来"①,使产业资本受商业资本和外国资本的夹击,处于半筹莫展的窘境,难以发展。第一,利润没有保证。如果有点利润,那不过是商业资本攫取后残留下来的一个微小部分,极不易积聚和扩大生产。第二,为应付动荡不安的社会环境,产业资本家不敢增加固定资产和采取先进技术设备,宁可采行"易分易合"、"可止则止"的灵活机动的形态。一遇危急情况,只需要解雇工人就可了事,不至于有过大固定资产的损失。所以,中国产业资本有机构成极低,工具一直很简陋,到处是廉价的劳动力排斥机器。第三,商业资本不易转化为产业资本,产业资本却极容易转化为商业资本,特别是在日益严重的通货膨胀的威胁下,更是这样。通货膨胀"更不啻给于那些抬不起头、喘不过气来的大小工业,以火上添油的窘迫结局,'以商养工'或'化工为商'就成了一般工业家挣脱灭亡命运的一个最有效方法"②。如此种种艰难,致使"国人皆视生产事业为畏途"③。

  抗日战争期间和期后,产业资本更难立足。官僚资本乘人之危,伸出魔手,大发国难财,以"国营"名义化私为"公",化民有为官有,官僚资本于是急剧膨胀起来了。另一部分,被外国资本吞并去了,成为"以国人名义经营的外国资本"。王亚南对此愤慨地抨

---

① 本书第 182 页。
② 本书第 149 页。
③ 本书第 162—163 页。

击说,"我们在敌伪产业基础上新生起来的若干生产事业以及依各种形式保存着的社会财富,都直接间接或明里暗里向外国逃避了。而官僚与买办的苟合,更不啻为此逃避开了一个方便门户。因此,我们政府不管怎样叫穷叫苦,请外国帮助,而我们国内资财、外汇、黄金、土产,却源源不绝的在向我们希望从它得到援救的国家输送,这种矛盾得极其可笑的现象,正在我们面前表演着"[①]。封建的买办的商业资本和外国资本对产业资本(民族资本)的统制、侵渔,就是产业资本抬不起头来、资本主义长期发展不起来的主要原因。

(三) 双重的生产不足的封建主义经济危机与生产过剩的资本主义经济危机并存

王亚南认为,旧中国经济因受封建主义和资本主义的影响,因此经济危机也带有二重性,既带有传统的封建制度的经济危机的性质,又带有资本主义经济危机的性质,迫使中国社会受双重经济危机的双重痛苦。前一重性质的危机,是封建主义的因天灾人祸造成的生产不足的经济危机,后一重性质的危机,是资本主义生产过剩经济危机转嫁过来从而加重中国本身特有的经济危机。一遇上资本主义世界经济危机,专门为国际市场生产的原料卖不出去,而外国商品却源源不绝地涌进倾销,生产过剩和生产不足并存着。如1932年,各省农业丰收,粮价下跌30%,广东却从海外输进大米1440万担,华北小麦囤积铁路沿线,不下一千万担,而上海却每年

---

① 本书第152页。

输进大量小麦,国内市场茶叶过剩,锡兰、印度、爪哇的茶叶每年却充斥国内市场;生丝过剩了,日本和印度的人造丝和丝织品还源源进来;广东、江西蔗糖过剩了,南洋、日本的蔗糖在国内泛滥着。这种双重的经济危机,加重破坏了中国工农业生产,持久而不易复苏。

经济危机虽然有两重性,但不能彼疆此界地作二元论解释,必须从生产过程中作一元的解释。因为这两重性有主次之分,有正体和副体①。其正体是"农村的、生产不足的、经常持续的"经济危机②。另一重危机是在这种正体危机的基础上发生作用的。也就是说,国外资本制经济危机对我们的作用是通过国内固有的经济危机发生作用的。因此,中国经济危机的最终原因是:中国经济脱出了自然经济范畴,生产物商品化日益发展。但这种商品是小商品生产,其属性、种类及市场都相当落后。小商品生产的社会一般是农业社会,土地比工业显得更有生产性,作为再生产基础的积累来源的剩余产品主要由农业提供,并体现在地租上。由于国外贸易的发展,作为外国资本附庸的商业资本统制了工农业生产,搜取去了剩余产品或剩余价值的最大部分。而在不平等的对外贸易中,剩余价值的一个可观部分通过买办商业集中到外国去了。由于都市的繁荣,国家的奢侈,又都直接依赖了农业剩余价值,通过税赋、地租、高利贷和商业活动,不绝加重农业负担。压榨的愈多,能够投放到农业生产上的资金就愈少。于是土地劳动生产力便逐

---

① 王亚南并没有这样明确划分。但他提出"正体"之论,我们据此衍生出"副体"来,这符合他的原意。

② 本书第289页。

渐减退,以粮食为主的农产物产量便逐渐缩减了。"因此,我们的农业的、生产不足的、慢性的经济恐慌,便是在上述这一系列经济活动——小商品生产,商业使生产物变为商品,商业支配产业,商业利润高过产业利润,利润受规制于利息,各种不等价交换,资本都向都市和国外集中;农村各种原始资本形态的相互作用及资本在他们之间的流转,劳动力驱逐机具,甚至驱逐畜力——所联合体现出的种种法则作用下产生的。"①因为自己有这个痼疾,一遇上资本主义经济危机就必然受感染,一重性就成了二重性了。

这样的分析深刻明了,有极大的穿透力,把中国半封建半殖民地的社会性质活生生地展现出来。该书影响广泛深远,多次重版印刷。1957 年经增订曾改名为《中国半封建半殖民地经济形态研究》由人民出版社出版,日本和苏联等都有译本。正如郭沫若的《中国古代社会研究》被认为是中国式的《家庭、私有制和国家的起源》一样,王亚南此书也被喻为是中国式的《资本论》。虽然不能与《资本论》相提并论和媲美,但他在当时中国经济论坛上仿照《资本论》一卷的经济范畴体系和用其基本原理来分析中国经济形态,无疑是别开生面、首屈一指的。

结　语

1949 年以后对旧中国的社会性质,一般都说是"半殖民地半封

---

① 本书第293 页。

建社会",但也有说是"半封建半殖民地社会"的。好像两种说法可以并行不悖,而且也没有人质疑这两种说法有何不同。实际上,"半殖民地"、"半封建"这两个"半"在排序上哪个孰先孰后,意义是大有轩轾的。将"半殖民地"置于前面,意味着半殖民地是决定中国社会性质权重最大的首要因素,表示中国在鸦片战争之前原本就没有"半封建"因素,只是因为先有"半殖民地"而后才有"半封建"这个衍生产品。这样一来,中国社会由封建制度转向半封建半资本主义的进步,就要归功于西方列强的入侵了。这就很不妥。

　　清朝统治的旧中国虽然腐败颟顸,在鸦片战争之前却还是个独立的国家,不属半殖民地与殖民地,这是肯定的。从封建发展史看,中国虽然未能像欧洲一样,从16世纪就开始走上资本主义,但也并非千年冰封冻土一片,毫无进展。商品经济已在一定范围内存在,特别在明清时代有较快发展。在鸦片战争之前,棉纺、丝织、烧瓷、冶金、制盐、漆器等等行业都有雇工的带有资本主性质的工场手工业,遍布东南沿海及内地沿江市镇,市场商贸已相当发达。"天下熙熙皆为利来,天下攘攘皆为利往","生意兴隆通四海,财源茂盛达三江",这绝非是文人墨客的夸饰之辞,而是史学家对当时市面的真实写照。说明在中国封建制度的大框架里,装的已不是清一色的封建经济关系的旧货色,还包含有萌芽中的资本主义经济关系。尽管还不占优势,但毕竟是新生力量,不可小觑。如果半封建半资本主义不是机械地五五分成来评判,那么就是有一二成,也可说鸦片战争前就已经是大封建小资本的半封建经济结构了。显然,如果没有这样的经济结构,鸦片战争结束后英帝国主义就不可能在中国有现成的商埠可供设置五口通商城市。如当时上海就已是有二三十万人口的城市,厦门在1670年(康熙十年)就已向英国开放贸易。而且,我们都有一个共识:"如果没有外国资本主义的影响,中国也将缓慢地发展到资本主义社会。"这也说明鸦片战争之前中国已有"半封建"的资本主义萌芽存在,并非是鸦片战争之后才有"半封建"。也就是说,旧中国的社会性质是鸦片战争之前就有的"半封建"萌芽加鸦片战争之后才有的"半殖民地",才成为"半封建半殖民地社会"的。很明显,先有"半封建"而后有"半殖民地",而不是先有"半殖民地"才后有"半封建"。鸦片战争的恶劣影响,在于西方列强把本已开始分解出来的资本主义经济成分的发展,锁定在它们所需要的半封建半殖民地的铁筐限内。

因此,王亚南的《中国经济原论》的研究结论:旧中国是"半封建半殖民地社会",值得采信。科学是讲较真的,不能模棱两可。而且,大论战中留下的浩瀚论著中,唯有王亚南的这部著作是从根本上全面系统研究论证"半封建半殖民地社会"经济形态的经济学专著,实属难得。